天璋院篤姫 上

宮尾登美子

講談社

目次

天璋院篤姫《てんしょういんあつひめ》(上)

装幀　坂川栄治＋田中久子（坂川事務所）

出立

一日に七たび色がかわるという桜島の姿を、寅刻《とらのこく》に仰ぐのは今日が初めてで、そしておそらく、これが最後になるであろうと篤姫《あつひめ》は思いつつ、老女の幾島《いくしま》に手を取られて庭に下りた。

夜明けの桜島は、肩の辺りからほのかな桃いろに染まり、噴煙は線香のように細くまっすぐに立ち昇っている。

さきほど、座敷で別れの盃《さかずき》を賜わり、

「桜島も今日は至極おとなしい。於篤《おあつ》の参府《さんぷ》を祝う如《ごと》くに見ゆる。道中つつがなきように」

という、父の島津斉彬《しまづなりあきら》のはなむけの言葉を聞いて、篤姫はふっと涙ぐみそうになったが強く歯を嚙《か》んでこらえ、しっかりした声で礼を述べた。

斉彬の見送りは、この鶴丸城御書院の座敷までで、あと篤姫は二の丸下にととのえられた駕籠《かご》まで、御発輿総指揮官《ごはつよ》の御側《おそば》御用人向井新兵衛《むかいしんべえ》の先導で徒歩《かち》で下りてゆくことになる。

朝露を含んだ萩の花は道々にもこぼれており、総勢五十八名の隊伍はその場所にあるじを待ちうけていて、篤姫は幾島の介添《かいぞ》えで赤いかいどりの裾《すそ》を一度高くさばいてから駕籠のひととなった。

この駕籠は、斉彬の妻、英姫《ふさひめ》所用のものだが、娘篤姫の参府のためにはるばると江戸から差廻《さしまわ》してくれたもので、長い道中を慰めるよう、内部にはさまざま趣向を凝《こ》らしてあった。脇息《きようそく》、白絹の厚い座蒲団《ざぶとん》、花鳥《かちよう》を描いた天井としとみ、手遊びものを入れる小箪笥《こだんす》、そして前には喫茶などのときの、折畳みの小さな卓まで取付けられてある。

これに乗って薩摩《さつま》から江戸まで四百十一里、道中休まずひた走っても一ヵ月余はかかる長旅だが、篤姫の場合は途中大坂、京都にとどまって諸家に挨拶《あいさつ》に上らなければならないため、二ヵ月以上の日取りを見込んである。

ときに嘉永《かえい》六年八月二十一日、この日を出立《しゆつたつ》と定めるまでには多少の曲折があり、その第一は、先々月六月二十二日に第十二代将軍家慶《いえよし》が薨《こう》じ、国中に喪《も》が発せられたことで、篤姫にとっては近い将来、舅《しゆうと》になるやも知れなかった家慶公なら、五十日の喪明《もあ》けを待ってからでなければ憚《はばか》りがあったことと、それに大坂まではほとんどが海路だから、薩摩の古老たちのいう、「舟旅は七の字の日に発《た》って九の字の日に帰るな」との信仰をまんざら無下《むげ》にすることはできぬということ、とこれは幾島の主張でもあった。

舟旅は舟子《ふなこ》をわずらわさねばならず、そうならこの男たちの、「旅に出るときはタッワケ（なた豆）を食え」とか、「タッワケを持たせよ」の習慣にも耳を傾けねばならないが、ただこのなた豆は、上のほうから実り始め、だんだん茎《くき》のほうに帰ってくることの縁起であって、無事帰着を祈る意味なのだが、このたびの篤姫の旅立ちは二度とふたたび、この地を踏む日もあるまいと思える片道道中なのであった。

二の丸から発した行列は、お角櫓《すみやぐら》の下を通って楼門を出、道を東へ取って吉野橋を渡った。

朝もやの中からもう陽《ひ》はさしはじめており、列は堀の内の角を曲って篤姫の生家、今和泉《いまいずみ》邸の正門へ向っていることが、駕籠のなかにいてもよく判っている。

のぞき窓のすだれ越しに、ついこの春まで日々見馴れた門のわきの松の枝が見えてきたとき、篤姫は思わず駕籠の戸を一寸ばかり開けた。

この早朝、門の前には、今和泉郷の領主、島津安芸《しまづあき》の妻お幸の方が立っており、そのわきには従者とともに兄忠冬《ただふゆ》、三兄峯之助《みねのすけ》が添って篤姫の駕籠を待ち受けているのであった。

しかし、あらかじめいい渡されていたとおり駕籠は地に下りず、短い時間立ち止まったま

まの駕籠にお幸の方は走り寄ったが、はっと気がついたように地面に膝《ひざ》をつき、

「篤姫さまには何とぞ末長く堅固《けんご》でおすごしになられますよう、また道中のご無事をお祈り申上げております」

と挨拶し、頭《こうべ》を垂れたまま小さな包みをさし出した。

篤姫は胸がいっぱいになり、包みを押し戴《いただ》くと身を乗り出して、

「母上さま、兄上さまにも、どうぞご機嫌うるわしゅういらせられますよう」

と頭を下げたが、その顔を上げないうちにもう向井新兵衛の号令がかかり、隊伍は動き出した。

腹をいためた娘を篤姫さま、と呼び、地にひざまずいて挨拶する母のお幸の方のかしらに、白いものがたくさん降っていたのを篤姫は強く目の底に灼《や》きつけたまま、いま手渡された紫のふくさ包みをそっと頰《ほお》に当てた。

女はいずれ生家《せいか》を出るもの、とは覚悟していても、こんなに遠く隔てられるとは考えてもいなかっただけに、篤姫はその包みを、まるでお幸の方そのもののようにうやうやしく大事に、膝の上でそっとひらいた。

なかには、巳年《みどし》のお幸の方の守《まも》り本尊《ほんぞん》、一寸ほどの金無垢《きんむく》の普賢菩薩《ふげんぼさつ》像を納めた古金襴《こきんらん》の袋があった。

篤姫が生れたとき、信心深いお幸の方は今和泉家の菩提寺《ぼだいじ》、光台寺の住職に命じて中年《さるどし》の守り本尊大日如来《だいにちにょらい》を作らせ、それを篤姫の念持仏《ねんじぶつ》としてくれたが、いまこの普賢菩薩像を見て、篤姫は母の気持がまっすぐに通ってくるように思えた。

お幸の方はきっと、ゆくすえ運命のままに展《ひら》けてゆくであろう篤姫との生涯の別れに際し、これからは普賢菩薩が自分に代ってそなたの身を守るであろう、といい、そして家に残した大日如来をそなたと思うて、朝夕祈念《きねん》を怠らぬつもりじゃ、と告げたかったに違いなく、篤姫にはそれがありありと判るのであった。

有難き母上さまの思し召し、と篤姫は守《まも》り袋《ぶくろ》をいく度も撫《な》でて押し戴き、それを懐《ふところ》深く納めた。

隊列はまもなく海岸へ出、弁天橋の舟着場から駕籠ごと舟に乗ったが、大隅の垂水《たるみず》に着くまでのあいだ、篤姫は幾島に乞《こ》うて船上では艫《とも》に立った。

舟は錦江湾《きんこうわん》の波を分けて早足で進み、さして揺れもせず、こういう晴天の日は、南の方に篤姫が幼い頃を過した今和泉の山々がくっきりと手に取るように望まれる。

篤姫の実父、島津安芸忠剛《ただたけ》は、島津本家から分れたご一門四家と呼ばれる重富《しげとみ》家―島津周防《すおう》、加治木《かじき》家―島津兵庫、垂水家―島津讃岐《さぬき》と並ぶ今和泉家の当主で、出生は、現藩主斉彬の祖父に当る斉宣《なりのぶ》の五男だが、今和泉家第九代忠喬《ただたか》に男子がなかったため、藩主の命により、二十歳にして養子に入ったひとである。

島津本家が家を興したのは遠く中世の頃、薩摩、大隅、日向《ひゅうが》三国の守護職となり、源頼《みなもとのより》朝《とも》から島津姓を賜わったのが始まりだといわれているが、以来斉彬まで二十八代、薩隅の内乱を抑《おさ》えたり、文禄慶長の役には朝鮮出兵もし、また琉球《りゅうきゅう》をも平定してこんにちまでおよそ六百六十年の長い繁栄を続けている。

薩摩藩がいま所領七十七万石を有し、加賀の前田家に次いで天下第二の強藩といわれる理由にはさまざまあるが、何といっても関ヶ原以降、この地に移封された大名ではなかったこと、また早くから根付いて増えた血族たちを、二十二代継豊《つぐとよ》の時代に組織化して秩序をととのえたのもひとつの功ではなかったろうか。

継豊が定めた階層は、他家へ養子の条件を持つ本家の次男以下を配して、まず、さきに挙げた四家を本家に次ぐ家格とし、次は一所持《いっしょも》ちという一郷の領主を二十一家、このうちからさらに都城《みやこのじょう》、宮之城《みやのじょう》、花岡《はなおか》、日置《ひおき》を四家と定め、以下一所持ち格四十一家、寄合五十四家、寄合並十家までを大身分《たいしんぶん》と称して上士扱いとした。

こういう取決めもあって、本家は現藩主まで、養子は迎えても皆血縁があり、一族は本家を頂点に富士の裾野のように下へ拡がり、藩主を太守《たいしゅ》さまと崇《あが》めて、事あるときにはこれら分家が藩を支える大きな力となっているのであった。

今和泉家の成立も、継豊の弟、忠郷《ただ さと》を以て一所持ちと定められ、揖宿郡《いぶすき》のうち小牧、岩本、西方、池田、仙田、利永《としなが》の各村を賜わって三千五百石、そして宝暦年間にはさらに佐多郷が加えられて一万五百石となり、いまは一万一千石の大身として家格を保っている。

領地は薩摩半島の南端にあり、一年中気候温暖ですごしやすく、今和泉本邸は城下恵橋に定められていたが、別邸は岩本村の海沿いにあった。

いま船上から伸び上って望む紺碧《こんぺき》の海の向うには、別邸名物の黒ガネモチの老樹が亭々と聳《そび》え、篤姫の今日の首途《かどで》をはるかに祝ってくれるように思われたが、もとよりそれは気のせいで、水平線の上には一塊の低い山脈が横たわっているばかりであった。

篤姫が生れたのは天保七年の二月十九日で、この日は朝から大雪だったと篤姫はたびたびお幸の方から聞かされている。

忠剛とお幸の方とのあいだにはこのとき、十歳の長兄忠冬と、のちにお幸の方の実家を継ぐために家を出た八歳の次兄久敬《ひさたか》、それに五歳の三兄峯之助が育っていたが、女子は初めての誕生だったので忠剛は大いに喜び、初名を於一《おかつ》、と名付けた。

一は長女の意味もあったろうが、奥老女菊本の語る、

「大きなややさまでございましてなあ。母上さまは大分ご難渋《なんじゅう》なされました。兄君さまお三

方は皆お小そうおわして、お方さまは産屋《うぶや》でついぞ弱音を上げられたこともございませなんだのに、今度ばっかりは『取られるやも知れぬ』と仰せられたほどでござりました」

という言葉を聞けば、女ながらも兄妹のなかでこの子が一、という望みをも、忠剛は託したのではなかろうか。

それというのも、兄三人はいずれも父忠剛に似て蒲柳《ほりゅう》の質で、よく患《わずら》い、そのせいかどこか気弱なところがあった。

菊本は最初忠冬の養育係だったが、今和泉家十一代の継嗣《けいし》にしては忠冬があまりに身心ともに脆弱《ぜいじゃく》なのを嘆き、体を鍛えるため、忠剛に願って幼児時代のほとんどを岩本村で過させる方針を採《と》った。

別邸は、本邸の間取りを写して表には城壁を囲い、老松を配していかめしく造られてあったが、裏座敷は海に面していて、とくに夏場が涼しかった。

座敷から草履をはいて庭に出、石垣のあいだの段々を十ばかり下りると、そこはもう砂浜になっており、つい目の前には波が打寄せていて、子供には絶好の遊び場所であった。

菊本は毎日、忠冬の手をひいて自分は裾をからげ、草鞋《わらじ》をはいてこの砂浜はもとより、岩本村の山野を駈《か》け歩いたといい、その効果あって、幼名三之助から忠冬と改名して世子《せいし》の式を挙げたときには、感極まって泣いたという。

篤姫の誕生とともに忠冬から篤姫の係へと移ったが、

「それはそれはおやしやすい姫君さまでござりました。お好きお嫌いがはっきりしておさじゃいもすし、何よりお体がお強うおわして、めったにお床におつき遊ばすことはございませんでした」

と邸《やしき》ではご法度の地下《じげ》の言葉を交《ま》じえながら菊本が語るとおり、篤姫は兄三人をしのいで体格もよければまた目に見えて利発でもあった。

篤姫が姫育ちの身分に似合わず、幼い頃よく兄たちと一緒に遊んだのは、この菊本がかつて忠冬の係であったことや、また、子供たちは皆長兄に倣って、一年の大半を別邸で過したことも理由のひとつであったかと思われる。

本邸では万事しきたりがきびしくて、子供たちは一堂に集って大声を挙げることなど固く禁じられていたし、それに何より、それぞれ学問や稽古《けいこ》ごとに追われる日々だったから、子供同士遊ぶ暇とてなかった。

別邸へは、忠剛は折々顔を見せたがお幸の方は来ず、それというのも側室お雪の方とお春の方がずっとこちら住まいであったためらしい。

子供たちは別邸へ来ると自由にのびのびとはしゃぎ、お付きの者の目を盗んで兄妹喧嘩もすれば食事もいつも一緒で、菊本もときどき、

「うんだもう」

などと地下言葉の感嘆詞を挙げて叱《しか》ったり制したりするほどであった。

浜辺に常緑の葉を拡げている黒ガネモチの大樹の下はいつも子供たちのよい遊び場所で、兄たちがこの木からトリモチを作るために木の皮を剥《は》いでいるのを、篤姫はじっとそばで立って見ていた記憶がいく度かある。その記憶につながり、いまも脳裏《のうり》に刻印されている光景があって、それはたしか、篤姫五歳の夏ではなかったろうか。

よく晴れた日の夕方で海は油凪《あぶらな》ぎ、ところどころにすなどりの小舟が浮び、左手の桜島は全山夕陽を浴びて朱《あけ》に染まっている景色のなかで、子供たちの一団はじゃれあいながら次第に侍女たちの群から離れ、そこから先へ出てはならぬという邸の境界線まで近づきつつあった。

城壁の向うは松原になっており、いま湾内の漁からぼつぼつと帰ってくる舟があって、ふと忠冬は、もの珍しさにいちばん邸に近い波打際に舟をつけた人かげのそばへ、吸い寄せられるように近付いて行った。

艫綱《ともづな》を浜に投げて舟底に砂を噛《か》ませたのち、生簀《いけす》から魚籠《びく》に獲物を移しているのは、どうやら年恰好《としかっこう》も忠冬と同じくらいの少年らしい。

忠冬は、はねている魚が見たくてそば近く寄り、魚籠をのぞき込んだところ、少年は取ら

れると思ったのか、突然大声で、
「あっこ、どげんすっと」
と怒鳴るなり、魚籠を体のうしろに隠して身構えた。
そのとき、忠冬のすぐうしろにいた篤姫は咄嗟《とっさ》に浜の砂を摑《つか》んで走り寄り、兄をかばって
その砂を少年めがけて投げつけた。
砂は一瞬煙幕となり、風の方向に流されていったが、このとき、もし菊本が転ぶようにし
て駈けつけてこなかったら、次に自分はどうしていたろうか、と篤姫はその後もときどき考
えることがある。少年の目には憎悪《ぞうお》がめらめらと燃えていたし、もし反撃に出られたら怪我《けが》
のひとつもしていたかも知れないが、しかしあの際、何はともあれ弱い兄忠冬をかばわずに
はいられなかったことを篤姫はくり返し思うのであった。
この件は、菊本が侍女たちに箝口令《かんこうれい》をしいたにもかかわらず徐々に拡《ひろ》がり、本邸にまで聞
えて、菊本はただちに呼び戻された。
忠剛の前に召出されたとき菊本は、篤姫の監督不行届をきつく叱責《しっせき》されるものと覚悟して
いたが、ご下問は意外に、
「そのとき、忠冬は何をなしていたか」
であった。

咄嗟のことではっきりと覚えてはいないが、忠冬は妹の砂を投げる行為を止めもせず、その場に呆然《ぼうぜん》と突っ立っており、下二人の男子もそれを取巻いて眺めていただけだった、と菊本は思い出しながら言葉を選び選び報告したところ、忠剛は深くうなずいて、

「於一が男でなくてのう」

と小さく呟《つぶや》いただけであった。

急ぎ呼び返された菊本はいたく拍子抜けし、ひとり考えて、殿さまはきっと世子《せいし》たる忠冬の腑甲斐《ふがい》なさを嘆かれ、十四歳の男子が五歳の妹にかばわれるとは何事か、と強くご意見遊ばすに違いない、と推測したが、実際にはこの件は尻《しり》すぼみでこのままに終ってしまった。

思うに忠剛は、三人の男子のなかに自分の性格の弱さをまざまざと見たものと考えられ、当主として世子に訓諭する熱意を失ってしまったのではなかろうか。

忠剛には心身ともにひ弱い面があり、それは本家育ちとはいいながらも庶腹《しょふく》の五男だったし、早くから他家へ養子の運命を担《にな》ってそれなりに教育されたところがある。

が、お幸の方は、一所持ち二十一家のなかの島津助之丞久丙の娘で、そして篤姫と同じく兄三人を持つ一の姫として育った境遇から日頃篤姫を眺めつつ、自分の幼い頃に引き写し、とひそかに感じ入ることもあったという。

忠剛に糾明《きゅうめい》されなかった菊本はほっと安堵《あんど》し、あらためてお幸の方に深く詫《わ》びたところ、

「殿は於一が男じゃったら、と仰せられたそうな。ほんに私もそう思います」

といって可笑《おか》しそうに声をあげて笑ったが、その笑い声まで姫君さまそっくり、と菊本は思った。

あたり前なら、殿はお叱りにならずとも、お方さまはいたく嘆かれ、

「女子のあられもない。そのように育ててはさきゆき本人のためにならぬ。以後はきっと気を付けるように」

ぐらいの譴責《けんせき》はあるものと思っていたのに、お方さまはまことにおおらかでお心広いお方、と菊本は改めてそう思ったものであった。

忠冬はこの翌年の四月、忠剛に従って鶴丸城に初登城、藩主にお目通りを許されて正式に世子と認められ、二年後には日置家から室を迎えて田の浦の別邸に住むことになる。

ただ菊本は、この件以来、篤姫の傅育《ふいく》について重い責任を感じるようになり、それはいままでのように、病気させず、行儀よく、しっかりと学問をつけさせる、だけでは足りない、何か大きなものを背負い込んだ思いがあり、ときどき鏡をのぞいては、白髪を抜きつつ、

「姫君さまがよか嫁女さあになるまではまだまだ」

と自分を励ますのであった。

篤姫は記憶のよいたちで、菊本などうっかり見過していることでも鮮やかに覚えており、

とりわけ家うちの大小の出来ごとは、子供ながらも男のようにしっかりとした目で捉《とら》えていることがあった。

忠冬が藩主にお目見えした年の秋、第二十六代、藩主島津斉宣《なりのぶ》が江戸高輪邸で薨じ、翌天保十三年の正月、その霊柩《れいきゆう》が故郷に戻ることになったとき、忠剛は二十七代、藩主斉興《なりおき》が病気のため、代って木主《ぼくしゆ》を捧《ささ》げ持つことになった。

一門四家の禄高では今和泉家は末尾だが、斉宣は忠剛の実父にあたるので、忠剛は男子三人を連れてはるばると北端の出水郷《いずみのごう》まで隊伍を整えて出迎え、この地の福昌寺で葬送の儀を執り行なったのであった。

斉宣の本葬はのちに鶴丸城で盛大に行なわれたが、福昌寺の儀は、この出水が薩摩領内の最初の土を踏む地になるところから、霊柩の上陸第一歩の意味もあったものであろう。

忠剛はこれを選ばれた栄誉、と受けたけれど、家中財政係のなかには、ひょっとして今和泉家お取潰《とりつぶ》しの前触れではないかと恐れた者もあったという。

何しろ藩主の葬儀といえば、略式とはいっても莫大《ばくだい》な費用がかかるし、薩摩藩は過去に幕命で木曾川《きそがわ》工事を命ぜられたとき、財政面で血の出るような犠牲を払った苦《にが》い経験がある。

頂点に立つ宗家の安泰を計るには、それを支える分家を富まさず痩《や》せさせず、ほどほどに絞《しぼ》るのが策だとは判《わか》っており、そういう意味あいからこの任に対する忠剛の心遣いは大へんなものであった。

これは篤姫七歳のときで、本邸門前から長い列が北を指して出発したあと、お幸の方は直ちに仏間に入り、一心に数珠をまさぐっていた姿が目の底にある。

福昌寺で仮葬儀が終り、霊柩を護持して無事鶴丸城へ帰着したあと、本葬の終るまでが忠剛の張りつめた気持の限度で、このあとどっと寝つき、一時は命も危ぶまれた様子も篤姫はよく覚えている。

その枕許《まくらもと》に侍《はべ》っていたのは、十六歳の忠冬と十四歳の久敬《ひさたか》、十一歳の峯之助とそれにお春の方に抱かれた妹の於才であった。

忠剛の側室のうち、お雪の方はまだ世子の頃、結婚前から召されていたが、忠冬の誕生以前に男子を死産し、つぎは峯之助の生れる前年、猛熊と名づけた男子をもうけたが、これもわずか半年で亡くなってしまった。

お春の方は忠剛結婚後の奉公で、於熊、於竜、於才の三女を挙げたものの、於熊は三歳で、於竜は一歳でいずれも亡くなり、いま於才だけが育って、これは篤姫より五歳下でまだいとけなく、子供たちは皆、本邸へ渡しても側室たちは別邸から出なかったものが、この日あるいは、忠剛が危篤という知らせでも受けて、急ぎ本邸に駈けつけて来たものでもあったろうか。

このとき、とりわけはっきりと篤姫によみがえってくるのは、二歳の於才が突然母の膝から立ち上り、病いの重い父のそばに寄って行くかと思ったら、大きな声で、

「姉上さま」

と呼びながら篤姫のそばにぴったりと寄り添って坐《すわ》ったことであった。

まだふさふさした振分髪がかわゆく、そのとき座にはひそやかなさざめきが拡がり、目を閉じていた忠剛もうっすらと瞼《まぶた》をひらいて、目尻に微笑を浮べたが、のちに篤姫は、父上が重病の床からよみがえらせられたのは、あの於才の行動をごらん遊ばしたのがきっかけだったと思ったものである。

篤姫は、母は違っても妹たちからよく慕われ、三歳で早世した於熊も、歩きはじめた頃から、何かといえば篤姫の部屋へ行きたがった。

於熊は天保十二年に亡くなったが、その年の夏、子供たちは皆別邸に集って、庭先のお精霊棚《しょろだな》を眺めていた夕べのひととき、何思ったか於熊が、

「あれが欲しい」

と指さして泣き出した。

島津本家は、太守が江戸住まいの故もあって、言葉も習慣も万事江戸ふうで、城中で国言葉を使うことなども禁じられており、分家もすべて上に倣ってそういう家風を作りあげてい

たが、盆正月だけは、別邸に限り、地下のひとたちの慣わしを一部取り入れる家もあった。

今和泉家のお精霊棚は、裏門の前に青竹の筒で棚を作り、それに大きな里芋の葉をのせ、さまざまの供え物をするのだが、於熊は、そこに飾ってある千日紅《せんにちこう》やみそはぎ、こがんぴ、おみなえしなどの花の束を見て、花かんざしを思い出したらしかった。

そのとき六歳だった篤姫は、妹の欲しいものがすぐ読み取れて、

「ああ、前挿しみたいじゃや。於熊、いいことがある。こっちへおいで」

と妹の手を引いて廊下伝いに自室へ連れて行き、鏡箱の曳出《ひきだ》しをあけて赤い珊瑚《さんご》細工のかんざしを取出し、於熊の頭に挿してやった。

「於熊にこれをあげよう。お精霊棚の如くであろう？」

というと、於熊はいく度も飛び上ってよろこび、姉上さま有難うございます、と礼をいいつつも、

「うれしい、うれしい」

と鏡をのぞいて、笑いとめどもなかった。

赤い玉が千日紅によく似たこのかんざしは、以前お幸の方から譲られたもので、篤姫の大切なもののひとつだったが、むずかる妹の気持を察して即座に与えた篤姫の心ばえについて、またもや本邸の取沙汰《とりざた》するところとなり、今度は菊本自身からして、

「おん六歳にして一姫《かつひめ》さまにはこのご才覚。上に立つお方はこうでなくてはならぬ。どうじゃ。どうじゃ」

と長いあいだ、自慢の種であった。

於熊は、この盆のあとある朝急に具合が悪くなったと思うと、その夜おそくにはもう帰らぬひとになってしまった。

篤姫はこのときの情景もよく覚えており、別邸でみまかった於熊の柩《ひつぎ》はその夜のうちに本邸へ運ばれ、翌日、本家からも使者が見えてささやかな葬儀があった。

菊本によれば、いまの於才よりは於熊のほうが面ざしも気質も篤姫によく似ており、

「無事お育ち遊ばしておいでなら、姫君さまのよき妹君として頼みになりましたのに」

というが、篤姫はそれよりも、於熊が死の床にもあの珊瑚のかんざしをしっかりと握っていたという話を聞いてむごくてならなかった。

父の忠剛は、於熊の葬儀のあと、出水郷へ斉宣の霊柩出迎えの準備にかからなくてはならなかったから、いつまでも悲しみに沈んでもおれず、ひとりお春の方がときどき涙を拭《ふ》いていた姿を篤姫は目の底に灼《や》きつけている。

忠剛が気力をふるってこの重病の床から起き上ったのは、幼い於才が、父よりも姉を慕ったことで、篤姫の頼もしさをより強く認めたせいもあったのではなかろうか。

篤姫自身も、女ながら両親、兄妹たちから自分に寄せられる期待と信頼はよく判っており、忠剛の嘆いたように、ときどき、自分がいっそ男に生れたらよかった、とはがゆく思うこともないではなかった。

それを一入《ひとしお》強く感じたのは、篤姫十二歳の秋、今和泉家が危急に瀕《ひん》したときで、この弘化四年という年は本家の、世にいうお由羅《ゆら》騒動《そうどう》の紛擾《ふんじょう》がようやく激しくなった頃であった。

薩摩藩襲封をめぐって、世子の斉彬《なりあきら》派と、側室お由羅の方の腹に生れた久光《ひさみつ》を擁立《ようりつ》しようとする派とに分れ、背後には二十五代重豪《しげひで》以来の深刻な財政難があり、四家や一所持ち分家にとって極めて過《す》ご《ご》し難《にく》い不安定な時代だったといえようか。

その秋、一族は皆本邸に在《あ》ったが、とりいれの終った時期のある夜、領内池田村の百姓が騒ぎ、岩本村の別邸に火を放とうかという事件があった。

早馬が本邸に着いたとき、忠剛は寝ていたが、急を聞いて直ちに現地へ駈けつけるでなく、夜が明けるまで寝床の上で思案し続け、そしてやっと、側用人を出して様子を見に行かせた。

さいわい火を放ったというのは全くの誤報であって、百姓たちはその年の不作を訴えて年《ね》貢《ぐ》の軽減を願うために押しかけて来たのだと判って忠剛は胸を撫でおろし、これはこのままで打ちすてておいた。

が、数日を経《へ》ずして本家の知るところとなり、城内から呼び出しがあって忠剛がきびしく命ぜられたのは家政の改革であった。

家政の改革といえば穏やかだが、その実は、しっかりと分家の分を守って為政《いせい》を行なっているという確かな誠意を見せよ、という謎《なぞ》であって、大げさに考えれば、これは家門お取潰しの前触れかも知れなかった。

一揆《いっき》ともいえない小さな騒ぎではあっても、この当時にも全国一士族の数が多いという薩摩藩の分家対策として、周期的に何かの科《とが》を見つける必要があったのではないかと思われる。

藩からその通達を受けたあと、忠剛は二十一歳の忠冬以下五人の子女と一族をすべて本邸に集め、

「今和泉家の浮沈に関わる一大事故、今日からはめいめい居間に謹慎するように」

といい渡し、家臣たちとも協議の末、祖父忠厚《ただあつ》の時代に藩主から拝領し、現在は忠冬夫妻の住居としている田の浦の宏壮な邸宅と、家宝の太刀一振を本家に献じて伺いをたてた。

門を閉じ、大声を出さず、夜は灯《あか》りを少なくして慎しみの意を表している今和泉家に、藩からお許しの出たのはどれほどの後だったろうか。

忠剛は半病人になっており、青い顔で一日中逼塞《ひっそく》していれば家臣も上にならってすっかり

萎靡《いび》しているなかで、ひとり平常心を失わないかに見えたのはお幸の方であった。

早暁に仏間に入り、二刻あまりを一心不乱に祈念《きねん》したあとは忠剛のそばに侍《はべ》って、この時期、表の指図もほとんどお幸の方から出ていたらしい。

「閉門を仰せつけられたというのではありませぬ。気をしっかりとお持ちなされ」

と家来たちを励ましていたその声まで、いまなお篤姫の耳の底にある。

その甲斐あってか、ややあって国家老からの使者が見え、

「島津安芸殿、家政改革の意、まことに殊勝《しゅしょう》なり。依《よ》って斉興公思し召しにより金一封を下賜し、改革の資たらしむもの也」

という書面をもらったとき、忠剛はどれほど喜んだことだったろうか。

邸内はたちまち暗雲晴れ、お許しを得たばかりかお下賜金までいただいた、と忠剛は俄《にわか》に元気になったが、そのいきさつを具《つぶ》さに見ていた篤姫は、太守さまはよくよくえらいお方なのだな、という感慨を深く抱いた。

十二歳の知恵では底まで読みとれないけれど、お幸の方のいうように、正式には閉門ではないのに、忠剛はただ恐れに恐れ、まるで死を前にした病人の如くおののいたが、あれは藩主斉興公のご機嫌を損じることを極度にこわがっていたのだとまではよく判る。

もし斉興公の虫の居どころが悪かったら、今和泉家は禄を減らされ、あるいはお取潰しに

なるやも知れぬところだったと思うと、いま自分の置かれている分家の位置の不確かさがくっきりと見えてくるように感じられるのであった。

このあと忠剛は、忠冬を伴って領地の隅々まで視察し、さきごろの池田村の百姓たちをねんごろに慰撫《いぶ》し、そして内では、次男久敬の養子縁組をととのえ、また長年奉公していた側室お雪の方に暇を出した。

二度とこのような脅威《きょうい》にさらされたくはなく、それには家に余力を貯《たくわ》える二心無きを示すため、第二子を他家に養子に出したし、またいまさら嗣子も必要でないところから、側室のひとりを解雇して家中《かちゅう》改革の実を見せたのであった。

篤姫はこの事件がいつまでも忘れられず、於才とふたりで歌留多《かるた》を取っているときなどふと手を休めて、

「於才はどう思われますぞえ。このあいだの大事のときのことを」

と聞くと、七歳の於才は一瞬きょとんとし、それから判りませぬ、というふうに首を振るばかり、篤姫は一人ごちて、

「あのとき、父上さまのお目は、いつかの重病の折のように、もはや絶え入るかの如くお見受けしたけれど、母上さまのお目はふだんよりずっと輝いて、おきれいでした。どういうわけであろうか」

というのを菊本が引きとって、

「女子は日頃はおとなしゅうても、いざというときにこそ、力の出るものでございます。女子のお産のときをごろうじませ。男の合戦以上の働きでございますもの。今度のお大事のとき、お方さまは何も表立ってなさりはいたしませねど、ありったけの力をふり絞ってかげでお殿さまをお励まし遊ばされました。夜もほとんど御寝《ぎょし》ならず、むずかしい理趣経《りしゅきょう》をずっとお写しになっておられました。女子の力とはそういうものでございます」

と菊本自身、お幸の方を心から敬愛している口調で説明し、篤姫はそれを聞いて、母上さまはひょっとすると父上さまよりも、ずっとえらいお方なのかも知れぬ、とひそかに思った。

このときの菊本の言葉は、邸中謹慎のていであった光景とともに篤姫の胸奥に彫り込んだように刻みつけられ、その後もときどきは思い返したものであった。

かげの働きではあっても、女子がしっかりしていれば大事は乗り越えられる、という思いは、これを機に篤姫の心の内に強く根付いていったのではなかろうか。

このときからちょうど一年ののち、お由羅派でお茶坊主から藩の財政係となった調所笑左衛門広郷《ずしょしょうざえもんひろさと》が密貿易の責めを負って服毒自殺を遂げ、そのあとさらに斉彬派とお由羅派との紛《ふん》擾《じょう》がはげしくなってゆくのだが、今和泉家は何とか安泰であった。

その十二月のある暁、十三歳の篤姫はずっと夢を見ており、何やら寝苦しくてふっと夜なかに目覚めた。

小雨に濡《ぬ》れながら池のそばをぐるぐると廻っており、目ざめてのちもその感覚はなお残っている。

耳を澄ませても雨の音はしておらず、してみると体が濡れているのはどういうわけか、と闇《やみ》のなかでしばらく考えていて、やはり、

「菊本」

と呼んだ。

年寄はもの音に敏《さと》く、篤姫が寝返りを打ってさえ直ちに枕許の小灯しをつけるくらいで、菊本はすぐ起き上り、火打石の音をさせて手燭《てしょく》をさし出し、

「いかがなされましたか」

と聞くのへ、

「雨の降る夢を見ていた故、着物を着換えたい」

というと、はい、とそばににじり寄り、夜具をあげて検《あらた》めてのち、静かな声で、

「姫君さまただいま申上げます。雨に濡れたのではありませぬ。お月事《げつじ》の始まりでございま

す」

と告げ、そして次の間へ、

「しの」

と声をかけた。

姫君は厠《かわや》へ一人で行ってはならず、篤姫も襁褓《むつき》のとれた頃から若いしのがそばについてずっと一緒に入り、ていねいに紙を揉《も》んで後始末をする慣わしになっている。

厠に立ちたくなると、しの、と呼べば判るようになっており、しのはそのあと、菊本に、

「おちょうずたくさんでございます」

「やわらかいおとうでございます」

と必ず報告することになっているのであった。

去年の暮あたりから、篤姫は、しのをわずらわせることに疑問をもつようになり、ついてくるしのに、

「入って来ずともよい」

というと、ただちに、

「姫君さまのお手は、このような不浄《ふじょう》なものに触《さわ》ってはなりませぬ」

と反撃され、それでは菊本に、と抗議すると、

「人間の体の具合はおちょうず所でいちばんよう判ります。万が一、姫君さまのおん病いを私どもが知らなんだらどう相成りますか」

と強く押返され、それでも負けずに、

「自分で菊本に告げればよいではないか」

と抵抗したけれど、

「それでは確かなことは判りませぬ。姫君さまのお体のことはしのにお任せ遊ばしませ」

となだめられてしまった。

このときの話のついでに菊本は、女なら誰にでもやってくるお月事の話をかいつまんで篤姫に説明し、そのせつはお驚きなさることはありませぬ、しのがすべて取りしきってくれます故、と話したが、篤姫はまだ遠いさきのこと、として深くこころにとどめなかった。

が、いま、そのお月事とやらが正《まさ》しく自分にやって来たのを、菊本の手燭で確かめた篤姫のおどろきは、いいようもないほど大きなものであった。

夜具の上に、牡丹《ぼたん》の花のように印《しる》されたそれが自分の体から出たものであると考えたときの忌《いま》わしさを、篤姫は生涯忘れることはできないと思った。

しのと一緒に厠に立ち、白い木綿の丁字帯をあてられて寝間に戻ると、菊本は手をついて、

「姫君さま、お目出とうございます。これが来なかったら大人の姫にはなれませぬもの。子供を産むことさえ叶《かな》いませぬ。女の何よりの証《あか》しでございます。夜が明けたら直ちにお方さまに申上げて、お祝いをして頂きましょう」

と顔を綻《ほころ》ばせていうのがたまらなく厭《いと》わしく、心のうちで、お目出たいことなど何もありはせぬ、と呟き続けた。

その夜篤姫は明けがたまで屈辱と嫌悪のなかで悶《もだ》え続けたが、それは、まだずっと子供でいたい願望と、こんなむさ苦しい鮮血が体から滴《したた》る女というものへの呪《のろ》わしさであった。

翌朝、障子を開けると、いつのまに降ったのかいちめんの積雪で、とき折庭の笹が大きな音をたてて雪をこぼしており、それをにこやかに眺めながら、菊本が、

「姫君さまのお生れ遊ばしたのも、このような雪の日でございました。女におなり遊ばしたのもまた雪の日でございます。雪は不浄を清めるそうにございます故、何から何までお目出たいこと」

とまた饒舌《じょうぜつ》になろうとするのへ、篤姫は、

「菊本、頼みがある。このことは父上さま母上さまにも固く黙っていてはくれぬか」

というと、何と仰せられる、と菊本は目を丸くして、

「そのようなことは決して叶いませぬ。

お月事をみましたなら、女とて成人の式をなさねばなりませぬし、またそのせつ、幼名から成人名にお変り遊ばすのが慣いにございます」

と聞けばあきらめざるを得ず、それなら、と昨夜一晩中考えていたことを口にして、

「ならば、お月事のときだけはしのは連れぬ。それはかまわぬであろうな」

と有無をいわさぬ口調で告げた。

菊本は、これも、

「なりませぬ。なりませぬ。おちょうず所へ一人でおいで遊ばす姫君さまなんど、聞いたこともございませぬ」

という頑固さに篤姫は立ち向い、

「それならば今日から一《かつ》はご膳《ぜん》は摂《と》らぬ。菊本は一が死んでもよいであろうな」

と決め、菊本は年の功でこの場限りであとの思案、と思いつつ、

「いたしかたもございませぬなあ」

と吐息をついた。

いずれ折を見てお幸の方から諌《いさ》めて頂き、もとに復せばよい、と考え、一旦は篤姫の望みどおりさせることに決めた。

が、いっときの譲歩、と考えていた菊本の見通しは誤っていたのか、お幸の方もその話を

聞くとほほえんで、

「ほんに於一は、私の考えていたとおりのことを考えるものよのう」

と一人ごち、そして、

「それくらいのことは、於一の思いを通させてやりましょう」

とあっさり許したのであった。

菊本はそれを聞いて、きっとお方さまの最初のお月事も、おっしゃるように姫君さまと同じ気持を抱かれたに違いなく、それは前例のないこととして侍女たちに聞入れてもらえなかったものを、いま我が娘にその自由を与えたのだと察せられるのであった。

考えてみれば、身分のあるひとたちとは不自由なもの、日常一寸たりとも一人で行動することはなく、恥しい厠にさえ供を連れなくてはならず、また、年齢につれて移りゆく体の変化さえ、ことごとくまわりの者たちに知られるという定めからは生涯まぬがれることはできぬ。

そういうことに就て、何の疑いもさしはさまぬひとも多いけれど、一姫のこの羞恥心《しゅうちしん》はいわば極めてふつうの人間としてのものであって、これはかえってご祝着《しゅうちゃく》といわねばならぬかも知れぬ、と菊本は思った。

邸奉公は、一にも二にも定められた決まりを守ることで、菊本はそれに命《いのち》をかけて来た感があるが、一姫は五歳のときの漁夫に砂を投げた行為といい、また今度の、お月事には頑として厠へ人を入れぬ宣言といい、「こういう決まりを二つながらに破ってしまわれた。何という姫君さまであろう」といまさらながらしみじみと驚き入るのであった。

それは、傅育役として我が身の至らなさを嘆くよりも、女ながらも一姫は何やらたぐい稀《まれ》な器量を秘めているのではないかという、一種の畏怖《いふ》ではなかったろうか。

年が明けて嘉永二年の正月二日、表座敷で今和泉家独特の、大きな里芋《さといも》に餅《もち》と豆もやし、それに干した車えびを入れた味噌《みそ》ぞうにを祝ったあと、一同座を書院に移し、篤姫はここで白木の三方《さんぼう》にのせた奉書を忠剛からもらい、つつしんで開けると、それには「成人名、敬《すみ》子《こ》」とあった。

今日からはもう於一《おかつ》でなく、敬子である、と忠剛から言葉があり、お幸の方、忠冬と上から順に、篤姫は、

「敬子どの、ご祝着にございます」

の挨拶を受けた。

このあと、同じ書院で「吉書《きつしよ》」という書初めの慣わしがあり、兄妹五人それぞれ浄福《じようふく》の文字を選んでしたためたが、篤姫は好きな白氏文集《はくしもんじゆう》のなかの春風の七言絶句を、闊達《かつたつ》な筆で大きく書いた。

いつものことながら、篤姫の筆蹟は抽《ぬき》んでて力強く立派で、女子なら仮名書きで和歌でもしたためそうなものを、毎年漢字を選んで書くのを、忠剛もお幸の方も、いかにもたのもしげに眺め入るのであった。

この正月二日の吉書の儀のあと、居間に戻ってきた菊本はめまいがしてその場に倒れ、そのまま床に就いた。

今朝は篤姫の成人の日、とてはしゃぎ、

「よかおしょがっどん、皆、おいをやったもんせ」

と喜んでいたのに、つつがなく式を終えた安堵もあったものであろうか。

それでも気は確かで、今日、お幸の方から贈られた金糸の縫取りのある打掛けを着た篤姫が枕許に坐っているのをふしおがむようにしながら、

「申しわけありませぬ」

を繰返し、

「菊本は、まだまだ死ねませぬ。姫君さまのよか嫁女ぶりをこの目で拝まねば」

としきりに起き上ろうとするその顔にはもはや年なりの深い皺《しわ》を刻んでいるのを、篤姫は目にとめた。

菊本は家中の下士《かし》の娘だが、十六のとき先代忠喬《ただたか》夫人の侍女として奉公に上り、結婚のため一旦は退職したものの、同じく家中の下士だった夫と二人の子供を続けて亡くしたあと、三十一歳にしてふたたびお幸の方付きとして邸に戻り、忠冬の乳母役に就いたひとである。もはや五十四歳になっており、この頃は立ち居もすこしおっくうそうに見え、それに生《は》え際《ぎわ》からもう頭も白くなっているところから、篤姫はときどきふざけて、

「ばばさま」

と呼んでからかうこともあった。

いまこうして、日頃の気概も捨て、横になっている姿を見ると、篤姫は俄に心細く思われ、親しくその掌《て》を取って、

「一日も早く本復《ほんぷく》してたもれ」

と励ますのであった。

考えてみれば生れてこのかた、お幸の方とは一日中顔を合わせぬ日はあっても、菊本がそばにおらぬことはなく、いまは菊本そのものが自分の体の一部となっていることを篤姫は思った。

その夜篤姫は、はじめて菊本のいない自室に眠ったが、やはり隙間《すきま》風《かぜ》がいきなり吹きつけてくるように冷たく、さびしかった。

小さいときから、菊本の自分にかける望みはいつも「よか嫁女」であることは判っており、それが嫌でたまらないときもあったけれど、病床でさえ、その念願達成が唯一の希望となっていることを思えば、このひとに報いるにはそれを実現させることが何より、と篤姫は考えるのであった。

大小名の姫君は、成人の式を終えると縁組の話がぼつぼつと具体化してくるもので、忠剛はこの愛娘《まなむすめ》を手ばなしたくなさの思いを自らふり切るように、

「於一はゆくゆく天晴《あっぱ》れな内助の功が立てられよう。家も栄えようぞ」

というのは、自らを慰める思いのあらわれでもあった。

菊本の病いは軽い中風《ちゅうふう》であったらしく、医師の薬湯《やくとう》によって日々快方に向っていったが、こういう場合、宿下《やどさが》りして養生、という慣習をお幸の方は斥《しりぞ》け、忠剛もまたそれを容認してずっと邸内に止どまることになった。

何よりも本人がひどく宿下りを恐れており、医師の往診の日には無理にも寝床を払って起き上り、

「どうもございませぬ。ご奉公はできます」

と頑固にいい繕《つくろ》うし、それは菊本悲願の、篤姫の嫁女姿を見るまでの気の張り、とはよく判るので、あまり前例をみない菊本の希望をおお目に見て許したのであった。

それというのも、家禄からいって小名の暮しであり、万事が家族的な雰囲気であったから、忠冬、篤姫と二人にわたって忠誠を尽した乳母に、厚い情を以《もっ》て報いたものであろう。ずっと片ときも篤姫のそばを離れず暮して来た菊本は、病いを得てはじめて自室をもらったが、そこに閉じこもって臥《ふ》せっているのは稀で、大ていは不自由な体をひきずって篤姫の許にやってくる日が多かった。

篤姫はそういう菊本がしみじみとあわれに思われ、

「下ってよい」

といっても聞入れないことを知っていれば、せめて手ずから、奥医師から届けられる薬湯を勧めてやるのであった。

国持ちの大名同士の結婚は、政略と女の方の持参金の高によって決まるといわれ、その交渉に延々と三、四年もかかる例は少なくない。

成人となればただちに嫁入先の物色に入るのが普通だが、篤姫の場合、やはり藩領内の分家のなかから、家格の釣合うところを選ぶことになるのは間違いなかった。

どこの国でも、藩主が領内分家から正室をめとるという例は稀で、それというのも結婚をいかに政略の手段として重大に考えているかが判るし、したがって薩藩でも領内分家が他国の諸家と縁組みするのは、痛くもない腹をさぐられることになるため、かまえてつつしまなければ、というわけになる。

藩主継豊時代、享保の昔から薩摩、大隅、日向の三郷のうちばかりの婚姻だとすれば遺伝の上でも憂慮されるむきもなきにしもあらずだが、今日に至るまで、

「島津にバカ殿なし」

で通っているのは、分家二十一家をさらに拡げれば一所持ち格四十一家も含まれることになるため、その危険をまぬがれているというところだろうか。

縁組の運びは正式に決まるまで本人には聞かせず、表だけで評定するのが常だが、菊本はそれをひどく知りたがり、ときどきはお幸の方付きの侍女のもとまで出かけてゆき、しばらく様子を窺《うかが》って聞耳《ききみみ》を立てているのであった。

篤姫十四の年からぼつぼつと始まった縁組の話がなかなか決まらなかったのは、藩のお由羅騒動がいよいよ熾烈《しれつ》となり、分家もそれぞれ旗色を明らかにすることを迫られるようになり、この際、いたずらに先走って、もしや反対派となるかもしれぬ分家と深い姻戚《いんせき》関係になるのを避けるためでもあった。

ここでお由羅騒動、一名嘉永朋党事件とも呼ぶこの紛争のあらましをのべておくと、まず第二十五代、藩主重豪《しげひで》が登場する。

重豪は八十九歳まで長寿を保った藩主で、子女多く、その第二女茂姫は徳川十一代将軍家《いえ》

斉《なり》夫人となり、一門栄え、ために栄翁と称されたひとである。

進取豪胆の気に富み、若い頃からオランダ語を学び、外国の商館員と親交を持ち、また驕《きょう》奢《しゃ》を好み、薩摩藩の文化の基礎は重豪が作りあげたという説もある。

費用おかまいなしで重豪が尽した贅《ぜい》と事業のために藩財政は逼迫《ひっぱく》し、二十六代を継いだ嫡子斉宣《なりのぶ》は大いに苦しんだという。そこで倹約令の実施に相勤め、また十年間参勤御免の内願に及ぼうとしたのが露見して幕府からは憎まれ、栄翁の激怒を買って斉宣は三十七歳の若さで隠居仰せつけられ、以来白金の別邸で、父子の対面もなく、わずかに臨終のとき、その病床の裾に招かれただけであった。

斉宣隠居に代って二十七代、藩主の座に就いたのは十九歳の斉興《なりおき》で、このひとは祖父と反対の大の洋学嫌い、藩財政のたてなおしという衆望を担《にな》って立ったものの、このとき藩主の手許には二分金ただ一枚しかなかったという話もある。

何しろ高輪邸に祖父栄翁、白金の別邸に若隠居の父斉宣、三田に自邸、それに国元の大世帯を抱えて、襲封時の藩債は年額五百万両に達していたといわれている。

むろん藩士からの借上米などは早くから採っている手段だが、その上になお、家来たちの家のうちから金銀とおぼしいものは佩刀《はいとう》の飾りでさえ差出させたほど、それでも焼石に水で、ここに栄翁のお茶坊主調所笑悦《ずしょしょうえつ》を武士に取立てて財政係に起用した。

調所は、経費削減のなたを振るうよりも、収入の増加をはかり、奄美《あまみ》諸島だけにしかとれない黒糖の専売制度を作り、また密貿易にも手をつけた。

この方法が功を奏して、三代相伝《そうでん》の極貧の藩財政はようやく旧に復し、余裕さえ生じてそれが維新の際の軍資となったのはのちの話だが、さて斉興には正夫人弥姫《やひめ》とのあいだに賢君といわれる斉彬《なりあきら》の他に、三田の大工の娘、側室お由羅に儲《もう》けさせた幼名晋之進、のちの久光《ひさみつ》があった。

お由羅騒動というのは、薩摩藩襲封をめぐって斉彬派と久光派の暗闘を指すのだが、久光派は調所笑左衛門派を味方につけ、斉彬には幼い頃からの曾祖父栄翁の庇護《ひご》がある。

斉彬は文政七年、曾祖父に伴われて十六歳で初登城し、従四位侍従に任ぜられ、兵庫頭と称したが、斉興は世子になかなか藩主の位置を譲ろうとしなかった。

財政係調所たちのいう、

「斉彬公は重豪公の風《ふう》がござりますれば、或いは驕奢に走り、また洋癖に固まって冗費《じょうひ》をつくされるやも知れず、さすればいま立ち直らんとする御家の先途《せんど》も危うございましょう」

の進言を信じたこともあり、またお由羅にひかされて、久光に家督を継がせたいという思いもあったことであろう。

嘉永二年には斉彬はもはや四十一歳の壮年となり、斉興はすでに五十七歳になっていたが、事態は何等展開せず、悪いことにはその前年、斉彬の三子盛之進が亡くなったとき、病間の床下から調伏《ちょうぶく》の人形が出て来たという。

斉彬の子たちは悉《ことごと》く早世しており、長子菊三郎が当歳で、長女澄姫が四歳、二女邦姫は三歳、二子寛之助は四歳、三子盛之進は四歳でみまかり、以前からお由羅の呪詛《じゅそ》によるものではないかといわれていたところへ、調伏の人形を京都へ買いに行った者があるなどのいぶかしい風説も流れ、斉彬派はついに、お由羅、久光の暗殺を企てた。

それがふとしたことから露顕《ろけん》し、斉興は激怒して斉彬派一味四十余名に前代未聞の極刑をいい渡した。

首謀者三人に切腹、士籍剝奪《はくだつ》、その上のちになって屍体《したい》を掘りおこしてはりつけにし、とくに物頭近藤隆左衛門の屍には鋸《のこぎりび》挽きを科したという。

彼らはいさぎよく刑に服し、これでお由羅派は凱歌を挙げたが、受刑者四十余人のうち四人は脱走して筑前の黒田藩のもとに走り、この旨提訴《ていそ》した。

これによって事態は逆転、黒田藩は幕府を動かして、老中阿部正弘《あべまさひろ》から斉興隠居の内諭を下させ、とうとう嘉永四年二月、やっと斉彬は二十八代を継いでついにこの嘉永朋党事件は結着を見たのであった。

こういう経緯《けいい》を、まだ幼い篤姫は知るよしもなかったが、忠剛の口からよく聞かされていたのは、斉彬公の英邁《えいまい》であった。

分家の身分は、いずれが藩主を継承しようと我が家の安泰を計らねばならぬため、城内でも固く口を慎まねばならないが、忠剛はひそかに、ものの道理として嫡子斉彬の擁立《ようりつ》を望んだ他に、この賢君の器量に心からなる敬意を払っていたところがある。

斉彬を讃える評は枚挙《まいきよ》にいとまないが、二つビンタ、というあだ名と、親友松平春嶽《まつだいらしゅんがく》の「治世以来、はじめて見たる英主」という言葉と、臣西郷隆盛の「凡庸《ぼんよう》の輩《やから》の、とうていい尽し得べきところに非ず」という恐懼《きょうく》のさまを見れば、おおよそは察せられようか。

ビンタとは薩摩の国言葉で頭、の意味で、厩戸皇子《うまやどのみこ》が一時に八人の訴えを聞いたという故事をひいて、斉彬は頭が二つあり、常に二つ三つの用を同時に弁じたというのであった。

斉彬の母は因州鳥取三十二万石池田相模守治道の長女弥姫で、十七歳で斉興に嫁ぎ、十九歳でこの長子を出産した。

大藩薩摩の夫人でありながら、弥姫は斉彬こと幼名邦丸を人に任せず、授乳から一切自ら傅育したといわれ、これは当時の大名奥方にしてはまことに稀有《けう》なることであった。

曾祖父重豪はことの外邦丸を愛し、高輪の別邸で膝下《しっか》に養育したが、斉彬はその影響で早くから西洋への視野がひらかれ、重豪を補佐してシーボルトを引見したこともある。

重豪の庇護のもとに世子に立ったのは四歳のときだが、内紛のためようやく家督を継いだのは斉彬四十三歳のときであった。

ずっと江戸育ちで、早くから諸侯との交遊があり、なかでも水戸《みと》斉昭《なりあき》とは翻訳書の貸し借りや物の贈酬もし、他にも松平《まつだいら》春嶽《しゅんがく》や伊達《だて》宗城《むねなり》、老中阿部正弘などとも親交があった。

お由羅騒動のために襲封が遅れたとはいえ、頑固な斉興をようやっと退隠させたのは、この親友たちの同情が大いに働いたためといわれている。十五歳の年に、一橋家から四歳上の民部卿斉敦《なりあつ》の長女英姫をめとったが、正室側室の腹を合わせて生れた六人の男子と二人の女子はついに育たなかった。

頼みとする曾祖父は二十五歳のとき亡くなっており、以来、お由羅の怨念《おんねん》にはずい分と悩まされたようで、この沈静のひとがときに親友たちに、「お由羅が憎い」という言葉を洩《も》らしたこともあったという。

嘉永四年二月、斉彬は薩摩藩主の座に坐り、幕府諸侯への挨拶を済ませたあと、三月、領主として初めて国への旅に就いた。

七十七万石藩主、初の御入部、とあって行列美々《びび》しくずっと陸路を取り、東海道は鎌倉廻り伊勢路を経て中国路、九州路を通り、五月出水郷から領地に入ったが、この出迎えの総帥は忠剛であった。

臣下の礼はとっているが、忠剛は斉彬の叔父に当るため、この大役を割当てられたものであろう。

藩主一行は五月三日出水郷に到着、先着して準備怠りなかった忠剛はこの地に「勢揃《せいぞろ》え」を催し、斉彬を慰めた。

出水郷は肥後との国境であるため、日頃から警備を厳重にしていて、土着の郷士も千戸以上あり、勢揃えというのは地頭役所に吊《つ》ってある時報鐘を鳴らすと、たちまち一郷内の士民が戦闘の用意をして参集し、操練にかかるという訓練で、斉彬はその、武士は鎧《よろい》冑《かぶと》に、農民は棍棒《こんぼう》、鋤鍬《すきくわ》を持ち、そしていずれも一、二日の食料を携行《けいこう》しているのに深く感じ、酒肴《しゅこう》料《りょう》として金一封を贈って激励した。

五月六日には隈之城《くまのじょう》の久見崎《くみさき》で鯛の網引きを上覧に供したが、数日前から鯛を買い集めて大漁に見せかけた欺瞞《ぎまん》を斉彬は見破り、

「以後はかようなことはなさずともよい」

と笑ったそうであった。

斉彬はこのあと、島津家の菩提寺ばかりでなく領地内の各寺社に詣《もう》で、諸武芸を検閲、また商工業の視察、と寧日《ねいじつ》なく、そして家督内証祝いとして一門四家の家族一同を城中に招いた。

このとき篤姫は十六歳になっており、めったとない城中への家族招待に今和泉家では大騒

ぎ、というありさまであった。

藩主さまは当日熨斗目《のしめ》に半袴《はんばかま》のよし、それならば女たちはどんな服装がよいか、とあれこれ思いわずらうのも楽しみなもので、そしてつまりは華美にわたらず、祝着《しゅうちゃく》の気持を表すもの、として、吉祥模様《きっしょうもよう》の打掛けを着て参上することになった。

五月十五日、四家ともども城中へ駕籠をつらねて参上、奥書院へ四家の主、奥方、次にその継嗣《けいし》たる男子の夫妻、それから各姫君方は年の順、というふうに席についたところで、斉彬着座となる。

ここへ奥小姓たちが茶と煙草盆《たばこぼん》を運んで来、そのあと一人ずつ藩主の引見となるが、座を能舞台の隣に移し、いちいちお言葉を賜わるのでこれにはたっぷりと時間がかかる。

今和泉家の姫たちは最後尾となり、篤姫と於才は、書院の頭数が一人ずつ減ってゆくのをじっと待機しているのであった。

やがて係の武士からやっと、

「島津安芸殿、ご息女　敬子《すみこ》殿」

と声がかかり、それを受けて篤姫が一礼して立ったとき、広い書院の座敷にはもうあと於才ひとりを残すのみとなっており、篤姫はその於才を目で慰めてから、案内役に続いた。

丈《たけ》なす黒髪は今日つぶいちに結いあげ、お幸の方ゆずりのべっ甲の頭飾りを挿した篤姫は、これも母親似の堂々たる体躯《たいく》で、優に五尺三寸はある。

松に鶴の打掛けをさばいて書院を出てゆくその姿を見送った於才が、

「姉上さま、今日は一段とおきれい」

と呟いたほど、篤姫の様子には辺りを払うものがあった。

長い廊下を幾曲りして能舞台の隣の控えの間にいざなわれ、正面の斉彬に向って篤姫はうやうやしく手をつき、

「島津安芸の娘、敬子にございます。太守《たいしゅ》さまにはこのたび初のお国入りを遊ばされ、祝着至極に存じ上げます」

と型どおりはきはきと挨拶した。

斉彬はその様子にじっと目をそそいでいて、

「そなた、何歳に相成る?」

とご下問あり、篤姫が返答すると、

「近う、これへ」

とすぐ前の座を指した。

篤姫が有難く受けて膝行《しっこう》すると、

「敬子か」

と親しく、

「そなた書を読んでおるか」

と聞き、

「はい、書物は大好きにございます」

重ねて、

「どのような書か、座右の書を挙げよ」

と仰せられた。

篤姫はしばらく考えてから、

「はい、座右には白氏文集《はくしもんじゅう》がございます」

と言上し、そして重ねて、

「但しこれは、書を習う折の手本にいたしますためのものでございます。好んで読みますのは史書のたぐいでございます」

と答えると、斉彬はほう、と珍しげに、

「和歌や仮名書きの草紙でなく、漢文体の史書を好むか」

といたく興味を示し、篤姫は悪びれもせず、

「はい、私十歳の折から日本外史《にほんがいし》の講義を受けましたなれど、師の病いのため、十五巻にて

やむなく打切られております。残念でなりませぬが、私のただいままでの読書のなかでは、この日本外史がいちばん有難い書でございました」

と答えた。

斉彬はほう、ほう、と聞入り、

「女子の身で天晴れな向学心じゃ。よし、予がそのあとの七巻を贈ろうぞ。また会う日までに全二十二巻を通読しておくがよい」

と特別の好意を賜わり、篤姫は深く礼を述べてその前を辞した。

このあと、四つどきから「翁三番叟《おきなさんばそう》」が始まり、一旦休んで吸物と盃、菓子、が出され、斉彬は御簾《みす》のうちに入ってのち一同寛《くつろ》いで「高砂」「田村」「羽衣」「鞍馬《くらま》天狗《てんぐ》」を観覧、ここで中入《なかいり》となり、四家の主のみもとの書院で二汁五菜の饗応《きょうおう》が出されて、子供たちは唐子之《からこの》間《ま》で二汁三菜御菓子付の献立であった。

そのあとは再び狂言の「末広《すえひろ》がり」「素袍落《すおうおとし》」を見物、最後にはまた御菓子御茶を頂いて、夕闇の迫る頃、分家一同下城したのであった。

分家個々に藩主に引見されることはあっても、このように門葉《もんよう》すべて相揃い、島津家隆盛の状況を見ることは、いまのどの分家の主の記憶にもなかったほどで、それだけに今和泉家でも興奮おさまらず、忠剛をなかに、太守さまの器量を賞めたたえ、そしてお幸の方はそう

じゃ、糺《ただ》さねばならぬことがあった、と篤姫に向い、

「そなた、太守さまご引見のさい、えらく念入りだったではないか」

と聞いた。

子供たちは藩主の前に出てまず、自ら名乗ったあとは、年を聞かれ、

「島津家のために、将来ともに励みくれるように」

と一言賜わるだけですぐ退出するのに、篤姫のときは、小半刻、とまではなくとも、それに近い時間がかかり、お幸の方は案じ続けた、といい、篤姫はご下問のあった内容を報告すると、わきで聞いていた忠剛は、

「女子が日本外史とは太守さまは定めしお驚き遊ばされたことであろう。そのようなことを正直に申上げてよかったであろうか」

と気に病むふうで、それに対してお幸の方は泰然と、

「太守さまがご不快に思し召したのなら、敬子をあのようにお引き留めは遊ばしますまい」

と動じるふうもない。

いつとてもお幸の方のおおらかさは今和泉家の内を明るくしてくれる感があるが、いまも忠剛はそういわれて眉《まゆ》をひらき、ふと話題を変えて、

「唐子之間で、そなたたち周防《すおう》殿の姫君がたと言葉を交わしたか」

とたずねた。

奥書院に勢揃いした一門のうちで、出席の男子は皆成人して妻をめとっている者だけであり、女子は重富家周防の於哲、於定、於寛の三人と、今和泉家の二人だけであった。

年の頃からいって、於哲は十七歳で篤姫と同年代、於定は十二歳、於寛は七歳でこれも於才の十一歳とはよい相手となると思われ、さぞかし女の子同士話が弾《はず》んだであろうという忠剛に、篤姫は首を振り、

「哲姫さまも定姫さまも何もおっしゃいませぬ故、私も控えておりました」

と答え、それを聞いて忠剛は黙ってしまい、お幸の方は、

「お膳を頂戴しながらあまり声高なお話は不作法故、重富家の姫君さまがたはよう心得ておいでなされたものであろう」

といい、その話はそれで打切られた。

お幸の方には忠剛が口を噤《つぐ》んだ理由はよく判っており、重富家が腹こそ違え斉彬の弟久光を当主に頂き、従って子供たちは現藩主と最も近い甥姪《おいめい》に当ることを鼻にかけているのだと思っているふしがある。

周防こと久光は、あの紛擾に勝っていたなら自分こそ太守の座に坐る人間だといまなお考えているに違いない、と忠剛は思うに相違なく、また、それは子供たちにまで伝播《でんぱ》して、我

が今和泉家の子女を見下《みくだ》した態度に出ている、と考えているると推察されるのであった。

お幸の方はときどき、

「殿は前々太守さまのお子で、現太守さまの叔父君に当られまする故、ご四家では末尾ではあってもお血筋は正しゅうございます。いわば太守さまのお目付け役と申上げてもふしぎはないではございませぬか」

と励ますのだけれど、忠剛は一人で鬱《ふさ》ぎ込むくせがあり、固くそう思い込んでいる様子であった。

篤姫はこのとき、太守さまが外史の残り七巻を贈って下さると楽しみにしていたが、その年の夏になってもなかなか届かず、お幸の方にふとそれを洩らすと、

「太守さまが一旦口になされたお約束を反故《ほご》になされるわけはありませぬ。おおかた江戸表から取寄せているのであろう」

と疑うふうもなく、その態度を見て篤姫は何やら安堵するのであった。

菊本が悲願の篤姫の縁組に就ては、忠剛がいま恐れていることがあり、それは周防久光の第二子、勝山右近が内々宮之城《みやのじょう》郷の島津図書《ずしょ》の養子に入ることが決定しており、その右近の室として篤姫を望まれはしないかということであった。

もし篤姫が右近の室となれば、久光派と濃い連繫《れんけい》ができることになり、いままでひそかに

斉彬派を以て任じてきた忠剛の位置は微妙なことになる。

島津図書の禄高は一万五千七百石で、今和泉家とは釣合っているが、紛争にはけりがついたとはいえ、げんにまだお由羅も健在で、家臣のなかには斉彬がお由羅派を掃討《そうとう》しない態度を生《なま》ぬるしとしている輩もいる。

しかし一門広しといえども、本家に次ぐ四家の一の姫が、領地無しの分家に嫁ぐことは考えられず、諸種の事情をにらみ合わせて見るのに、忠剛抱き込みの意図もあって、右近の室に篤姫を望まれるのはほとんどもう観念しなければならぬように、忠剛には思えてくる。断われば厄介な事態になることは目に見えており、忠剛はずっとこのことが頭を離れなかった。

ある夜、お幸の方に、

「名案がある」

と手を打っていい、それはいまのうちに篤姫を太守さまの側室としてさし出しては如何かという案で、これは先例がないわけではなかった。

同族二十一家の格のなかの、一所持ちでない伊集院太郎兵衛の娘須磨《すま》は早くから奉公に上り、ただいま第二子を妊《みごも》って城中に在る。

斉彬四十三歳、まだまだ妾を蓄える力はあり、いまのうちに城中に差出せば、今和泉家の立場は守れるかも知れぬ、というのであった。

お幸の方は聞くなり眉をくもらせ、

「それはあまりに敬子《すみこ》がむごうございます」

といい、今和泉家と本家とでは格が違うにしても、正室でない女の扱いはしょせん奉公人、家来たちからも蔑《さげす》みの目で見られましょう、あの勝気な気質の敬子なら、身分は低くても正室の座に就かせれば、立派に内助の功も成し遂げましょうほどに、といえば、それもそうかも知れぬ、と忠剛もいっそう腕を拱《こまぬ》くことになる。

お幸の方は、まだ右近さまは図書さまへのご養子の式も済んではおらず、いまからくよくよするのは尾花《おばな》に幽霊と同じことやらも知れませぬぞ、とせいい一杯楽天的に考えようとするが、忠剛は、広いようでもこのご領内での縁組ならば、さきのさきまで読めており、他に逃げ道などありようもなく、いずれ図書から申入れがあるは必定《ひつじょう》、とひたすら恐れるのであった。

斉彬は、いま在国のあいだに信念とする和魂洋才《わこんようさい》の具現に努力し、万金をいとわず長崎から洋書を取寄せて翻訳させ、のちの集成館《しゅうせいかん》事業、つまり鋼鉄鋳造、火薬、大小銃砲鋳造、また陶磁器、製紙、搾油、農具、メッキ、硫塩酸の製造など多岐にわたって振興させ、時代の先駆者たる面目を見せるのであった。

嘉永五年の正月を斉彬は新領主初の迎年とて、諸式手ぬかりなく執り行なった。

元日五社参詣、奥書院にて一門四家と国家老の年賀を受け、二日大身分《たいしんぶん》以上の諸士と対面、三日はそれ以下の士の賀を受け、九日は放鷹式《ほうようしき》、そして一月晦日《みそか》に、忠剛の恐れていた右近養子の儀発表になり、即日右近改め忠治の由、広められた。

忠治はこのとき十六歳、養子の儀の披露が終れば間をおかず結婚の段取りか、と忠剛は覚悟していたけれど、格別の沙汰はなく、三月に入って磯邸で観桜の宴あり、大身分の士一同、斉彬から招きに与った。

藩主在国の折にはしばしば宴は催されるが、このたびは新藩主治政満一年を祝う意味も込められており、まだつぼみの桜花の下の酒宴は盛大にくり拡げられた。

この磯邸は、十九代、藩主のときに建造した別邸で、背後の磯山と前方の桜島をそっくり借景《しやつけい》にした一万五千坪のもので、この座敷に坐ると宏壮な気分になり、斉彬はほとんどこちらに起居したといわれている。

庭園は竹林あり滝あり、巨大な石灯籠《いしどうろう》あり噴水あり、桜花三千本といわれ、この日は無礼《ぶれい》講《こう》で、太守さまにとおはら節やはんや節、すもう取り節や汐替《しおか》え節で自慢ののどを聞かせた士もあまたあり、斉彬を喜ばせた。

忠剛はこういう席でも酒の呑《の》めない体質から羽目は外《はず》せず、四家のなかでは比較的話を交わす垂水家の島津讃岐から、

「安芸殿もたまにはおすごし召されよ。お顔いろもよくなられようほどに」

と青い顔を指摘されたが、

「十分頂いており申す」

とすぐ盃を下においてしまうのであった。

夕景からはじまった宴は、雪洞《ぼんぼり》が入って賑《にぎ》やかになり、そのうちぼつぼつと退出するひとも出はじめたのを見て、忠剛も供の者に駕籠を命じて立ったところ、側用人から声があり、一間に招き入れられ、

「太守さまよりのお言葉にて、安芸殿には叔父君として水入らずの観花の宴をいま一度申上げたく、来る二十六日夕刻より当磯邸にまかり越し下されたしとのことにございます」

とのおもむきであった。

そのとき忠剛は、とうとう来《き》たるべきことが来たことを思い、

「承知仕《つかまつ》る。有難くお受けいたしますとお伝え下され」

と丁重に受けたが、心の内は穏やかではなかった。

血筋とはいっても、これまでとくに血族として隔てない言葉を交わしたことはなく、いつ

も臣下の礼をとっていて、また並み居る人前ではかまえて特別な口のききかたはしない忠剛であった。

観桜の宴は今日このように大規模に催されているのに、後日忠剛一人だけでまたもや花見とはいずれ仔細《しさい》あるにちがいなく、それはいま、篤姫の縁談以外には他に思い及ばなかった。

その夜、帰宅した忠剛は、まずやはりお幸の方にこの由を打明け、

「かねてより考えたとおり、敬子はやはり太守さまの側室としてお召し頂くより他、手はあるまい」

もはや覚悟のほぞを固めるより他無し、というと、お幸の方はそういう忠剛を諫《いさ》めて、藩士の縁組はすべて許可制ではあるし、ことに一門四家は藩主の意向によって結婚がすすめられるが、してみると、太守さまが叔父の忠剛の娘を自らお由羅派に渡すはずはない、と述べ、それに対して忠剛は、太守さまは襲封のさいでもお由羅派に対して報復の懲罰は何等《なんら》なされない方であり、むしろ今後とも、こういう婚姻によって両派の融和《ゆうわ》を計ろうとなさっておられるように見受けられる、といえば、お幸の方もそこまでは思い及ばず、思案に暮れるばかりであった。

このことは翌日表にも出され、今和泉家用人の伊東安左衛門も交えての評定《ひょうじょう》になった

が、安左衛門の知恵としては、かつて子福者の十一代将軍家斉公は夫人所生《しょせい》をも含めて五十五人の子女を持ち、その姫たちを各大名に押付け嫁とするため、大名のなかには「既に当方は約定済《やくじょうず》みでございます」とありもせぬ話を出して断わり、しかるのちその出まかせに口に出した相手と交渉を始める、という話をひいて、

「如何でございましょうか。ご内々にて早急に他家と話をおすすめになりましては」

いまはこれより他、手はございますまいという意見であった。

しかしこれも、領内分家の内の様子は悉《ことごと》く藩主には判っており、誰が見てもよく釣合うという縁があるならばこんにちいたずらに十七歳まで篤姫を家におきはせぬ、という気がある。

武家というのは窮屈なもの、まして分家というならそこに何ほどの勝手も許されず、すべて太守さまの意のまま、と思えば、先年の家政改革を命じられた折の苦渋《くじゅう》がまたよみがえり、篤姫の縁組はそのとき以上の、或いは家を危くする機縁となるかも知れぬと思うのであった。

が、表向き一人だけ観桜に招かれるというなら、謝意を表すための献上品を持参するのが礼というもので、忠剛はあれこれと物色した結果、家宝としている狩野派の安信、尚信《なおのぶ》の掛物一対《いっつい》を選んだ。

二十六日、忠剛の心のうちは刑場に引かれゆく罪人の如く、もう散りがての磯邸の三千本も少しも目に入らなかった。

留守を預かるお幸の方も落着かず、心頼みは大日如来のご加護であって、その日は昼食断ちして一心に数珠をまさぐり続けたが、当の篤姫には何も明かさなかった。

長男忠冬も三男忠敬《ただゆき》も二十一家のうちから室をめとってはいるが、めとるほうは易《やす》い、嫁がせるほうはいかにも難《かた》いもの、ともすれば吐息が出る思いがする。

その夜、忠剛が帰邸したのは戌《いぬ》の刻《こく》を廻っており、しかも飲めぬ酒をいささか過したと見えて顔は真っ赤であった。

定めし萎《な》え果ててのご帰邸、と想像していたお幸の方の前に、案に相違して極めて晴れやかな表情の忠剛は、家来に命じて運ばせたものを床の間に飾らせたが、それは見事な薩摩焼《さつまやき》の大花瓶一個と、三方に「御肴料」として載せられた三千疋の金子《きんす》、もうひとつは日本外史全二十二巻の版本であった。

「これはまた、何と」

と驚くお幸の方に、忠剛は上機嫌で、

「太守さまよりの賜わりものじゃ。太守さまはさすがにご名君、本日は敬子《すみこ》のためにこの上ない思し召《おぼしめ》しを仰せ出された」

という目差《まなざ》しは生き生きと輝いており、いまはまだ内々のことにて、と家来を遠ざけてお幸の方に打明けたのは、いままで思いみたこともない話であった。

斉彬《なりあきら》は、お由羅の方の呪詛《じゅそ》によるものとしてこのときまでに四男二女を失っていたが、いまようやく育っている公子には三歳の虎寿丸と、そして側室須磨の方に昨年生れた暐姫《てるひめ》がある。子孫繁栄こそ島津本家の何よりの悲願なのだけれど、いま斉彬から将来を見ればいかにもこころ細く思われ、かねてより器量ある女子を養女にもらい受けたいと考えていたところ、先頃篤姫を引見し、これこそ捜し求めていた我が娘、と一目で惚《ほ》れ込んだという。

「如何であろうか、安芸殿」

と懇《ねんごろ》な言葉をかけられたとき、忠剛は思わず涙ぐむほどに感激し、すぐには答えができなかったほどであった。

今日は篤姫を側室に、と腹を決めてこの磯邸に参上した忠剛だったのに、側室どころか一の姫として、しかもそれは単なる系図の上の条件から望まれたのではなく、自ら首実検し、熟慮の挙句《あげく》、仰せ出されたことであることを知って、太守さまは何のご下問の要あろうか、と忠剛は思った。

「ありがたきご配慮、今和泉家にとりましてこれ以上の栄誉はございますまい。安芸、謹んでお受けいたします」

と喜びに語尾をふるわせながら礼を述べる忠剛に斉彬は盃をさしながら、

「実を申せば江戸表にて調べたるところ、いささか分別もできる年恰好の女子には一門のうち二名あり、安芸殿の敬子といま一人は周防が娘、於哲であった」

といい、昨年城中に一同を招いた折、とりわけ二人については念入りに引見したところ、篤姫が極めて明晰《めいせき》に返答したのに引き換え、於哲はただうつむいてもじもじするばかりであったという。

「そのようなことを、太守さまじきじきにお話しなされたのでございますか」

とお幸の方も飛び上らんばかりの嬉《うれ》しさを抑えてそういく度も念を押し、そして、

「やっぱり太守さまは正しい目をお持ち遊ばしておいででございましたなあ」

としみじみいい、そっと目頭《めがしら》を拭《ぬぐ》った。

忠剛も一時は、斉彬が紛擾の両派の融和を計るために、篤姫を右近の室に、と命じはすまいかと恐れただけに、お幸の方のいうとおり、ものの筋を違えず、養女には久光の娘でなくこちらの派を選んでくれたことに一方《ひとかた》ならぬ思いがある。

「それは、建前からでなく、やはり敬子が於哲どのよりか勝っていたからじゃ」

と自分を納得させようとする忠剛に、お幸の方は、

「いえいえ、於哲さまもなかなかのごきりょうよし、お美しい方でございますもの。やはり

太守さまは、重富家よりもこの今和泉家のほうを重くお考えになられたのでございましょう」

と譲らず、ついには二人ともその根拠とする論点が入れかわるほどにこもごもいい合って喜び合うのであった。

太守の一の姫君として城中に上るのであれば、以後はもう何の案じるところもなく、しかるべき大名と縁組となるに違いなく、ただお幸の方は一抹、

「そういたしますれば、敬子は定めし遠国へ片づくこともありましょうなあ」

とさびしい思いも胸をよぎる。

領内にいれば、稀に往き来の日もあろうかと思えるけれど、知らぬ他国の大名の室ともなれば、今度城中へ上るのが今生の別れとなるのは間違いないことであった。

それに対して忠剛は、

「いたしかたもあるまい。女子はどうせ生れた家で死ぬるはずもない故、死に場所はいずこであろうとそれは親の思い及ぶところではない」

というけれど、養女の沙汰を、まるで蘇生《そせい》した如くに喜ぶ半面、手塩にかけた娘との別れがこうしたかたちでやって来たさびしさにも当然耐えねばならなかった。

夫妻はその夜、気が昂《たか》ぶってとうとう暁方まで語り明かしたが、それは篤姫がこの今和泉

家において、如何《いか》に一族の望みを担《にな》っていたかを改めて思い出すことでもあった。

現在継嗣忠冬は結婚して十年になるがいまだに子無く、三男忠敬ももう二十一歳でなお男子には恵まれぬ。

二人とも、身心脆弱《ぜいじゃく》といわれる忠剛から見てさえ、将来今和泉家を発展に導くような広い見識と剛毅《ごうき》な行動に欠けるところが大いにある。

一族集ればしぜん話の中心はいつも篤姫になり、妹はもちろん、兄二人も一歩譲って篤姫を立てるかたちになっていて、そして一同口ぐせのように、

「敬子は女子に生れて残念」

の結論になってしまうのが、いましみじみと思われるのであった。

ともあれ、この慶事は家中に披露《ひろう》しなければならず、翌日、書院に一族を集め、忠剛の口からじきじき伝えることになった。

これは結婚の縁組ではないが、いずれはそういうことも想定される縁結びの話であって、この話が家中に披露される順序としてはまず跡継ぎの長兄と家老、続いて分家すべき三兄、それから本人、次いで家来たち、というのがふつうであり、篤姫が父に呼ばれて書院に入ったとき、そこには両親と二人の兄の喜びに満ちた表情があった。

忠剛はまず、斉彬から贈られた日本外史の版本を指し、

「太守さまはそなたとの約束をお忘れ遊ばしてはおられなんだ。どうじゃ」

と篤姫の顔に喜色の走るのを見て、ゆっくりと宝物の蓋《ふた》を開けるように、

「昨日太守さまよりご沙汰があり、そなたを一の姫として養女にもらい受けたいという有難い御意《ぎょい》であった。謹んでお受けして参った故、以後そのつもりで心がけるように」

と告げた。

忠剛は篤姫が、斉彬よりの贈物を伝えたとき以上に満面に歓喜の様子をあらわすかと思っていたところ、篤姫は静かな面ざしで、

「では城中に上るのでございましょうか」

と聞返し、そこまで考えていなかった忠剛は虚を衝《つ》かれた思いで、

「いずれはそうなろうか。いや、或いは江戸住まいを仰せ出されるかも知れぬ。ともあれ、次なるご沙汰を待つがよい」

と答えつつ自分自身、なるほどただちに江戸表へ出立、ということに相成るかも知れぬ、といままでさし迫った問題とは考えていなかった長の別れを思うのであった。

忠剛が、斉彬が重富家の哲姫と比較の上で篤姫に白羽の矢を立てた話をも打明けると、二人の兄はこもごも、

「敬子どの、大したご栄達じゃ。当家の名誉じゃ」

「祝着《しゅうちゃく》でございますなあ」

と喜び、篤姫には兄嫁に当るその室二人も、

「敬子どのならばこそのお話でございます」

「さすが太守さま、敬子どののご器量をよう見抜かれました」

とほめたたえ、末席の於才も手をついて祝いの言葉を述べた。

当主が身心ともに脆弱のふうで、懸命に勤めを果している今和泉家にとって、これは一陽《いちよう》来復《らいふく》にも等しい慶事であり、さっそく内輪の酒宴を、という段取りとなる。

太守さまの養女、と告げた忠剛の言葉はどしんと重く篤姫の胸に響いたけれど、それがどのようなものかまだ十分考えられず、それよりも床の間に積まれた外史が気がかりで、

「父上さま、敬子に十六巻以降の講義をして頂ける先生をさっそくにお捜し頂けましょうか。

太守さまは、今度お目もじの際までに全巻通読しておくように、と仰せられました故に」

と願うのは、これまで兄二人と一緒に外史の漢文を講義してもらった老師は病いを得て亡くなったため、斉彬との約束が果せなかったら困るのを案じてのことであった。

その日、ささやかな酒宴が終ると、篤姫はさっそく版本を持って居間に戻り、寝もやらず待ち兼ねていた菊本にこのことを報告した。

このところめっきり老《ふ》けた菊本は、聞くなりみるみる目に涙を盛上げ、耐え切れず懐紙でそれを拭いながら、

「姫君さま、何というほまれでございましょうか。薩摩にご分家あまたといえども、太守さまのご養女になられたお方は、近ごろ聞いたことがありませぬ。いまとなっては太守さまの姫君さまがたがお育ちにならなんだのが、かえってよかったかも知れませぬなあ」

と口走ってさすがに憚《はば》かり、

「いや菊本は今日ほどうれしいことはございませぬ。もういつ死んでも本望でございます」

と涙とめどなく、そして、

「今夜からまた姫君さまのおそばでやすませては頂けますまいか。ぜひに、ぜひに願い上げ奉ります」

と一きわ平伏しての頼みかたで、篤姫はもとよりそれを快《こころよ》く許してやった。

その夜、以前のように、菊本は篤姫の下段にしとねをのべ、篤姫が寝につくまでその枕もとに坐って見守りながらも、どうしても今日の嬉しさが口をついて出、なかなか篤姫をやすませなかった。

「姫君さま、ご養女となりますと太守さまが父上、江戸におわす奥方さまが母上となります

なあ。

何と申しましても七十七万石は、日本中で二番目に大きいお大名でございます。お召しものから一切、いまとは格段の相違でございましょうなあ。

そしていずれは、太守さまの思し召しどおり、立派なお大名へと嫁がれることでございましょう。姫君さまの行末は万々歳でございます。雪の日に、大きくお生れ遊ばしました故に、ご運も一入《ひとしお》お強うございますもの」

菊本のとめどない饒舌《じょうぜつ》を聞いていると、篤姫はいまさらのように、これからの自分の道のゆくてが大きくふくらんでいることを思った。

書院でそれを告げられたときは、いずれは生家を出なければならぬ運命がようやく到来したのだという感じがまずあったけれど、菊本のはしゃぎようを見ていると、次兄久敬が養子縁組をして他家に出たそのときとは、較《くら》べものにならぬほど大きな事件であることが判る。

たしかに幼い頃から、藩の太守さまというのは天下に並びなきほどえらい方なのだなあ、と感じていたように、その養女となるのは大へんなことかも知れぬという恐れはあるものの、しかし篤姫は、何であれ決してひるみはせぬ、と思った。

その夜、外《と》の面《も》は春の塵風が荒れ、戸障子が賑やかに鳴り続けているなかで、篤姫は目ざめるたび、菊本のしのび泣きの音を聞いた。

菊本は嬉し泣きか、と思っていたけれど、それぱかりではないことを篤姫が判ったのはしばらくのちのことである。

斉彬からの賜わりものの版本は、まだめったに手に入らない川越本《かわごえぼん》で、これは亡き老師がくせのある書体で自ら写したものを使っていた篤姫にはぐっと読みやすく思える。

十五巻までといえば、平氏源氏北条氏、楠木氏新田氏、足利氏武田氏上杉氏、毛利氏織田氏を経て豊臣氏前記にかかっており、これから豊臣氏に代って徳川氏が擡頭《たいとう》する部分に入ろうとするところだが、まもなく忠剛は娘の乞いを入れて漢学の師をさし向けてくれた。

このたびの師、塩屋泰山は少壮気鋭、江戸の儒者尾藤二洲《びとうじしゅう》の系統で、本文の講義以外に外史の著者頼山陽《らいさんよう》について、他の著書「日本政記」「山陽詩鈔《さんようししょう》」や、いろいろな挿話を交じえながら教えてくれるので、篤姫は時間の経《た》つのもおぼえないほどおもしろかった。

が、忠剛のほうでは、斉彬が「次なる沙汰を待つように」と命じたにもかかわらず、その後何の連絡もないままいたずらに時の流れてゆくのを少々焦る気持がある。

城中では五月二十七日に側室お須磨の方から四女典姫が生れ、これで斉彬の子女は虎寿丸を入れて三人が育っており、こういう様子を見れば忠剛の胸には、太守さまも一旦お約束なされたものの、もはや養女の必要はなしと悔いておらるるのではあるまいかという疑いのよぎる日もないとはいえなかった。

お幸の方も同じ思いで、あるときふと洩らした、

「お大名の養女となりましても、無事結婚の運びに至るとは限りませぬなあ。尼寺の門跡《もんぜき》さまにお入り遊ばすこともございましょう」

という怖れの言葉を聞いたとき、忠剛は思わず声を荒げて、

「そのようなことを口に出すでない。門跡とは宮さまがたと五摂家に限られておる。武家は関わりないのじゃ」

と強く打消したが、その日から心の中に腫物《はれもの》のできたように、篤姫のこのさきの運命が片時も頭を離れなくなっている。

養女の沙汰を聞いてどっと歓びに沸き返った邸のうちも、いまは側近の家来まで努《つと》めてそれを口にしなくなっており、しかし太守が一度いい出されたことに疑いを抱くのは、臣として大きな不忠と自分を戒《いまし》める強い思いだけはある。

こういうなかにあって、篤姫の部屋はいつも明るく、それは菊本が日々、夢みるように篤姫の行先《ゆくさき》のしあわせを唱えるのもさることながら、塩屋泰山の講義が篤姫にはまことに興味深く聞かれるためであった。

外史の叙述《じょじゅつ》は、将軍となった家を立てて正記とし、名分を守った者すなわち勤王者を称讃《しょうさん》しているのが、これまでずっと、太守さまがいちばんの権力者と感じてきた篤姫にはいかに

も目を開かれる思いがあった。

　翌嘉永六年正月、忠剛《ただたけ》はまたもや病床に臥し、城中へ年首の礼にも出られなかったし、二十日大書院で行なわれた斉彬の世子虎寿丸の着袴式《ちゃつこしき》にも参列できなかった。

　着袴の儀は、御抱守菊池藤助、きよ夫婦が島津家に代々伝わるしきたりどおり執り行なったもので、斉彬の公子中、五歳まで生きのびた例は一人もなかっただけに、この日斉彬ほどのひとが涙を浮かべていたという。

　奥医師は、忠剛の容態について日頃から労咳《ろうがい》の気あるところへ気鬱《きうつ》の病いが添うておいで遊ばす、という診《み》たてだが、去年三月以来、城中から何の音沙汰もないまま、篤姫が年を重ねてゆくのがいちばん心労のたねではなかったろうか。

　当の篤姫はのびのびと屈託なく、泰山の講義も少しずつ進んで徳川氏の歴史に入れば現将軍家だけに興味も一入《ひとしお》深くなってくる。

　菊本や於才、またお幸の方に取囲まれておだやかな日常を送っていれば、篤姫自身、さきを思いわずらうことは何にもないのであった。

　薩摩の冬も結構寒く、二月にはいると忠剛は岩本村の別邸におもむき、こちらでしばらく静養することになったが、篤姫と於才も供をすることになった。

その日は朝から粉雪がちらつき、三人の駕籠のなかには小さな手焙《てあぶ》りを入れての出発で、これに奥医師が付添ってゆく。

忠剛は綿のものを重ね、用人に両側から抱きかかえられてようやく駕籠に乗り、その隊伍は海沿いの道をゆっくりと下っていったが、今和泉の領内に入ったばかりの土地に、いつも往復、一服してゆく茶店があった。

ここの老爺《ろうや》はものおじしないひとで、忠剛の駕籠に気やすく、

「殿さあ、お茶を召し上いやはんか」

と大声で呼びかけたのがはじまりで、以後忠剛はこの茶店の縁台で桜島の噴煙を眺めながら、渋茶をすするのを慣《なら》いとして来ている。

雪のちらつくなかを、この日も葦簾張《よしずば》りの茶店の前で行列はとまり、医師の介添えで忠剛が駕籠から出、今日ばかりは縁台というわけにはゆかぬため、一間きりの座敷に上ろうとしたとき、いま来た道から早馬のひづめの音が近づいて来たと思うと、肩に雪を載せたままの用人が転がるように茶店の土間に入って来て手をついた。

「ただいま城中よりご沙汰あり、太守さまじきじきお召しとのことでございます」

四家には斉彬じきじきのお召しはしばしばあるが、この場合は忠剛のみ、折入っての話とはすぐ感じ取れ、そしてその内容は篤姫の件に違いない、とただちに察せられる。

城中より使者の口上は、明朝巳《み》の刻《こく》、大書院に参上されたし、ということだったが、

「ただちに馬引け。これより本邸に引き返す」

と、じっとしてはいられぬ思いで大音声《だいおんじょう》に命令する忠剛に、あわてふためいたのは奥医師であった。

出発の際には式台まで抱きかかえられて出た忠剛が、この雪のなかを馬で駈け戻るとは何たる無謀、と奥医師が必死で止めれば、家来たちも取りすがってひきとどめ、やっと忠剛はもとのように駕籠に乗って引き返すことになった。

このところ病床で鬱々《うつうつ》とすごしていた忠剛が、たったいま頬を紅潮させて大声で呼ばわったさまを見て、奥医師は、ひょっと容態急変の前ぶれではあるまいかと案じ、ずっと駕籠わきに徒歩《かち》でつき、その一行が本邸へ戻ったのは夜ふけであった。

忠剛は大そう興奮しており、お幸の方になだめられ、薬湯を飲んで暁《あけ》がた少しまどろんだだけで、翌日ははやばやともう辰《たつ》の刻《こく》すぎには登城し、溜《たまり》の間で時間を待った。

やがて巳の刻、書院で不安と期待に胸おどらせながら待っている忠剛の前に現れた斉彬は、まず忠剛の体をいたわったあと、口をひらいたのは、

「安芸殿、今和泉領内の海岸線に砲台を築くべき恰好の場所はあろうか」

というご下問であった。

篤姫の身の処置ではなかった、と思うと忠剛はいたく落胆し、それでもこの斉彬太守となってから串木野《くしきの》、久志《くし》、秋目《あきめ》の砲台を修築し、新たに鹿児島大門口に一台築いていることから考え合わせると、錦江湾入口の今和泉領に砲台を構築する話は当然だと思った。

ここ五、六年来琉球に外国船の来航がひんぱんだし、日本の西南端に位置する藩の禄《ろく》を食《は》んでいれば忠剛とて海防の重要はひしひしと感じ取っており、

「いささか心当りございますれば」

と岩本村下の、土地の者が轟岬と呼んでいる突端の位置を説明した。

斉彬は熱心に耳を傾けていて、

「近く調査の上、工事総指揮はぜひとも安芸殿にお願いしたい」

といい、忠剛はこころのうちでふと、これが自分の藩に対する最後のご奉公になるやも知れぬ、と思った。

話終って平伏し、その感慨しきりに過《よぎ》るなかで、いま太守さまに篤姫の身の処遇をおたずねしたいという思いに苦しいほど気持がはやってくるのを覚えた。

このまま我が邸にて敬子《すみこ》に齢《よわい》を重ねさせるご所存にございましょうか。

それとも近々、城中にお引き取り頂けましょうや。

お胸のうちお聞かせ賜わりたく、と斉彬の袴の裾に手をかけたい衝動にふるえている忠剛

の耳に聞えたのは奥小姓の、

「これより太守さま、安芸さまにお茶を下されますに付き、熊之間にお引き移り頂きましょう」

という声であった。

熊之間は書院に次ぐ接見の間で、ここはこぢんまりとしている故に、勇気をふるって篤姫の件を口にしてみようと忠剛は思った。

こちらは書院よりぐっと寛《くつろ》いだ雰囲気で、まず煙草盆、次いで御茶が出たところで斉彬は、

「敬姫は堅固で過しおるであろうな」

とお尋ねがあった。

忠剛は胸あふれる思いで、それでも、

「賜わりました日本外史の勉学に励みつつ、ひたすらにご沙汰をお待ちいたしております」

と怨《えん》じるのがやっとであった。

斉彬はしばらくの沈黙ののち、

「長いあいだ無沙汰でさぞかし心おだやかではなかったであろうが、敬姫には来る二月二十日、城中へ入ってもらう手はずと相成った。

ついで三月朔日、城中にて親子固めの盃を行なう」

といい、それを聞いたとき忠剛は、一時にしろこの太守を怨んだことを悔いる思いで目頭が熱くなるほどであった。

斉彬は、何故かように延引したかについて、

「いまだ極秘のことなれど」

と口止めしつつも打明けてくれた話というのは、忠剛の遠く思い及ぶところではない、はるかな世界のことであった。

斉彬がまだ部屋住みの頃、さきにのべたように親しい友人に老中阿部正弘《あべまさひろ》、伊達宗城《だてむねなり》、松平春嶽《まつだいらしゅんがく》、水戸斉昭《みとなりあき》等がいて、折々集っては酒を汲《く》みかわして談論風発、天下国家を論じる楽しみがあった。

下々のものと違い、ここで論じられる国政国家論は、それぞれ一国一城の主《あるじ》故にただちに影響力を持つが、そういう話のなかで皆が一様に憂うるのは次期将軍の病弱な体質であるという。

いまは十二代家慶《いえよし》公の治世で、ただいま六十一歳、家祥《いえさち》は十八歳で将軍世子となり、現在右大将さまと呼ばれて千代田城に住まってはいるが、配偶者に恵まれず、最初にめとった関白鷹司政熙《たかつかさまさひろ》の女《むすめ》、有君《ありぎみ》は八年目にみまかり、翌年また関白一条忠良《いちじょうただよし》の女、明君を迎えたが、

これも翌年亡くなってしまった。

二人とも子宝に恵まれず、右大将家祥はこの年三十歳の寿齢の祝いを催したが、いまだにずっと独身でとおしているという。

はるか雲井の将軍家の話など直接関わりもなきこと、と考えている忠剛に、斉彬は膝を乗り出すようにして、

「安芸殿もご存知であろう。われらが大伯母茂姫は第十一代将軍家斉公のご簾中《れんちゅう》として輿入れ遊ばされた方じゃ。予も幼い頃にはたびたび大奥の大伯母君の許へ上り、懇《ねんごろ》なお言葉を賜わったことであった。

将軍家は前例を尊ぶが故に、右大将様の室として敬子を大奥に上げてはどうかと、こういう思案が、敬子を養女に、と申入れた発端であった」

と思いだにしない内容であった。

徳川将軍は家光《いえみつ》以来、ほとんどが代々京都の宮家か公家から室を迎えており、三代家光が五摂家の一、鷹司信房《たかつかさのぶふさ》の女《むすめ》、五代綱吉《つなよし》が鷹司房輔《ふさすけ》の女信子、六代家宣《いえのぶ》が近衛基熙《もとひろ》の女、七代家継が霊元法皇の女八十宮《やそのみや》、八代吉宗が伏見宮貞致《さだゆき》親王の女真宮《さなのみや》、九代家重が伏見宮邦永親王の女比宮《なみのみや》、十代家治《いえはる》が閑院宮《かんいんのみや》直仁親王の女五十宮《いそのみや》、十二代家慶《いえよし》が有栖川宮織仁《おりひと》親王の女喬《たか》子《こ》で、十一代家斉のみが武家大名島津家からの正室をめとっている。

いずれは十三代を継承する右大将家祥も、前二回、鷹司家と一条家から妻をもらっているが、幼少の頃からずっと多病で、将来将軍職が勤まるかどうか、周囲に危ぶまれているという。

故に家祥の祖父に当る十一代家斉の晩年には、十三代継嗣《けいし》をめぐってさまざまな駈け引き、暗躍があった。

家斉の寵臣《ちようしん》といわれるなかに美濃部筑前守、水野美濃守等があり、家斉が重体となった頃にはその寵臣が取巻き、御台所《みだいどころ》でさえ大御所の枕頭に近付けなかったなかで、美濃守から自身がしたためた家斉公ご遺命のお墨付きが中野石翁《せきおう》を経てお美代《みよ》の方《かた》に手渡された。

お美代の方というのは、中野石翁の娘で大御所の側室の一人だが、自分の産んだ溶姫《ようひめ》は加賀前田家に嫁いで犬千代を挙げている。

ご遺命には十三代家祥の嗣子にこの犬千代を迎えよとあり、これは、将軍継嗣は尾張、紀州、水戸のご三家、または一橋、清水、田安のご三卿から上げるという決まりを破り、加州をご三家なみに扱うという一大事件となる。

お美代の方にとっては、犬千代は血を分けた孫にあたるわけで、このお墨付きを頂いて大いに喜んだのか、或いは少しばかりの疑義を抱いたのか、まず御台所にこれを差出し、ご覧に供したところ、御台所はただちに寵臣どもの陰謀を見破り、将軍家慶にこの旨を告げられたという。

これ以前から、家祥は祖父の住む西の丸へは父君十二代と一緒でなければ参入しないことにしており、また西の丸では飲食は一切しなかった。

寵臣どもは家祥を亡きものにし、加州から犬千代を迎えて権勢を振るおうとする企《たくら》みで、このにせのご遺命の他にも、陰謀に加担《かたん》していた奥医師がのちに寝返り、一切が明らかになって、将軍は寵臣どもにそれぞれ懲罰を加えられた事件があった。

これは家祥十八歳のときのことだが、この件に限らず、家祥にはずっと周囲からこのような壅塞《ようそく》の恐怖がつきまとっているという。

体調脆弱なら、三度目の継室《けいしつ》にこそ武家大名からしっかりした女を、と考えたのが斉彬の友人たちの意見であり、その白羽の矢が篤姫に立ったのだという。

何しろ家斉夫人は、夫の寵妾《ちょうしょう》十六人ともあるいは四十人ともいわれる大奥を守って来たひとだけに、表からも深い信頼がおかれており、とくに、このお墨付き事件で示したきっぱりした態度や、また、歴代の将軍御台所は大奥から一歩も出なかったという慣例を破り、この御台所だけは一年一度、表の見廻りもしたという実績から、表使いの者にまで一目《いちもく》おかれていたという。

武家大名からの簾中《れんちゅう》えらびとなれば、当然この御台所の実家薩州からの候補が考えられるわけで、斉彬はさっそく分家の系図を検《あらた》め、先年内証祝いに一族を招いて引見したが、これは忠剛にも打明けたとおり、篤姫が群を抜いて立ちまさって見え、即座に心に定めたという。

我が一族に資格そなえたる娘これあり、という手紙を斉彬は江戸に送ったが、これについては直ちに強い反応があった。

栄翁といわれた斉彬の曾祖父重豪《しげひで》は、おおぜいの子女を全国大名と縁組させ、ために一門勢力をのばしたが、ざっと数えてみても長女が豊前中津十万石の奥平家に嫁ぎ、二女は将軍夫人、三女が大垣十万石の戸田家へ、四女桑名《くわな》十万石の松平家、六女郡山《こおりやま》十五万石柳沢家、七女は水野甲斐守《かいのかみ》夫人、また二男は長女の嫁いだ奥平家の養子となり、九男は福岡五十二万石の養子で黒田美濃守長溥《ながひろ》、その弟は奥州八戸二万石のこれも養子で南部遠江守《とおとうみのかみ》信順、とこれだけ拡がっているが、篤姫を将軍家の継室に上げるについては、このうち奥平家、南部家から強い反対があった。

そのいい条は、家斉公御台所は、父重豪の実子であり、本ものであるのに、篤姫は斉彬の養女である点を衝き、かような弱点を抱く御台所では一族の肩身も狭いということであったらしい。

たしかに、栄翁が将軍の岳父《がくふ》とあって、天下の三隠居などと呼ばれ、好き勝手な振舞いができたのも、御台所と血の繋《つな》がった父娘であったためといえなくもないし、これが養女養父の関係ならば、いざというときの絆《きずな》が弱いということにもなろうかとも考えられる。

一方で、斉彬がもうひとつ勘案《かんあん》すれば、たとえ本ものでなくとも、篤姫を養女として御台所に上げれば、斉彬自身が重豪に次ぐ勢力を将軍家に対して持ちはしないかという一門の嫉《しっ》視《し》と危《き》惧《ぐ》も思われないことではなかった。

諸国大名のなかには日頃から、斉彬が大藩の藩主であるのを惜しむ声があり、それは、小藩ならば幕府の老中の要職にも就くことができることを指しているが、島津一門も親等の近いものなら結束も固くて斉彬の評判を喜ぶ気風もあろうが、大伯叔のその養子先ともなればときに他人以上の冷たい目で眺められることもある。

斉彬が、幕府要職や大大名の親友たちからその才能を買われている反面、

「腹の底を見せぬひと」

との噂《うわさ》も消えないのは、こういう筋から出ている可能性もあり得ると考えられる。

確かに斉彬も、婚姻によって将軍家に対する発言権を増したい望みもひそかに抱いていたのではなかったろうか。

奥平家、南部家の、福岡五十二万石まで巻き込んでの頑強な反対にもかかわらず、篤姫を城中へ入れる運びとなったのは、つい四、五日前、江戸の伊達宗城、松平春嶽よりの書簡に

より、十二世家慶公、最近とみに健康衰えたりと見受けらるる、との通報を得たもので、それに伴い不穏な流説《るせつ》も耳にするという。

不穏な流説とは、西の丸の寵臣を処罰し、お美代の方にも暇を出して暗殺派を一掃したかにみえても、やはり家祥の多病に原因するさまざまな動きが蠢動《しゅんどう》しつつあるという意味で、それを見て斉彬はもはや一刻も猶予はならぬと感じたそうであった。

加州をはじめ反対派も多いところから、篤姫を無事将軍家へ上げる運びとなるかどうかはまだ判らぬが、

「そのかまえにて心得おくように」

と斉彬にいわれたとき、忠剛はただただ恐懼し、平伏する指先までが小刻みにふるえてくるように思われた。

本家の一の姫という縁組でさえ、今和泉家始まって以来の栄誉と思われるのに、場合によっては将軍家の正室となるかも知れぬという。

忠剛の仰ぎみるのは藩主であって、その藩主を全国統合する将軍のもとへ娘敬子が上ることになるのは想像も遠く及ばぬことで、その心構えを、といわれても、とりあえずどうすればよいのか忠剛には判らなかった。

二月の二十日といえばもう目前に迫っており、それまでに何をどうすればよいのか、ほと

んど怯《おび》えている忠剛に斉彬は、

「以後は用人をつかわして、細部については打合わせいたそう」

と堅山武兵衛の名を挙げた。

忠剛は盃を賜わり、夢見心地で下城したが、ことのあまりの重大さに家老とお幸の方に打明けただけでまだ篤姫には何も告げられなかった。

ひょっとすると夢ではあるまいかとなお考えており、慶事なのに鬱々《うつうつ》としている忠剛を見て、お幸の方は、

「殿、しっかり遊ばしませ。砲台構築と敬子縁組と、今和泉家にとっては、先年の家政改革に次ぐ一大事でございます」

とそばからしきりに励ますのであった。

お幸の方は、忠剛から聞いたとき、目を丸くしてしばらく言葉も出ないほど驚いたものの、次には落着いて、ひとりうなずきながら、

「この吉報でございます。これでございました」

というのは、篤姫十五の年の六月、お幸の方がとろとろとまどろんでいた昼さがり、庭さきに異様な人かげを見た。

猿のように背を丸めてうずくまっており、お幸の方がけげんそうに見ると、腕をのばして

一方をさし、

「その者を江戸に連れて参る」

とはっきりいい、その指の方向は篤姫の自室を差しているのであった。

いく年かのちになって、お幸の方に事情が判ったとき、それは家祥の二番目の室、明君がみまかった頃と月日が合致《がっち》しており、篤姫が江戸城大奥へ上ることは、この頃から運命として定まっていたのかと思った。

ちょうど降灰のひどい日で、三尺さきのもののかたちも呆《ぼ》やけているほどだったので、お幸の方はそのとき、得体《えたい》の知れぬけだものが凶夢《きょうむ》をもたらしたものと考え、目覚めてのち庭を浄《きよ》めたことをいま思い出したのであった。

大小名の結婚支度については、奥向きの側用人が万端を取りしきるのが風習で、やはり母親としても気を張っていなければならないが、気丈なお幸の方も何をどんなふうに用意していいものやらまだ皆目《かいもく》判らなかった。

とりあえずは当の篤姫に告げねばならず、あまりの事の重大さにまた病いのぶり返した忠剛に代り、お幸の方は一夜、篤姫の部屋を一人で訪《おとな》い、菊本の同席も許した上でこのことを打明けた。

聞くなり菊本は言葉を失い、あごをふるわせて涙を拭《ぬぐ》っているのに引き換え、篤姫は明る

い声で、

「母上さま、外史では日本国内の戦乱が収まったのは徳川家康公の力じゃと書いてあります。頼山陽という方は江戸に旅して、その平和な賑わいもご自分の目で確かめられたそうでございます。

私も江戸に旅することができましたならどれほどかうれしゅうございましょう」

と、まるで勉学好きの男の子のように目を輝かせていうのを聞いてお幸の方は、

「これ敬子、江戸に出るとはまだ決まってはおりませぬ。よしんば無事江戸に出られても、そなたの目的は輿入《こしい》れですぞ。物見遊山《ものみゆさん》ではありませぬ。この家で過すように気楽とは参りますまい」

とたしなめると、篤姫は素直に、

「はい」

と頭を垂れた。

賢《かしこ》いようでもまだ何も結婚の意味は判っておらぬと見える、とお幸の方はあわれんだが、また考えなおしてみれば、結婚前から誰がその中身の想像ができようぞ、とも思う。

お幸の方とて、今和泉家に嫁してくるまで何もわからず、両親のいうままに従っただけだが、幸い同じ薩摩の分家同士、家も釣合っていて、かくべつ不自由をかこったことはない。

篤姫の場合は、ゆくさきどんな驚天動地《きょうてんどうち》のできごとに出会《でくわ》すかも知れず、そういうことを思えば、なまじ一大事じゃとおどさないほうがかえって本人のためかも知れぬ、とお幸の方は思った。

むしろこの場合は何も考えず、斉彬の命じるままに心を対応させるその構えこそ大事かと思うと、篤姫が結婚以前にまず江戸への旅を望むことこそ、いまはいちばん頼もしいことであると考えねばならなかった。

かたわらで菊本は懐紙を目に当ててただ泣くばかり。お幸の方は心のうちで、こういうときにこそしっかりと結婚の心得を篤姫に説いて聞かせてやって欲しいのに、菊本らしゅうもない、と思ったが、口には出さなかった。

邸中、誰も彼もこの報らせに驚愕《きょうがく》しており、互いに祝いの言葉を交わすあとで必ず、姫君さまも大任でございますなあ、の言葉をつけ加えるのを忘れなかった。

菊本の泣き続けている理由が、お幸の方にも篤姫にも判ったのは、ご沙汰があって三日後、堅山武兵衛が打合わせのために今和泉邸に現れたときであった。

「城中にお上り頂きますに就きましては、お支度とては何一つ不要にございます。お供の者も、敬姫さま付き老女は当方にて手配いたしました故、お連れ遊ばさずとも結構でございます。

二月二十日供の者相ととのえて辰の刻にお迎えに参ります故、その駕籠にお乗り遊ばしますように」

という口上を側用人から聞いたとき、お幸の方はあっけに取られる思いがした。

輿入れではない故に、持参金の相談もなく、箪笥長持の荷の数を聞くこともなかろうが、それにしても篤姫愛用の身の廻りの品もいくつかはある。

何よりも、侍女をひとりも連れずにやってこいというのは、女にとっていかに心細いことか、お幸の方でさえ、侍女二人を連れてこちらへ嫁ぎ、今和泉家の家風に馴れるまでそれがいかに頼もしい力綱となったか、決して忘れてはいないだけに、これはあまりにも篤姫がむごいと思った。

と同時に、菊本はこの運命をとうに感じ取っていたがために、養女縁組の沙汰を聞いたときからすでに別れを思って泣いていたのだといまにして判るのであった。

斉彬が手配した幾島《いくしま》という老女は、もとの名を松坂《まつさか》といい、江戸本邸で表老女の藤野《ふじの》と肩を並べて権勢をふるった女性で、斉彬の姉にあたる郁姫付きだったが、郁姫が右大臣近衛《このえ》忠《ただ》熙《ひろ》の室となって嫁ぐ際、付いて京へ上り、奉公しているうち、郁姫がみまかったため、その没後は薙髪《ちはつ》して得浄院と称し、ひきつづき近衛家に残っているという事情であった。

斉彬は、幾島ならば江戸の事情にもよく通じ、且《か》つ京暮しも経験していれば、これから展開する篤姫の教育に必ずやよい結果をもたらすものと判断して、この処置を取ったのだという。

「ならば母上さま、菊本の身分は如何《いかが》相成るのでございますか」

と聞く篤姫に、お幸の方も自分ひとりの裁量には叶わず、

「さあ」

と思案するのを察して、菊本は自ら、

「敬姫さまのご出世を見届けましたからには、心おきのう下《さが》らせて頂きます」

ときっぱり口にし、その決意に対してお幸の方も篤姫も思案は急に出なかった。

その日は二月八日、針供養の日で、篤姫はしのを連れてお針子の部屋をのぞき、豆腐に差した銀いろのたくさんの針を見て部屋に戻ると、もう昼前なのにまだ菊本は来ていなかった。

昨夜は、少し風邪《かぜ》心地だから自分の居室に戻るといい、篤姫の眠りに就くのを枕頭《ちんとう》で見守ってから灯りを消し、下っていったが、いつもなら篤姫が目覚めるともう蒲団の裾に侍《はべ》っている姿が今日に限ってまだ見えぬ。

「菊本はどうしたのであろう。また加減でも悪いのかも知れぬ」

篤姫は呟きながら、しのに様子を見にやろうとしたが、考えてそれはやめにした。

様子を見にゆかせると、具合が悪くとも起き上って勤めることは判っているし、この頃またとみに衰えが目立ち、昨日、先頃の節分のとき、邸うちに配られた芋飴《いもあめ》の残りを篤姫が高坏《たかつき》から一つとって手渡すと、

「せっがいアメでございますね。あいがとごさげもっす」

とつい地下《じげ》の言葉で礼をいったまではよかったが、それを口に入れたあと、篤姫がふと見ると、唇の端から飴いろのよだれを流している。

「菊本、これで拭きや」

と篤姫が懐紙を渡すと、菊本はそれを押し戴《いただ》いてはるかに下り、

「とんだご無礼をば仕りました。平にご容赦下さいませ」

と幾重にも頭を下げるのを見て篤姫は笑い、

「これしきのことで、菊本も大げさな」

というと、小袖《こそで》の袖口を目に当てながら、

「姫君さまはまことにおやさしいお方でございますなあ」

と声を忍んで泣いた。

邸うちでは、菊本のことを泣き中風《ちゅうぶ》、というひとがあるのを篤姫は聞いていたが、この様子を見てそれを思い出し、

「菊本、気を楽にしや。私の前では何の斟酌《しんしゃく》も要らぬほどに」

といたわると、菊本はこらえ切れないように畳に突っ伏して泣いた。

昨日のこの様子を思い出すと、篤姫は、やはりあのときから按配《あんばい》がよくなかったかも知れぬと考え、日課の手習いを終えてのち、しのをやることにした。

表では今日も、近づく二月二十日の準備の打合わせが行なわれており、ふつうなら女は奥でその決定を聞くだけだが、外《ほか》のことと違う故にお幸の方もずっと詰めており、居室も空《から》の様子なら、こういうときは篤姫が自分で裁量するより他なかった。

しのは、

「やすんでいるようなら起さぬがよい。そろりと窺《うかが》って参るように」

との命を受けて廊下伝いに下っていったがなかなか戻ってこず、やがて小半刻ののち乱れた足おとがして障子を開け、

「菊本さま、ご生害《しょうがい》にございます」

とうわずった声で、しのは肩で大息吐きながら、

「お部屋には見当りませず、あちこちお捜しいたしまして、ようやく、お長屋の一室でご生害遊ばされているのを見つけましてございます」

という言葉を皆まで聞かず、篤姫はかいどりの裾を踏んでよろけながら廊下を走り出し

た。

薩摩名物の空っ風の強い日で、高峰おろしが砂混りの冷たい北風をたたきつけている廊下を篤姫はどこをどう走ったか、途中からしのが先に立ち、篤姫のあとには奥の侍女たちも続いて、やがてはだしのまま庭を渡り、植込みを縫い、下士仲間《かしちゆうげん》のための長屋のいちばん端の腰高障子を開けたとき、ぷんと鼻をついたのはなまぐさい血の匂《にお》いであった。

入口に立つと奥まで一目で見渡すことができ、血の海のなか床前で突っ伏しているのは見覚えのある菊本の小菊模様の打掛けで、近寄ろうとする篤姫をしのがかろうじてとどめ、

「姫君さま、ここはやはり一旦お部屋にお戻り下さいませ。ご慶事を控えておいでの姫君さまが不浄《ふじよう》をごらん遊ばしてはなりませぬ」

とはこの場合、最良の分別というべきであったろう。

一時は動顚《どうてん》し、ここまで篤姫とともに駈けとおしてきたしのも、気を取りなおして篤姫を強く促し、もと来た道を引っ返す途中、変事を聞いた表使いの武士たちといく度もすれ違った。

入口に腰を向け、こんもりと伏していた菊本の打掛けの裾から出ていた血にまみれた片足が、何故かピンと硬直していたさまが目に灼《や》きついており、こういう生害の様子ははじめてだっただけに、篤姫にはものもいえないまでの衝撃であった。

何故にみずから生害などいたしたのか、何故に、と心のなかで問い続けており、よろめきながら戻る体をしのがわきから支えながら、

「姫君さま、どうぞお気をお確かに」

と励ましつつ、それはしの自身にもいい聞かせているらしく見える。

青ざめたまま、部屋の火桶《ひおけ》のそばにじっと坐っていると、外の風の音とともに寒さがしんしんと伝わって来、篤姫はそのまま体が地底に沈んでしまいそうに思われた。

言葉なくかたわらに侍《はべ》っているしのの膝も小きざみにわなないており、それはつい昨夜まで、この部屋に詰めていた勤めの上司が、突然自ら命を絶った事実が、まだ容易に信じられない様子であった。

菊本は篤姫付きの老女だから、邸内の変事の処理が済めば何かの沙汰があるはずだが、障子に映る梅の枝のかげが西に廻っても何の知らせもなく、お幸の方も部屋には現れなかった。

六つを廻ると、いつものように夕食が運ばれ、しのの給仕で膳に向ったが、さっき見た菊本の最期が目先にちらついている篤姫には食欲などあろうはずもなかった。

ようやく知らせが来たのはもう夜に入ってのちのことで、忠剛付きの小姓から父の居間にくるようにといわれ、暗い廊下を手燭《てしょく》をたよりに歩いていった。

居間では忠剛とお幸の方が待っていたが、敷居際に手をついたときから篤姫は、父が異常に昂《たか》ぶっていることに気がついた。

「このたびの菊本の思慮分別もなき生害については許し難いものがある。そなたの縁組を控えて、かようなことが外へ洩れるといかなる事態になるやも計られぬ」

という忠剛の顔には、燭台の灯りにありありと顳顬《こめかみ》の青筋が浮き出しており、その青筋をぴくぴくとふるわせながら、

「そなたは変を聞いて長屋にまで駈けつけたそうじゃが、この大事なとき、そのような軽挙《けいきょ》妄動《もうどう》を慎しまねばならぬことが判ってはいなかったか。第一、菊本は五年前に役職を解き、この邸に滞留するについては、病気療養という建前にしてある。自室に引きこもっているものを、何故にわざわざざしのを見につかわしたか。今回の敬子の行ないは、将来太守さまの姫君たるべき心得に大いに欠けるところがある」

と怒気を露わにして篤姫に目を据え、さらに、

「しのもしのじゃ。主命で菊本の様子を窺いに行ったのはやむを得ぬとしても、姫を先導して菊本の亡骸《なきがら》のもとへ案内したとは言語道断。以後三日間、自室で謹慎申付ける」

といいわたし、そしてはきすてるように、

「菊本のことは直ちに忘れ去るように」

と強い口調であった。

篤姫は、忠剛に詫びを言上《ごんじょう》せねばならぬ、と思いながらも、あまりに烈しい権幕にただ恐れ入り、手をついて平伏しながら心のうちではやはり少々納得し難い思いがある。

菊本の死の理由はよく判らないが、忠冬に引き続いて自分をも傅育してくれた老女の死については、もっと心あたたかく対してやってもいいのではあるまいかと思われたが、親の言葉に対しては仮りにも口返しは許されなかった。

畳にひれ伏している二人に向って、かたわらからお幸の方が、

「殿は、時節がらもわきまえず菊本が人を騒がせ、邸を汚したことについてご立腹遊ばされているのですよ。当然のお怒りでありましょう。

二人ともさがってよいが、しのはきっと控えの間で謹慎するように」

と口を添えてくれ、篤姫はこの場合何といってよいやら判らぬまま、深々と一礼してしのとともに自室に戻った。

忠剛のいうように、菊本の様子を窺いにしのをさし向けたのも軽はずみであったかも知れないし、また長屋まで全速力で駈けつけたのもたしかによくなかったとは思う。が、手段はどうあれ仮りにも人の死という厳粛な事実を前にして、ただちに忘れよ、と命じられても、とうていその言葉どおり守れるものではなかった。

その夜、寝もやらず考え込んでいる篤姫のもとに、更《ふ》けてのち、ひそやかにお幸の方のわたりがあった。

「今夜は容易にやすまれはしますまい」

といいつつ篤姫のそばに近々と坐り、自ら手をのばして灯心を細め、

「そなたと話がしとうなりました。この邸にそなたが起き臥《ふ》しするのももうあとわずかじゃ。

このような変事がなくとも、一晩はゆっくりと語りたいと思うておりました故に、今夜はちょうどよい折じゃ」

と、夜寒にかいどりの前をかきあわせながら、目を落し、

「菊本の書置きは三通ありましたそうな。一通は殿あて、一通は私、あと一通はそなたの名をしたためてあったと申します。

殿あては詫び状で、これはかえすがえすも不忠の罪お許しのほどという文言《もんごん》、私のも似たようなものなれど、ただ、菊本が下士の娘から身を起し、世継ぎの忠冬のみか一の姫のそなたまで養育できた身のしあわせと、病いを得たにも拘《かか》わらず、当邸内に留めおかれたことへの礼をくりかえし述べてある。

そなたあてのものは、父上は直ちに火中にせよと仰せられましたなれど、私がたってお願

いし、一読させて頂きました。

敬子《すみこ》、よう覚えておきなされ。菊本はそなたの幼い頃より、事あるごとに天性すぐれた資質をそなたの上に見、触れ、次第に畏《おそ》れを抱いたと申します。もはや、自分如き非才の者のご養育すべきおん方にあらず、と嘆じおるうち、今度の太守さまからのご沙汰を聞き、そのときから生害の覚悟を定めたらしいふしが文言のうちに窺われる。

ありようは、生害の罪によって菊本如き人間の名はそなたの侍女のなかから将来にわたって消し去られよう、と推測し、それを望んだためとあります。果して父上は大そうご立腹になり、菊本の名を家臣の籍から除かれ、亡骸は本日、日暮れを待って裏の不浄門から身内の者に下げわたしました。菊本はそういうことをすべて見越した上で、そなたの前から身を隠したかったのだと思われます。

書置きにはいくたびも、そなたが生れながらにして将軍御台所の器量を備えおることを賞《ほ》ぎ、ゆくすえ幸多く過されますように、としたためてありました」

お幸の方はしんみりと語り、

「父上さまのおん前では口にはできかねるが、私はしみじみと菊本の心根が哀れでなりませぬ。

出は下士ではあっても、長いかげひなたない奉公で当家では老女に取立てられ、そなた付き一の侍女としてどこに出しても通るものを。死を以て身を引いたのはそれだけそなたを大事に、深く慈《いつく》しみ、敬《うやも》うてくれた真心のあらわれでありましょうなあ」

という話を聞きつつ、篤姫は胸いっぱいになり、とうとう嗚咽《おえつ》をこらえ切れなかった。

次の間に侍女はいても、ここには母と二人きり、と思うと篤姫は何のはばかりもなく畳に泣き伏しながら、心のうちで、かわいそうな菊本、かわいそうな菊本、と叫び続けた。

下の者にかしずかれてばかりいる身分では、奉公人の気持は手に取るように判るとはいい難いが、それでも篤姫は、菊本は何も死ななくともよいのに、とはがゆさ限りなく、またそれだけ自分というものを大切に考えていてくれたと思うと、そこに上下の隔てを取払った強い親近感を感じるのであった。

今夜からもう、「姫君さま」と訛《なま》りのある言葉でやさしく呼びかけてくれる菊本はいないと思うと涙はとめどなく、せめてその亡骸に最後の別れを、と願っても、菊本はもう下人《げにん》以下の扱いでこの邸から追放されたあとであった。

泣き入る篤姫のそばにお幸の方は寄り、その背中を撫でながら、

「敬子、そなたとこうして語るのももう今宵限りかも知れぬ。

ちょうど菊本の変事が出来《しゅったい》した故に、いまから私の申すことがよう判ると思われるが、そ

なたはこれから城中に上り、さらには万が一、江戸城大奥に入ることも実際となるかも知れませぬ。

そなた付きの老女や女中たちも、この邸におるうちとは違って、たくさんの数になることであろう。私は江戸表のことは何も存じ上げぬが、女中たちも大勢ともなれば、こちらの菊本やしののような忠義一途《いちず》の者ばかりとは限りますまい。

それでも、自分付きの侍女たちがもめごとを起さず、毎日落度なく勤めを果させるためには、主《あるじ》たるそなたの器量がものをいいます。女子はのう、嫁いだ先の長上の者にしっかり仕えることが第一の道とされてはいるが、私は奉公人によく目をかけ、上手に治めてゆくことも、それと同じほど、大事なことじゃと考えております。

今度の菊本のことは、そなたはまだ若年《じゃくねん》故に直接の責めというてはないと思われますが、自ら生害という手段は誤っておると私は思います。菊本は一途にそなたの栄達を願うために、自らを卑下《ひげ》したであろうが、かれこれ考えていれば、五年前、病いに倒れたときに、職を解いてやればよかった。

不自由な体で邸に残ったからこそ、菊本はいっそう思い詰めたこともあろう。

人を使うは易《やす》いようでいてむずかしいこと。一人の者を頼まず、さりとて万人に冷たくしては下の者はいうことを聞きませぬ。

女子が内助の功をあげるのには、奉公人をうまく治めることがかんじんですぞ。そのためには、いつも気を確かに張っていなくてはならないが、これはいつも一人ぼっち、という感にじっと耐えることでありましょうなあ」

じゅんじゅんと説くお幸の方の言葉は、泣きながら聞く篤姫の胸の奥深くしたたりおちるように思えた。

お幸の方は語り続けたあとで、

「太守さまからのご沙汰では、そなた付きの侍女も荷物も一切不要とのおもむきであったが、これは女子にとってあまりに心細きこと故、せめてしの一人と一駄の荷ほどはお許し頂けるよう、私からのたってのお願いとして表へ通じてあります。

ご許可が出たら、しのとともに荷の詮議《せんぎ》をするがよい。

衣服のたぐいは一切要りませぬ。太守さまの姫君として城中では御家風というものが必ずあろうほどに。

持ってゆくものは、そなたがこれからの生涯、さびしいとき悲しいとき、我が心を慰めるに足るものをお選びなされ。たとえば歌留多《かるた》とか双六《すごろく》、そのようなたぐいの道具なら、ゆくすえ、どこへでも持って行かれましょうぞ」

とやさしくいい聞かせたあと、

「さ、それではもう夜も更《ふ》けたほどに」

と立ち上り、立ち居も静かに自室へと帰って行った。

涙を拭《ふ》いて篤姫が、

「しの」

と呼ぶと、次の間からしのが入って来て寝間の支度をし、篤姫の頭から櫛《くし》こうがいを抜き取っているあいだ、胸のうちには溢《あふ》れる思いがあった。

何よりもひびいたのは、お幸の方の菊本の死に対する冷静な見かたであって、それはあまりの悲しさに泣くばかりだった篤姫の背を揺すぶるようにして、ものの識別力を植えつけてくれた感がある。

忠剛はよく、家臣たちに、

「とっさの判断を過《あやま》てば、善も悪となり、悪も善となり得る」

といい聞かせているのを篤姫は知っているが、女とてそのとおりだと思った。

昔、忠剛は、岩本村の別邸に騒ぎがあったとき、考え込むばかりで、ただちに慰撫《いぶ》のための行動を起さなかったのが原因で家政改革を命じられた苦《にが》い経験があるだけに、生涯それを訓《おし》えとしたのだろうが、菊本も、大局を見ず、篤姫いとしさで生害という行動を取ったことは、結果として忠剛の怒りを買うだけだったと今にして判るのであった。

判りはしても、やはり不憫《ふびん》の思いはとどめられず、ともすれば涙が枕を濡らすのをてのひらで拭《ぬぐ》いながら、篤姫は、それにしても母上さまのお偉さよ、としみじみ思った。

血を分けた母娘ではあっても、ふだんから生《な》さぬ仲の於才へ気を遣い、篤姫とだけでこうした語り合いをすることは稀なだけに、今夜のご教訓はきっと生涯忘れまい、と篤姫は思うのであった。

暁がた近く、篤姫はふとそばに人の気配を感じたような気がし、目をあけると、菊本がいつものように坐っている。

「菊本」

と呼ぶと、無言でもうほとんど白くなった頭を深々と下げたまま、顔を上げようとはしなかった。

平伏したままの菊本にもう一度呼びかけようとしたとき、その姿はふっとかき消え、暁がたの冷気が夜着の衿《えり》からしのび込んできて篤姫は思わず身ぶるいした。

夢だったのか、と考えても、手をさしのべてみると菊本の坐っていたあたり、心なしか人肌の温《ぬく》もりが残っているように感じられる。

既に幽界《ゆうかい》に去った菊本は、一言も口をひらかなかったけれど、夢枕《ゆめまくら》に立ってまでの、そのいわんとするところは、篤姫にはよく判るように思えた。

「姫君さまのゆくては、この菊本の霊がきっとご守護させて頂きます。生きていればおそばへのお供も叶いませぬ身分なれど、魂魄《こんぱく》の身はいずこへなりと飛翔《ひしょう》して、いつ何どきとても姫君さまをお守りする所存にて」

とかきくどく菊本の声を篤姫ははっきり捉えたような気がした。

いくら聡明《そうめい》ではあっても、まだ自分のゆくては五里霧中でなにも見えはしないが、菊本の死によって篤姫は何やら容易ならぬ展開が予想され、いまさらに身のひきしまる思いがする。

養女のご沙汰を受けたときには、ここから城中へ居を移すだけのこと、と軽く考えていたふしもあったけれど、菊本はそんなやわな覚悟ではこの先、乗り切ってはゆけぬことを示唆《しさ》してくれたのではないか、と篤姫は思った。

菊本の霊は、このあとしばしば篤姫の夢路に姿をあらわし、その都度勇気を与えてくれるのだが、それはまた、篤姫も、お幸の方に次いで菊本を心の恃《たの》みとしていた証《あか》しではなかったろうか。

二月二十日はみるみるうちに迫って来、篤姫はしのの謹慎が解けると、お幸の方にいわれたように、自分の荷物を検《あらた》めにかかるのであった。

衣類諸道具の一切、自分の手で取出すわけでなし、始末も悉《ことごと》く人まかせの日常ではあっても、好きなものと嫌いなものとの区別ははっきりとでき、たとえばかるた一つにしても、うんすんかるたよりも歌かるたが好き、歌かるたのなかでは絵入り古今集《こきんしゅう》が気に入っており、城中へ持参する長持のなかへは、女武者絵かるた一組と、絹地の古今集絵かるたとが手離せなかった。

支度の期日が短いこととて、諸道具はなにひとつ新調できず、手廻りのものを詰めているあいまには、兄忠冬の室、忠敬の室も入れかわり篤姫の許を訪れ、「お形見の品」の交換もする。

忠冬の室は篤姫に短冊掛けを贈り、篤姫は手許筥《てもとばこ》をお返しに、忠敬の室は自分の嫁入道具のなかから珍しいびいどろ笄《こうがい》一組を、篤姫はそれに対して押絵の羽子板を差出した。お幸の方からは小袱紗《こぶくさ》に包んだ薩摩《さつま》黄楊《つげ》の草牟田《そむた》櫛《ぐし》で、これは今和泉家に輿入れする際、実家の母から譲られたものといい、このもち篤姫が懐中してどこへでも持ち歩いて欲しいという気持が込められているのがよく判る。二代使い込んだ黄楊はとろりと飴いろに、よい光沢を出しており、篤姫は押し戴いて化粧道具のなかに入れた。

内所《ないしょ》も苦しい暮しでは、奥の女たちの調度品も質素なものだけれど、そのなかでもいかにも女の持物らしいこうしたものを贈り贈られるのはちょっとした楽しみでもあった。

妹の於才は、小さいときから篤姫が好きで、暇さえあればよく部屋にやって来ていたが、

別れが決まってからは朝に夕にのぞきに来るようになり、形見の品については、

「長持に入れて、私をお城へ連れて行ってもらいとう思います」

などと真顔でいい、篤姫を笑わせたりする。

結局、「姉上さまの移り香の残るようなもの」という主張どおり、篤姫が残してゆく衣類のほとんどを於才に譲ることになった。

体格のよい篤姫に較べると、母の異る於才はだいぶん小さいが、ゆきたけの長い姉の打掛けを羽織ってうれしそうに座敷中をひきずって歩くさまを見ていると、篤姫はふっと涙ぐみそうになることもある。

於才は常日頃、篤姫を心から尊敬しており、今度のご沙汰も、身内のなかでいちばん喜んだのは於才ではなかったかと思われるほどだったが、兄妹中、ひとりだけ異腹とあって、どことなく不憫《ふびん》のつきまとう感じがあった。

大小名の所生《しょせい》は母の名は問わぬが普通だが、今和泉家のように五人中、四人までが正室の腹であれば、篤姫はいつもそれとなく於才をかばってやりたく、その気持をまた於才も敏感に感じ取っていたのではなかろうか。

堅山武兵衛はほとんど一日置きに顔を見せ、当日の行列に加わる家士の名を知らせに来たり、城中はそのまま奥に通り、三月一日の父娘固めの儀式までは休息するようにとの連絡が

あったり、親身《しんみ》な勤めかたで、これが今和泉家の緊張をずい分と和《やわら》げたところがある。

長持一荷としのを供に連れる件は、武兵衛が城中へ具申してくれ、ほどなく許可が下りたが、いちばんほっとしたのはお幸の方だったのは当然であったろう。

十九日の夕、一族集って本邸の書院で送別の宴がひらかれたが、これは他日、斉彬主催のものが行なわれるよしで、極く内輪の夕食の集《つど》いであった。

ご沙汰が下りたあと、菊本の事件が起き、一時は憂色に包まれた今和泉家も、順調に事が運んで無事城中へ上る日を迎えられたとあれば邸内喜びに満ち、その夜は百目蠟燭《ひゃくめろうそく》も倍に奮発し、下々のはした女《め》に至るまで祝酒が配られた。

書院の床の間を背にした忠剛は、あまり飲めぬ酒が廻ってくると口がなめらかになり、

「敬子《すみこ》、父がそなたの上座に坐るは今宵限りぞ。太守さまと固めの盃が終れば、七十七万石一の姫となる故に、父は末座じゃ」

といったとき、座はなるほどというふうに皆揃ってうなずき、篤姫はそれを聞いて胸がいっぱいになった。

幼いときから両親を大恩あるひとと敬い、足も向けずに寝て来た身が、女ながらもその父の上座にこれからは位置することになるという。それは篤姫にとってあまりにも恐れ多いことだが、もし真実であったとしても、自分は決して両親を崇《あが》める気持は終生失わぬ、と思っ

た。

いよいよ出発の朝、篤姫はお幸の方とともに家中の神棚を拝し、仏間に入って懇《ねんごろ》に祈願した。

別れの宴の前日と前々日は、用人の伊東に付添われて岩本村へもおもむき、菩提寺への参詣も済ませたし、忠剛の血筋につながる縁者、お幸の方の実家、兄の室たちの実家からの使者、また邸内の使用人は仲間《ちゅうげん》に至るまでいちいち接見して、祝いの言葉も受けた。

その日、篤姫は夜明けに目覚め、しのに念入りに髪を梳《す》いてもらって高島田に結い、重いばかりに頭飾りを挿して、白無垢の上に成人の日に新調した赤い打掛けを着て、玄関に立ち、見送りの一同に最後の会釈《えしゃく》をして迎えの駕籠に乗った。

十八歳といえば、嫁いで既に子をもうけているひともないではないが、いま、この篤姫のように、将来は上り詰めて御台所になるかも知れぬ運命を背負いながら、供の女中ただ一人で舟出してゆくのは全く前例もない故に、お幸の方は式台に坐って篤姫を見送りながら、親としてこの子にしてやれることはただひたすらに神仏に祈るより他ないと思うのであった。

島津の紋どころは丸に十の字で、あまたの分家もそれを使うことを許されているが、仔細に見ると図柄はそれぞれ少しずつ違えてある。

十字の一方が外側の丸枠にくっついていなかったり、十字が痩せていたり、丸枠が太っていたりだが、今和泉家では十字の下端が空《す》いているのが特徴で、篤姫の長持にはその紋を打ってあった。

鶴丸城まではほんの七、八丁の距離ではあるが、城中からさし向けられた供奉《ぐぶ》の侍五十名、いずれもきちんと紋服を着しており、その最後尾が恵橋の角を曲って見えなくなったとき、お幸の方はどっと全身の力が抜け落ちたように思った。

忠剛も同様らしく、青い顔でしおしおと邸内に引き返すその後に続きながら、お幸の方は、また殿のご病気が募《つの》らなければよいが、と考えている。

果してその夜から忠剛は床に就き、寝たり起きたりの毎日になったが、小心で神経質な忠剛に、篤姫のゆくてを考えるのは少々荷の勝ちすぎるものとはいえなかったろうか。

お幸の方は毎日忠剛の枕頭に侍《はべ》り、看病怠りなく、そして城中へ上った篤姫のことは一日も頭を去らなかった。

一族からは、篤姫の栄誉をたたえられはしても、誰にも明かせない胸のうちをいえば、まるで敵中に娘一人を放しやる思いでいる。

家を出るときの、あの凜々《りり》しく未練ない振舞いから推測すれば、ゆくさききっと立派にその役を成しおおせようとは考えられるものの、親の身にすれば娘の上に百難一時にふりかかるほどに感じられる。

武家の奥むきの女とは悲しいもので、何ぴとも与えられた運命のままに生きてゆかねばならず、それがどんなに気に染まぬ道であっても、否やのいえる道理はない。果して将来篤姫はしあわせになれるか、と考えると、あまりの責務の重さにお幸の方は何となく暗然たる予感がするのであった。

これまでに篤姫は城中へ上ったことは二度あり、最初は十歳の春、ときの太守斉興の招きで一門が集った際、次が二年前の斉彬襲封の礼の宴であった。

二度とも、城内は奥小姓の案内で部屋より部屋へとわたり、茶菓でもてなされての客扱いだったが、今度はこの城の住人となるための入城とあって、篤姫は一入《ひとしお》緊張した。

駕籠は一旦城の入口で止まり、ここからは担ぎ手が女中に代って畳の上をしずしずと進み、やがて下ろされたのは、

「姫君さまのお居間にございます」

という座敷であった。

万事質素な今和泉家に較べると、ここは何と豪奢《ごうしゃ》な、と思わせる造りで、いかにも若い女の居間にふさわしく、四囲の襖《ふすま》には花鳥を描いてあり、引手《ひきて》には悉く朱房が垂れ、欄間にはまた精密な彫りが施してある。

「どうぞこちらでご休息遊ばされますよう」

と指さしていざなわれる上段の間の床の間には二双の鶴の掛軸、違い棚に金蒔絵《きんまきえ》の硯《すずり》と料紙箱が飾られ、女用の脇息《きょうそく》と敷物は同じ桐模様の緞子《どんす》という、至れり尽せりの用意であった。

今和泉家は古来節倹を旨として来ただけあって、女子の部屋といえどもきらびやかな飾りものなどなく、このような晴れがましさに篤姫は、頰の火照《ほて》るような思いがする。その敷物の上に篤姫が落着くと、下手《しもて》の襖が両側にひらかれ、おおよそ三十名と思われる女中が揃って平伏しており、そのうちから先頭の一人が進み出て、

「本日は敬姫さま無事ご入城遊ばされ、祝着至極《しゅうちゃくしごく》に存じ奉ります」

という挨拶があってのち、

「私は若年寄の広川にございます。姫君さま付きのご老女幾島さまは明後日、京より当地に着到いたしますに付き、それまではこの広川がこれなる女中とともに姫君さまのおそばの御用を仕ります」

という言葉があった。

その言葉は朗々としてよどみなく、篤姫はまるで斉彬そのひとから直接、命令されているのではあるまいか、と思ったほどの威圧を感じるものであった。

咄嗟《とっさ》に返す言葉はなく、ただうなずくと、広川は一礼して下り、女中たちに下知《げじ》を与えると、平伏していた女中たちは一せいに散り、やがてそのうちの二人が篤姫の前に茶と菓子を捧げ持ってくる。

広川は前に侍っており、気のせいか鷹のように鋭いその目配りに身もすくむような思いで篤姫が先ず梅のかたちの紅いろの落雁《らくがん》を一つ、ついで煎茶《せんちゃ》を一口するのをじっと見届けてから、

「このお部屋は、将軍御台所となられました茂姫君さまご誕生の際、栄翁さまがお造りになられましたもので、次いで近衛家に御入輿《ごにゅうよ》なさいました郁姫君が当地へお戻りのとき、お使い遊ばされていたものでございます。

当鶴丸城にてはいちばん見晴しのよい場所にて、ごらん遊ばしませ」

といえば、かたわらの女中が立ってずっと下座の襖を大きく左右に開けた。

襖の向うは、まるで別邸のように広く庭が拡がっており、そのはるか先に桜島の噴煙がたなびいているのが坐ったまま遠く眺められる。

「庭のぐるりは四季の木々を植え、春夏秋冬、それぞれに楽しめるように配置してございます。いまはまだお寒うございます故に、お庭に下りられてお風邪など召してはなりませぬが、南風が吹きはじめましたなら、春の庭にお供をさせて頂きます」

と説明する広川の言葉を、篤姫はひとつひとつしっかりと聞いて胸にとどめた。

父忠剛はこの城内で育ち、成人してのちに今和泉家へ養子に入ったひとだが、七十七万石と一万一千石の分家の違いについて、篤姫は一言も聞いたことはなかったと思った。

今回、養女縁組についても、

「城中に上れば、命じられたとおりにするがよい」

とだけであり、お幸の方も、

「そなたはこれから教わらねばならぬことがたくさんある。女子は生家の家風を身につけたまま輿《こしい》入れしてはならぬと申しますが、そなたの場合はそれが一入《ひとしお》きつうにいえましょう。当家のことは一切お忘れなされ。何ごともいわれたことをようく守り、かまえて今和泉ふうを出してはなりませぬぞ」

というのが餞《はなむ》けの言葉だったが、そのときは十分理解できたとはいえなかったものが、いま城に入ったばかりでもうそれをありありと思い出さずにはいられなかった。

第一、今和泉家では、一日中そばに侍っているのは菊本としのだけで、他の者は入れ替っているが、さきほど、ずらり勢揃いした三十人の悉くがこれから篤姫付きの女中になるのだと聞くと、それだけでもう容易ならぬ日常だと察せられてくるのであった。

こってりとびんつけ油を光らせて片はずしに結い、厚化粧して一分の隙もないかに身構えている広川はさきほど、風の冷たい庭に今はまだ下りてはならぬと暗《あん》に戒《いまし》めたが、それも、菊本の監視付きではあっても、行きたいところへ行き、好きなようにさせてもらった篤姫には既にがんじがらめの制約を課せられた感じがある。

「本日はごゆるりとご休息遊ばされますよう」

と広川はいうけれど、女中たちのいく十の視線に取囲まれていれば気持は萎《な》えるばかり、たのみとするしのは、はるか末座の襖のかげに顔を伏せたままかしこまっている。

そのしのを見て、篤姫はふと、母上さまのもとへ帰りたい、と強く思った。

一門挙げて、ご栄達、とほめそやしてくれたけれど、こんな窮屈な、こんなたくさんの射るような視線に取巻かれて暮すことが何の栄達であろう、とひそかに思い、そう思うと篤姫はたまらなくしのと二人きりで、今和泉家のときのように隔てなく話がしたかった。

ご休息を、といっても、膝を崩《くず》すでなし、雑談を交わすでなし、黙り込んでいる篤姫に対して、広川は、

「ご退屈しのぎに双六を仕りましょうか」

とか、

「貝合わせは郁姫君さまご遺愛のものがございます故、お目にかけましょう」

とかすすめてくれるが、篤姫は首を振って拒み、願うはしのと二人きりにして欲しいも

の、としきりとそれを願う。

ふと思いついて、立ち上り、

「おちょうずどころへ参りとう思います。しの」

と呼ぶと、広川はあわてて、

「しばらくお待ちくださいませ」

ととどめ、

「姫君さまのお供は、これなる二名が仰せつかります故、何とぞ」

としのには目もくれず、かたわらの御次《おつぎ》を指したのを見て、篤姫は困り入り、そして次の瞬間、ほとんど絶叫する思いで、

「しのより他、誰も私の供をしてはならぬ。固く申しつける」

といい捨てるなり、打掛けをさばいて座敷を走り抜け、廊下に出た。

方向が判らぬまま、小走りに畳廊下を進むあとにしのが続き、そのあと、風を切って、

「ご猶予下さいませ。姫君さま、しばしご猶予下さいませ」

と呼ばわりながら、全速力でさきほどの広川が指した二人の矢絣《やがすり》が追いついて来、

「憚《はばか》りながら」

といいつつ、篤姫の打掛けの裾をとらえて止どまらせた。

喘《あえ》ぎつつ、

「広川さまより委細判りましてございますとのことにございます。ただいまより、我々おちょうずどころの入口までご案内申上げますほどに、そのあとは姫君さまの思し召しどおりに遊ばして下さいますように」

と頭を下げるのを見て、篤姫は胸を撫で下ろした。

このおちょうずどころは、茂姫専用に造られただけあって、杉戸を開けると脱衣室があり、ここで打掛けを脱いでのち、もうひとつ踏み込みの間で裾をからげ、草履を履きかえてのち厠《かわや》に入るようになっている。

口に懐紙をくわえ、いつものように供をして来たしのに、篤姫は思わず、

「しの、さきほどの居間にはもう戻りとうない」

と小さな声で洩らした。

たったいま、我慢ならぬ思いで大声を出したとき、並み居る女中のなかにはうつむいてクスクスと笑った者がいたのを篤姫は目のはしに捉えており、その屈辱感に体を熱くしながらつい洩らした吐息であった。

「はい」

と篤姫の裾を揃えながら、答えるしのを見ると、目にいっぱい涙をたたえている。

両手で篤姫の衣紋《えもん》を繕っているしのは、首を振って落ちる涙を払いのけながら、

「何ごともご辛抱がかんじんかと存じます。姫君さまはもはや今和泉家へは戻れませぬ故に」

とささやくような小声でいったが、その言葉はいま、篤姫の胸に熱く沁《し》みとおって行った。

そうじゃ、どれほど母上さまに会いとうても戻ることはならぬ、と思えば、腹を決めてさきほどの座敷へしおしおと帰って行くより他なかった。

広川は篤姫の言動によほど驚いたらしいが、年功経ているだけにそれは見せず、ただ、

「ご生家とお城では、いささか慣わしも違いましょうが、何ごとも幾島の局《つぼね》が着到いたしましてのちのことにいたしましょう」

といっただけであった。

双六かるたは嫌、貝合わせ投扇《とうせん》も気がすすまぬという篤姫に広川はほとほと困り、

「それでは何をさし上げればよろしいやら」

と手を束《つか》ねるのへ、篤姫はせめて一人だけの世界に入りたくて、

「ならば書見《しょけん》をいたします。私の長持の中より書物を運んで下され」

と望み、その日の午後いっぱい、篤姫は黙って持参の外史をひとりさらった。

夜は、菊本がそうしていたように広川が下段で夜伽《よとぎ》をし、次の間には寝ずの番も控えていたが、篤姫は心おののいて少しも眠れなかった。

生家のときには、菊本が枕もとにいてくれるとすぐ安堵して眠りに入ることができたのに、ここでは闇のなかでも広川があのたしなめるような視線で絶えず自分を窺《うかが》っているような感じがある。

今日、御次たちがクスクス笑ったのは、この自分が分家の出だからということを、あなどっているに違いなく、それは今夜、衣服を着換える際にも広川が、

「明日からは、こちらで相調えましたものをお召し頂き、お使い頂く調度品もごらんに入れたく存じます」

といかにも自信ありげにいったことでも判る、と篤姫は思った。

今和泉家では、仲間《ちゆうげん》お末《すえ》の端《はし》に至るまで心あたたかかった、と思えば、この城の人間の権《けん》高《だか》さ、養女とはいえ、今日からは藩主の娘となる自分に対し、虔《つつ》しみのいろもなし、と暗い思いに沈んでくる。

しのでさえ、もう戻れぬ、と了簡《りようけん》のほぞを固めているのに、いまさら主の自分が弱音を吐けないが、こんなありさまではもう元気も出ぬ、と心は底なしに落ちてゆくのであった。

外史には大名の姫君の話はほとんど出てこないが、大名に輿入れした女の場合、どんな思

いであったろう、と目はいよいよ冴《さ》え返り、当然思いが今和泉家の上に馳《は》せるのはどうしようもなかった。町なかの邸と違って、堅固な城の夜は深閑としてもの音もせず、あの恵橋のそばの今和泉家では、ふと風に乗って誰かが奏でる薩摩琵琶《さつまびわ》の音いろが聞えて来たりしたが、それもいまはなつかしい。

翌朝は、衣裳箱《いしょうばこ》に重ねられた白絹の下着に朱いろの半模様の打掛けを着せられ、髪を結いなおし、頭飾りも用意のものに取換えられたあと、

「お殿さまにご挨拶に参ります」

と奥の一端にある小座敷《こざしき》へ案内された。

国許《くにもと》の奥にはお須磨《すま》の方がいて、斉彬はたびたびこちらへ渡る故に、翌朝、小座敷で略式の対面となったのであった。

書院などで会うのと違い、ここでは斉彬はのびのびとくつろいだ様子で、

「一姫《かつひめ》か」

と昔名を呼び、

「住居を移してさぞ気を張っていることであろう。ここでは何も案じずともよい。これからは予を、血を分けた実の父と思うて、親しんでくれよ」

と情の籠《こ》もった言葉であった。

「有難く存じ奉ります」

と深々と平伏しながら、篤姫は心のうちで、太守さまだけは自分のことを親身に考えていてくれるのだと思った。

太守さまは、神ともまがうご英邁《えいまい》なお方なれば、自分の心のうちを鏡に照らすようにすべてごらんになっているに違いないと思うと、そこにふと救いがある。

いずれ親子固めの盃があることとて、初の対面は挨拶を交わしただけで退いてきたが、篤姫は斉彬に会う前と後では自分がずい分と変った感じを持った。

続いて広川は、衣裳調度品を飾ってある部屋へ案内したが、その襖をあけたとたん、篤姫は思わず大きく目を見張った。

最初の部屋には衣裳箪笥、歌書箪笥、小箪笥、長持、先箱、唐櫃《からびつ》をはじめ、硯、茶道具、化粧道具に至るまで、揃いの黒漆《くろうるし》に菊唐草の金蒔絵が施された上等の品ばかり、そしてどれにも丸に十字の島津家の定紋が打出されてある。

篤姫は、その定紋の、十字の下がすいていない、完全なかたちを見て、いよいよここが島津本家であることをいまさらのように強く感じずにはいられなかった。

広川が指さしながら、

「これは昨年、姫君さまとご縁組の定めができましてのち、太守さまのご命令により、京で造らせましたものにございます。

いずれも、当家で本日よりご使用頂きます」

と説明するのを聞いて、やはり太守さまは口約束のあと、ひそかにこういうご準備を着々とすすめていて下さったのだと判り、胸の熱くなるような思いがあった。

続いて次の間には、まばゆいばかりにずらりと小袖をかけつらねてあり、総模様、半模様、裾模様と縫取りを配した豪華な品もたくさん見える。

篤姫は吸い寄せられるようにその品々のそばに寄ってゆき、じっと目をそそいでそのひとつひとつを検《あらた》めながら、これが今日から自分の身につける品かと思うと、昨日からの苦しさをひととき忘れ去るほど、うれしかった。

入城以来、顔いろも暗く打沈んでいた篤姫が、衣裳調度類の部屋に来て、さすがに娘らしく喜びをあらわしたのを見て広川はほっとしたのか、

「さあ姫君さま、お好きな衣裳をお召し遊ばしませ。

お手もとのお道具も、このなかからお選びくださいませ。おそばにお持ちいたします」

とすすめ、篤姫はそのなかから地紋のある白い小袖に、宝づくしの打掛けを指し、そして身のまわりには丸蓋の硯箱と、大きな料紙箱を選び出した。

この年頃の姫なら、気晴しに人形や双六を好むものを、昨日来、あまり口も利《き》かず、ただ

書見ばかりする篤姫を扱いかねていた広川は、ようやく顔いろの和《やわ》らいだ様子を見て、どんなにか安堵したことだったろうか。

その日篤姫は終日、持参の歌書を書き写して手習いなどして過したが、なお心は解けなかった。

今和泉家のつつましい暮しでは見ることもできぬ贅《ぜい》を贈られ、いよいよ太守の娘としての自覚を迫られた感じはするが、やはりどことなく悲しい思いは去らぬ。

心はまだ今和泉家に在り、何かにつけ、父上さま母上さま、兄上さま姉上さま、於才や侍女たちの顔が目に浮び、これからさきの身の上のおぼつかなさが思われてくるのであった。

翌日の夜、篤姫は広川から、

「幾島の局、ただいま城中にお入りになりました。旅の汚れを落し、明朝ご挨拶に参るとのことでございます」

との言上《ごんじょう》を受けた。

忠剛よりの話では、幾島は郁姫付きの老女で、近衛家に奉公していたよし、江戸の暮しも長ければ公家のしきたりにも詳しいそうで、そのひとがこれからの自分の指南役となると思うと、いっそう固くなる思いがする。

翌《あく》るあさ、篤姫が居間で髪を上げているうちからもう幾島は奥へやって来、接見の間で待っているという。

広川のあとに続いて篤姫が座敷に入り、上段に着座したとき、目の前に平伏していたひとは想像に反して切下げ髪の黒々とした頭であった。

「私が敬子《すみこ》です。面《おもて》を上げなされ」

と声をかけると、ちらと顔を上げ、

「幾島にございます。このたびは姫君さま付き老女役仰せつかり、身に余るほまれと存じ上げ奉ります。何とぞおん心安く思し召して何ごとにつけ、仰せ出され遊ばしますよう願い上げ奉ります」

と挨拶のあと、正面に上げた顔を見て、篤姫は思わず声を挙げそうになるほど驚いた。

髪の黒さを見て、まだ若いとばかり思っていたのに、いま上げた顔には深い皺が刻まれ、それはよいとしても眉間《みけん》のまん中に、月見だんごほどの丸い大きなこぶが突出しているのであった。

いかにも異相《いそう》で、人間離れしており、そのあまりの不気味さに口をつぐんでいる篤姫に、幾島はにっこりと笑って、

「お驚き遊ばしたことでございましょう。私、出自《しゅつじ》は福岡黒田家の江戸次席家老、鎌田良純が娘にて、縁あって当家江戸屋敷にてご奉公に就きました。

お目見えの際、斉興さまお側御用人の方が、その額のこぶは見苦しい故、名医の執刀にて手討ちにいたしおくように、とのご沙汰が下りましたなれど、斉興さまがそれをお聞き遊ばして特別にお目通りを許され、『そのこぶは福相である。手討ちには及ばぬ』と仰せられて、こんにちまで私の道連れにいたしましたものにございます。

なるほど仰せの如く、私五十三年のあいだには、いく度か危急のときに出会いましたなれど、その都度、ふしぎと災難を切り抜けて参りました。

これよりのち、姫君さまにはご不快とは存じますものの、私が福相のこのこぶを道連れにいたします限りはきっとよい御運が開けるものと、恐れながら信じております。ご安心遊ばしますように」

と、こちらの腹にひびくような大きな声で、きっぱりと述べた。

何という自信であろう、と篤姫は思い、その異相から発せられる威風堂々たる言葉に圧倒される思いがした。それに体つきもいかつく、薙刀《なぎなた》の名手だというとおり、節々《ふしぶし》盛上り、まるで古武士の如きおもむきがある。

のちに、幾島付きで近衛家に嫁いだ郁姫が若くして亡くなった様子を知るにつけ、篤姫は、こぶが福相じゃ故に安心召せというのなら、郁姫君の死を何故にとどめられなかったかと聞返せばよかったのに、と思ったが、このときはそういう余裕など全く無く、ただ呆気《あつけ》にとられる思いで、その額をまじまじと見つめていただけであった。

このときの篤姫の印象をいえば、ご本家の女中たちは何故このように声が大きいのであろうと思ったほど、広川も幾島もはきはきとものをいい、さあ、とか、はて、とかの思案の呟きなく、ものごとをきっぱりと断定する様子はまるで男子同様だという感じを受けた。

それは決して親しみやすいというものではなく、むしろ寄りつき難い威厳と、篤姫にすれば一種の脅威《きょうい》とを感じさせられ、身のすくむ思いがするのであった。

長旅の疲れもある故に、今日は挨拶だけで退り、明日からはずっと一日中、篤姫は幾島の教育を受けることになるという。

その夜篤姫はちょうどお幸の方がそう感じたと同じくいま自分は、まるで敵のまっただなかに取囲まれている、と思い、ややもすれば力尽きるほどの思いであった。勝気な性分だから、今和泉家に在るときでも決して弱音を吐いたことはないが、そのときといまとではまわりの人間の様子が違い、ここでは篤姫が音《ね》を上げるのを意地悪く待ち構えているように推察されるところがあり、それを思えば、萎《な》えようとする気持に自ら鞭《むち》を当てざるを得なくなってくる。

その日、居間にあらわれた幾島は、ともすれば臆《おく》しがちな篤姫の目から見れば、いざ一戦、とでも見えるほど闘志満々のていに受取れた。

学問の講義を受けるときのように、幾島と篤姫は相対し、互いに一礼したあと、幾島が発した質問というのは、次のようなものであった。

「姫君さまをお育て遊ばしたご老女さまは何というお名でございましょうか。またそのお方の出自は？」

それを聞いたとき、篤姫は過去を掩《おお》っていた幔幕《まんまく》が一時にめくられた気がし、菊本の死の意味がいまこそはっきりと理解できたと思った。

地下《じげ》の下士の娘、と明かしても何も恥じることはないと思われるが、いま、まっさきに自分の出自を述べた幾島の口調を考えると、なまじ告げないほうがよいという分別は篤姫にはある。

それに何より、このために臣籍から外されるのを願って自害した菊本の心根を思えば、もはや家来ではない人間の名を口にすることはできなかった。

篤姫はしばらく考えてから、

「それは仔細あって、名は明かされませぬ。よう勤めてくれた老女ひとり、幼い頃からおりましたが」

と答えると、幾島は、

「はて、これは異《い》なことを仰せられます。傅育《ふいく》のお役目は一きわ大切にございます故、幾島も姫さまをかくも立派にお育て申上げた先代のご老女さまのお名を知りとうございます」

と、篤姫には責められているとしか思えぬ口ぶりで迫ってくる。

「仔細あって、と申している。これ以上はいえぬ」

とはねつけても、幾島は一向にあきらめず、

「姫君さま、幾島は本日より、影のかたちに添うごとく、姫君さまのおそばにあって万端のお世話をさせて頂く所存にございます。姫君さまが隠しごとをなさるのは、この幾島を信じていては下さらぬ証拠ではございますまいか」

「それでは聞くが」

と篤姫は幾島に負けないほどの大声で叫んだ。

「何故にそれほど執念《しゅうね》く糺《ただ》さねばならぬのじゃ。それからさきに聞かせて欲しい」

「それでは申上げます」

幾島は一膝すすめて、

「憚《はばか》りながら、姫君さまのお言葉には、地下《じげ》の薩摩訛りがございます。

幾島推量いたしますに、これは必ずや姫君さまお守役から口移しに伝わったものと考えられます。

他日姫君さまが江戸に出られた場合、お国訛りのご命令では、ご家来衆への押しが効《き》きま

せぬ」

といい、それを聞いて、篤姫はきのう厠《かわや》に立つといったとき、控えている女中のなかにうつむいてしのび笑いをした者があったのを思い出し、

「言葉に訛りがあっては何故に不都合じゃ。薩摩は天下に誇るよい国で、ここで使う言葉が他国に通じぬとは思われぬが」

とこれは臆するところなく堂々と述べると、幾島は、

「まあ」

というふうに篤姫をまじまじとみつめていて、

「恐れながら、姫君さまはさすがお殿さまが見込まれただけのことはございますなあ。稀にみる、ご気性のしっかりしたお方でいらせられます。

ただ、ご当地でお生れになり、お育ち遊ばしました故に、江戸表《えどおもて》や諸国のご事情がまだ十分お判りになってはおられませぬ。ご当地でご生涯おすごしになられますならば、それもかまいはいたしますまいが、藩主の姫君さまならばこれからは江戸にお住まいを移され、諸大名の奥方さま姫君さまとお顔を合わすことも多いかと存じます。

よろしゅうございますか、姫君さま。

薩摩はよい国でも、いまは公方《くぼう》さまのおいで遊ばす江戸の言葉、江戸の慣わしが天下に通

用いたしております。それ故に、当御殿の諸式はすべて江戸ふうでございます。朝お目ざめより夜分御寝《ぎよし》なるまで、この慣わしを弁《わきま》えて頂きますれば、姫君さまはいずかたへおいで遊ばしましょうともいささかも恥じることはございませぬ。

幸い姫君さまのお言葉は、人も気づかぬほどのわずかな訛りかと思われますので、これからは、恐れながらこの幾島の言葉を真似《まね》て、薩摩弁は一日も早くお忘れになりますように」

と申述べる幾島の顔のこぶをみつめながら篤姫は、こんな老女は嫌じゃ、好きになれぬ、と思った。

菊本は万事につけて篤姫をほめあげ、それは躾《しつけ》の手段というよりは心から、我が仕える姫君に傾倒しているふうだったから、お付きの者からこんなふうに意見がましくいわれたのは篤姫ははじめてであった。

幾島は少しもひるまず、扇子を膝の前に立ててさらに、

「言葉というものはまことに大切なものでございます。

上に立つひとは、先ず第一に、はっきりとよく判るように仰せ出さなければなりませぬ。

家来というものは、『え？』などと聞返すことは叶いませぬ故に、あいまいなご発音をなさいますれば、家来は困り入ります。

低い声でつぶやいたり、一人ごとも固く戒められております。

また、二度おなじことをおっしゃられてはなりませぬ。殿さま奥方さまのご命令は、口から出ましたときは絶対でございます。いまのは嘘《うそ》じゃ、とはどんなことがあっても仰せにはなれぬものでございます。

それ故、一旦、お口になさいましたことはきっと実行なさらねば、家来どもの信頼を失います」

幾島の説く言葉の意義を聞いて、篤姫はひそかに、よし、それでは当分この者と口はきくまい、と心のうちで固く思った。

島津江戸屋敷では、藤野とともに表の武士たちをもたじろがせるほど権勢を誇ったといわれている幾島だが、しかし身分をいえば、いまは自分に仕える一老女ではないか、としきりに胸のうちに反発するものがある。

分家ではあっても忠剛は現藩主の叔父にあたり、養女とはいっても斉彬と自分とは血の繋がりがある、由緒正しい今和泉家に育った自分を、まるで見くだすようなこの講義のしかたは許せぬ、と篤姫はまたここでも、強敵に対しているような感じを持たざるを得なかった。

この夜、篤姫は闇のなかに幾島のこぶを思い描き、それに対して歯ぎしりするほどの思いであった。

口調のはしばしに、私は江戸育ち、姫君さまは草深い田舎のお生れ、というのがありありとあらわれ、このような意地の詰んだ老女にこの先付添われる自分は何と不幸か、と思い、それにつけても菊本の慈顔が思い出される。

翌日は家来に対する心得で、

「上の方は、ただの一瞬たりとも、一人でおいで遊ばすということはありませぬ。

一人でおいで遊ばすのは殿さま奥方さま、若君さま姫君さまの身分というものではございませぬ。いついかなるときでも、お供の者がおそばに付添っております。

姫君さまのご生家でも、これはきっとそうであったろうと思われますが、当家ではその控えの者の人数がさらに多うございます。

そして家来には身分に順序がございます故に、姫君さまが直接下《しも》の者にお言葉をかけてはなりませぬ。もしや間違ってそうなりました場合には、下の者のお返しの言上は上司に取次いでもらうように躾けてございます。

姫君さまが日常お居間でお口をおきき遊ばすのは、この幾島か、広川とだけになります。お話をなさりたくとも、しのにはじかにお声をかけてはなりませぬ。そのようなことを遊ばしますと、この奥の秩序が乱れます」

と説明するのを黙って聞きながら、こういう決まりは今和泉家にもあったに違いないが、母上さまは決まりよりも心の通いあいを大事にして、さして難しくおっしゃらなかったものとみえる、と思った。

とすると、しのとも厠のなかでさえ口をきいてはならぬことになり、杉戸の外に待機している御次《おつぎ》の者に委細を幾島に告げられると思うと、窮屈極まりないという感じがする。

篤姫はますます無口になり、そういう様子をしのだけは判ってくれている、とは思うけれど、いまは視線を送ることさえ憚られるのであった。

その翌日はものの順序の弁えの講義で、これは来る三月一日、親子固めの盃が終ったあとは、斉彬を実の父、英姫《ふさひめ》を実の母と固く思い定めよ、と幾島はいう。

三月一日からは、忠剛を安芸《あき》殿、と呼び、お幸の方は名を呼んで、間違っても人前で父上さま母上さまなどと口をきいてはならぬ、と聞いて、篤姫は憤然たる思いで、

「そんな不孝な振舞いは死んでもできぬ」

ときっぱりいってから、

「幾島」

と決めつけるところを、つい、

「こぶ」

と口に出してしまった。

篤姫はさすがに赧《あか》くなり、広川はうつむき、御次の女中たちは笑いをこらえているなか

で、幾島はにやりとして、

「こぶでよろしゅうございます。これからはそうお呼び下さいませ。お返事申上げます」

と一礼した。

これは意外な反応で、定めし怒り狂ってたしなめられるかと思っていた篤姫は一瞬とまどったために、そのあと幾島から押返され、

「身分にはそれぞれ呼び名というものがございます。姫君さまはもはや一万一千石の今和泉家から出られ、藩主の一の姫君となられました。

お殿さまは、姫君さまおん国許でご出生《しゅっしょう》、と御公儀《ごこうぎ》へ実子としてお届け遊ばすご所存じゃそうにございます。

父君母君がこの世に二人あってはおかしゅうございます。御公儀への聞えも如何かと存じますので、以後はそのおつもりにて願わしゅう存じます。

安芸殿もまたこれからは、姫君さま、と敬称でもってお呼び下さることになりますので、どうぞお間違いのなきように」

という懇請《こんせい》に、今度は逆らうこともできず、ついうなずいてしまった。

生家での送別の宴のとき、忠剛は次からは敬子《すみこ》が上座になろうといっていたが、篤姫はまたこれもその言葉の確証を見た思いであった。

一日一日と今和泉家から遠ざけられてゆく感じがあり、夜、ようやく寝につく頃、一人の自分になるとやはり悲しさがこみあげてくる。自由は何ひとつなく、厠への往き戻り、せめて廊下に立って城下恵橋の今和泉家の方を望みたいと願っても、ちょっと立ち止まると広川が、

「いかが遊ばされました」

と問い糺《ただ》すために、かりにも不審を持たれるような言動は慎しまねばならなかった。

明日は斉彬との盃ごと、という前日、篤姫は自分の書見の時間に、斉彬から贈られた外史の講義の帖面《ちょうめん》を取出してなつかしく一枚一枚をめくった。

これは師塩屋泰山の講義の要点を自分で記したもので、人が見ても判らぬ自分だけの覚えや省略の文字を書き列《つら》ねてある。

そのなかの一枚にふと、

十有三春秋、逝く者は已《すで》に水の如し

天地、始終無く、人生、生死有り

いずくんぞ古人に類して、千載青史に列するを得ん

と書いた詩に目が吸いよせられた。

この詩は、師泰山が頼山陽を語るとき引用したもので、山陽十四歳のときの作だという。

泰山はこの詩を説明して、

「古人に類して、千載青史に列するを得んというのは、『歴史に名を残したい』というめざましい覇気《はき》のあらわれであります。

わずか十四歳にしてかくも立派な志を抱くとは、山陽先生は何という天才でありましょう」

と感嘆おくあたわざる様子で語ってくれたが、その声音はまだ篤姫の耳の底にある。

いま、その詩を読むと、頼山陽が十三、四で雄図《ゆうと》を抱き、やっと十八歳のときその願いが実現して江戸遊学したことがよみがえって来、十八歳といえばいまの自分と同い年だと篤姫は思った。

歴史に名を残すという願いは、女の身とて変りあるまい、と篤姫は思い、いま自分は、敵中にあると考え、こぶと広川の視線をこの上なく嫌っているが、いずれは江戸に出る運命も頼山陽に似ているなら、いっそその志を継いでみよう、と思いついた。

まだ運命はどう展開するか予測はつかないが、江戸に出てのち、万々が一にも将軍家へ入るようなことになれば、この志は遂げられるわけで、そうなると目の前の敵になど負けてはいられぬ、とふるい立つ思いがある。

こぶになぞ翻弄《ほんろう》されはせぬ、今日よりはじっと歯を噛んで、こぶが口をさし挟む隙もない立派な挙措振舞《きよそふるま》いを身につけてみせる、と思うと、萎《な》えかけていた身うちにりんりんと勇気が充《み》ちてくるように思えた。

篤姫は料紙にさっそく山陽の詩を清書し、そして肌身離さぬ普賢菩薩の念持仏を文机の上に飾り、今日よりはこの二つを力とし、しっかりと気を張って生きてゆこうと思うのであった。

翌日は早朝起床、斎戒沐浴《さいかいもくよく》し、幾島指図《さしず》のもとに髪をあげ、化粧をし、百花の縫取りのある赤い打掛けを着て居間で待つうち、表から案内の側用人が迎えに来て、殿中の長い廊下を書院へ通った。

やがて礼装の斉彬があらわれ、国家老筆頭の島津石見《いわみ》が誓紙を読みあげ、互いに懐刀の交換をしたのち、親子固めの盃のやりとりをして式が終った。

そのあとは斉彬に続いてお霊廟《たまや》への参拝があり、熊之間で昼餉《ひるげ》をともにしながら斉彬は温顔に微笑をただよわせ、

「城中の暮しにはもう馴れたであろう。今日は先ごろよりもずっと気色《けしき》よく見ゆるぞ」

とやさしい言葉があり、篤姫は箸《はし》を置いて、

「有難きお言葉、かずかずのご配慮に与り、敬子《すみこ》一生のご恩と感じ入っております」

と礼を述べた。

斉彬はなお、江戸表の英姫も、今日の縁組をいたく喜んでいるよし、を告げ、それに対してかたわらより幾島が口を出して、

「お方《かた》さまへは敬姫《すみひめ》さまより懇《ねんごろ》なご書状したためるべく、ご準備中にございます」

と介添えをする。

斉彬はそのときの話のなかで、

「敬姫はいずれ名を改めねばならぬが、当家より出て十一代将軍御台所となられた大伯母君にあやかるよう、篤子《あつこ》、としては如何かと存じおる」

といい、斉彬の記憶にある御台所を語ってくれた。

それによると、斉彬が最後にお伺いしたのは江戸城本丸で火事があり、御台所がしばらく松の御殿に住まっていたころで、もうその頃は夫家斉を亡くし、広大院《こうだいいん》と呼ばれていたこともあって、ややさびしげに見えたという。

「広大院さまは、京より下られた歴代将軍の室のなかではただおひとかた、当島津の武家の出であった故に、一入《ひとしお》ご気性のしっかりしたお方であった。

江戸城では大奥と表とは御錠口《おじょうぐち》ではっきりと分れ、御台所は表へは入らせられぬのが慣習であるが、広大院さまだけは年一回、お年礼《ねんれい》として表ご本丸へお出ましになられたそうじゃ」

斉彬がそう語るのは、いずれこの身も大奥へ上ることへの心構えを説かれるところか、と篤姫は身をひきしめる思いで謹んでそれを聞いた。ただ、斉彬もはっきりと篤姫にそれは確約せず、というのは、内実はやはり難渋《なんじゅう》していて、斉彬自身もその工作を練っている最中であった。

親子固めの盃が終ると、とりあえず公儀に公文書のかたちで、

篤姫さまおん事、御国許にてご出生に候ところ、此度御産母の儀、お思召を以て御前さま（ご簾中）と遊ばされ、おん定め候に付、この段お届け申上候。

という国家老島津伯耆《ほうき》の名を以てさし出し、また斉彬も自ら、同じ意味の書簡をしたためて関係者たちに送っている。

つまり、篤姫は正室の腹ではないけれど、正しく自分の実子で、いろいろの事情あって今まで打捨ててはおいたものの、このたび改めて認知《にんち》したのでさようお考え下さい、という意味で、幕府保有の諸大名の系図にはそのとおり記録されることになる。

ただ、老中阿部正弘、伊達宗城、また奥医師の多紀元堅などには、右の文書のあとに、

極密《ごくみつ》を明かせば、於篤《おあつ》こと島津安芸娘に候えども、いずかたまでも実の娘と申候えば、この段おん願い申上候。

と真実を打明け、協力を頼んでいるのであった。

篤姫を江戸に送るという斉彬の意志は変らないが、賛同者を増やして時期の熟するのを待たねばならず、その間、篤姫にそれなりの教育を施さねばならなかった。

翌日から篤姫は、幾島から行儀作法の講義を受ける他に、島津家の歴史や徳川家の由来も学ぶことになり寧日《ねいじつ》ないありさまとなったが、もとより学問好きの気質もあって、そのこと自体がとくに苦しいということはなかった。

第十一代将軍御台所は、幼名を茂姫、または寔子《ただこ》、といい、将軍家へ入輿《にゅうよ》が決まり江戸城へ入ったのは茂姫八歳のときで、以後西の丸で八年のあいだ婚礼の日を待っていたのだという。

結婚は家斉十七歳、茂姫十六歳で、妻妾の数では歴代将軍一といわれた夫のかげでずっと大奥を守り、家斉の死後三年目の弘化元年、七十一歳の大往生を遂げた。

茂姫の入輿が決まってのち篤姫《とくひめ》と改名したのにあやかり、斉彬が敬子にも命名したのは、無事将軍御台所となるを願ってのことであったろう。

島津家では、幕府への公文書へ既に篤姫と記し、こののち斉彬は於篤《おあつ》、または篤子《あつこ》、と親しく呼んで、ここに於《お》一《かつ》、敬子《すみこ》、を経て篤姫《あつひめ》は正式の名となったのであった。

城中の書記役のなかには、藩史の記録を仕事とする係があり、そのなかで人格識見ともにすぐれたひとから、篤姫は島津家の歴史を説いてもらうことになったが、歴代藩主の室には、将軍家かそれに準ずる名家から嫁いで来ているのも判った。

近くには二十二代継豊の室に、五代将軍綱吉の娘竹姫を迎えており、また御台所茂姫の母保姫は、一橋宗尹《ひとつばしむねただ》の姫であって、これも三卿のひとつ、そして斉彬の室は一橋斉敦《なりあつ》卿の娘であった。

茂姫が御台所に上るについては、母保姫の実家一橋家の強い推輓《すいばん》がなくては叶わず、今回もまた、篤姫入輿を成功させるには、英姫の力を借りなくてはならぬ、と幾島は口ぐせのようにいう。

斉彬と婚約整い、英姫が三田の島津邸に引っ越したのは斉彬五歳、英姫九歳のときで、引っ越しについては侍女四名を供に連れてきただけであった。

将軍家斉は妻妾多かったため子女もまた多く、その姫たちを各大名に押しつけ嫁とし、あまたの武士と侍女をつけて嫁がせたため、結婚後は婚家先で軋轢《あつれき》を生じたことはよく知られている話であり、英姫はその弊《へい》を避けて男吏を一人も連れなかったということも篤姫は聞かされた。

ただ、英姫の新御殿は造営しており、いまもそちらに住まってはいるが、夫斉彬との間はむつまじく、国許に帰っているあいだ、夫妻はひんぱんに書簡のやりとりをしているそうであった。

篤姫は、母となるべき英姫に心をこめて挨拶状をしたため、今和泉家から持参したもののなかから蒔絵の硯筥《すずりばこ》を贈ったが、それに対して英姫からは懇な返書があり、一日も早くお目もじの折を待ち居り候、という文面とともに、ほどなく立派な女駕籠が届いて、これが篤姫の参府の祝いであった。

こぶや広川にはまだ心は解《と》けないが、城中で藩主の娘としての手順をひとつひとつ踏んでいると、いつのまにやらそれなりの自覚も身についてくるように思われ、悲しみもほんのわずかながら薄らいでくる。

学問のあいまには、行列を整えて薩摩五社と出水《いずみ》の福昌寺《ふくしょうじ》、浄明寺《じょうみょうじ》、南林寺《なんりんじ》など島津本家ゆかりの寺社にも詣でなければならず、口やかましいこぶに心のうちで抵抗しながらも、篤姫は次第に城中の暮しに馴れてゆくようであった。

斉彬は、江戸在住のあいだは諸大名との付合いもあるが、国許へ帰れば自身の鍛錬、兵の訓練、海防視察など多忙な毎日で、そのあいだを縫って観能なども催し、そういうときには篤姫も招かれるが、席は藩主に次いでの高いところにあるのを見て、いまさらのように驚かされるのであった。

三月二十九日は、今和泉領轟岬の砲台が完成し、大砲六門据えつけ、ここの守備は島津安芸が担当するよし、篤姫は講義を受ける師から聞いた。

思うのは忠剛の病状で、医師の薬を飲みながらの勤めであればさだめしお障《さわ》りもあろう、と考えるものの、気軽く文も出せる状態ではなかった。

一日一日があわただしく、というのは、梅雨の上るのを待って斉彬はどうにでも篤姫を出府させたい意向で、そのあとを追って自身も江戸詰めとなるため、この企てが順序よく進捗《しんちょく》してゆくのを願っているらしく見える。

表の使いは幾島が受け、幾島はそのなかで篤姫に聞かすべきは言上し、聞かさぬほうがよい、と判断した場合は胸三寸に収めておく。

斉彬の計画が着々とつつがなく進んでゆくのならよいが、いくら島津家に前例があるとはいえ、諸大名に反対も多い御台所の件がそうやすやすと進むとは思われず、それをいちいち篤姫に報告して過大な期待を抱かせるよりは、もの事が決定してのち話せばよい、と考えているところがある。

例えば、薙髪《ちはつ》して仏に仕えていた幾島がこうして国許へ呼び返されるについては、江戸育ちで篤姫の教育係としての資格を備えていることの他に、近衛家に奉公していたということがある。

広大院茂姫が御台所へ上るについては、反対派を納得させるために、形式だけでも公家の娘たるべき肩書きを身につける必要があるところから右大臣家近衛経熙《つねひろ》の養女となってのち入輿《にゅうよ》したことを考え合わせると、篤姫もまた、そうする必要がありはしないかという懸念があった。

斉彬の姉、故郁姫は幾島を連れてこの近衛家に嫁いでおり、幾島ならば近衛家の事情に詳《くわ》しいし、島津家からの再度の懇請も、幾島をこちらに引き取ることによって極めて自然に成功するのではないかという目論見《もくろみ》もあったらしい。

斉彬は、梅雨あけの七月半ば頃と篤姫の出府を決めた直後、自ら筆をとって近衛家の現当主忠熙《ただひろ》宛てに、娘篤儀、貴家養女とおん成し賜わり度く、という手厚い文言の書簡をしたため、金品をつけて京へ送ったところ、折返し快諾の返書があった。

詳しい事情を近衛忠熙が知っていたかどうか、茂姫養女の件を諾《うべな》った経煕の子、基前《もとさき》の夫人静子は尾張家から嫁いでいたから、徳川家に対しては一種親近感を抱いていたということがあったかも知れない。

忠熙はその基前と静子の長男で、かつて郁姫をめとり、この頃四十六歳であった。

斉彬は、忠熙から返書をもらうや、表に幾島を呼んでこの由を告げ、

「参府の際、京に滞在して近衛家に挨拶に参るように」

と命じた。

花の頃はすぐに過ぎ、出立の日を控えて幾島は準備に追われ、それは、こちらで調達した

衣類調度品の他に、京で滞在するならば近衛家への土産、大坂藩邸への頼まれものなど、江戸直行に較べてはるかに多い荷になるためであった。

六月も半ば頃になって、表より使いが来て、幾島に将軍さまご不例《ふれい》のよしが伝えられ、これはありのままを篤姫に報告した。

「去る五月十五日、将軍さま還暦のお祝いとて、み心を慰めまつらんと少将さまが流鏑馬《やぶさめ》の行事を高田馬場に催されましたそうにございます。そのあと、将軍さまはおん病いを発せられ、病床に在《まし》ませられしところ、六月三日、米国使節ペリー提督が軍艦四隻を率いて浦賀に来航し、幕府に対して開国を要求されたと申します。

六月九日には久里浜でアメリカ大統領の親書を幕府は受理いたしましたそうで、ペリーは十二日、軍艦を退去させたのでございますが、この間、将軍さまはおん病いの床からこの一大事をずっと下知なされましたが故に、おん病い重らせられ、ただならぬご様子にて」

という報告を受けた篤姫は、事情はよく判らぬながら、いま日本中が容易ならぬ状態におかれていることは理解できた。

こうなると、将軍の病気全快の暁でなければ行動を起せなくなるわけで、幾島も出立の用意の手を休めて窺っているうち、二十二日病いあらたまり、とうとう薨去《こうきょ》のよし、江戸から早馬があった。

内外多事の折柄、幕府は将軍の喪を固く秘し、約一ヵ月後の七月二十二日までは隠密《おんみつ》のうちにすごしたが、江戸藩邸にひそかに知らせてくれたのは斉彬親友の老中首座、阿部正弘だったという。

正弘によると、将軍の命を受け、ペリー対策に水戸家の斉昭を正弘が訪れたのは六月七日で、翌日それを将軍に復命したときはかなり病状恢復《かいふく》しており、この分ならば盛夏の頃には御健やかにお戻り遊ばされるもの、と判断していただけに、二十一日容態急変したときには、驚き入ったそうであった。

おん病いはご中暑《ちゆうしよ》、との御診立《みた》て也、と正弘からの親書にはあり、それを見ながら斉彬は、

「暑気あたりと申上ぐべきか」

と呟いていたという。

亡くなった十二代将軍家慶《いえよし》は、父家斉《いえなり》の第四子に生れているが、上三人が早世したり、女子だったりしたため、将軍職を継いだひとで、母は小姓組押田藤次郎敏勝の女《むすめ》、お楽の方である。

家斉は果報のひとといわれ、隠居した歴代将軍は皆大御所であるのに、家斉の時代をのみとくに大御所時代というのは、このひとが文化文政、幕府の花ともいわれたことと関わって

いる。

理由はいろいろとあるが、十代将軍家治《いえはる》の世子が十八歳で急死したために、一橋治済《はるさだ》の第四子であった家斉が宗家の養子となって十四歳で十一代を継ぎ、健康に恵まれて六十九歳で亡くなるまで、何といっても四十人にあまる側妾を持って大奥を賑わしたことが挙げられようか。家斉は五十年在職してようやく家慶に家督を譲ったが、なお大御所として西の丸に隠居しながら政治を決裁していたので、家慶時代となるのは家斉が没してのちのことであったという。

家慶は長いあいだ父のかげに隠れていたが、四十四歳で将軍となってからは、御性質沈静謹粛にして才良にましまし、という資質のひとであったらしい。ただ、大奥を繁昌させたのは父親ゆずりで、侍妾多く、素姓明らかなものだけで七人、この他、いくたりかはいたといわれている。

御台所《みだいどころ》は京都から迎えた有栖川宮織仁親王《ありすがわのみやおりひと》の女、楽宮喬子内親王《さざのみやたかこ》で、夫人所生を含めて子女は二十五人だったが、悉く早世し、成長したのはたったひとり、家祥《いえさち》だけであった。

二十五人中二十四人が死ぬ、というのは何やらわけがありそうに思われるが、家斉のときも五十五人生れたうち、配偶者を得るまでに成長したのは半数に充たぬ二十五人だったから、多少虚弱な体質という系統でもあったろうか。

それと、考えられるのは含鉛白粉の中毒で、小さいときから鉛を多量に含んだ白粉をつけたり、また白粉を塗った乳母に抱かれてつい嘗《な》めたりしているうち、急性のものは激烈な胃腸炎の症状を起して死に、慢性でも貧血や神経麻痺《まひ》などで徐々に死に至るのだという。

奥医師のなかにはまだこの因果を見破るひとはなく、推量はしてもずばりと立証する手立てはなかったから、おいおい白粉が改善されるまで、打つ手だてはなかった。

家慶の時代となると、水野忠邦《みずのただくに》を信頼して老中首座とし、天保《てんぽう》の改革をやらせたが、まもなく上知令の失敗で罷免《ひめん》、そしてもう一度返り咲いたあと職を辞し、代って首座を占めたのは斉彬と親交のある阿部伊勢守正弘であった。

この頃から幕府の力は傾きはじめ、往年の勢いを失いつつあり、こういう時代に名宰相といわれた阿部正弘を得たことは、家慶にとって幸いであったと斉彬などはいう。

家慶の死後、家祥は三十歳で家督を継ぎ、十一月二十三日、朝廷よりの将軍宣下《せんげ》があって十三代将軍職に就き、名を家定と改めることになるが、このときの老中首座は阿部正弘であった。

阿部正弘は、備後福山十一万石の藩主で、わずか二十五歳で老中になり、二十六歳で水野忠邦のあとを受けて勝手掛（財政担当）を兼ね、事実上宰相の実権を握ったひとである。

斉彬よりは十歳の年少だが、早くからすこぶる老成し、性格は円熟周密、穏やかで常識豊かなひとであった。

斉彬と親交を結ぶようになったのは、越前松平春嶽の仲立ちによるものといわれるが、両者互いに相惹《ひ》くものがあった故ではなかろうか。

眉秀《まゆひい》で目もと涼しく、話術も巧みで、婦女操縦にすぐれているといわれ、そういうわけで大奥での評判のよさは、歴代老中のなかでとくに抽《ぬき》んでていたといわれている。

斉彬が薩摩に在っても幕閣内の事情をいち早くよく知っていたのは、阿部正弘の親書によるもので、将軍家慶の薨去について幕府の発表は七月二十二日だったにもかかわらず、篤姫の出立を八月二十一日にしたのは真実の事情がよく判っているためであった。

つまり、表向きは七月末薨去、八月四日増上寺《ぞうじょうじ》に埋葬、であれば、以後五十日のあいだは喪に服さねばならないが、六月二十二日薨去から数えれば八月の十日に喪は明けることになり、長途の旅もさし支えないというわけになる。

家慶がまだ在世中から世子暗殺の陰謀が洩れたり、ただでさえ体の弱い家祥の身辺には幼少の頃からとかくの噂がつきまとうが、斉彬が早く篤姫を送り出したいと考える理由にはもうひとつあった。

それは、水戸斉昭の長子慶篤卿《よしあつきょう》の室として京都から有栖川宮の女線姫《いとひめ》を迎えることになり、一旦徳川家の養女として水戸家へ入輿するという段取りとなって昨嘉永五年、姫は江戸城に入った。

このとき城中の奥女中たちがその世話を引き受けることになったが、この線姫が稀に見る美しさだったために大奥は騒然となったということがある。

公家の姫君を、江戸の狂歌では女郎の身売りにたとえるほどで、多額の支度金と引き替えに武家に嫁ぐ姫君は美しかろうが醜かろうが、その出自を武家の室として飾ることによって一種の格式となし得たから、容貌《ようぼう》など問題ではなかった。

もちろん婚礼の当夜まで顔も見たこともなく、なかには明らかに障害のある姫君であった例もあるだけに、線姫の美しさに大奥の女中たちが驚いたのも当然のことであったろう。

ときに右大将家祥は、前二回の結婚で二人の配偶者を失い、ずっと独身を通していたから、この線姫を家祥のご簾中に、と考えるむきもあるのは無理からぬなりゆきともいえた。

阿部正弘によると、奥女中たちは一計を案じて一日、線姫に庭を歩かせ、それをものかげで家祥にうかがわせたところ、一目で気に入ってしまったといわれている。

何とかして水戸家との婚約を破棄し、この線姫を以てご簾中に立て申さんという望みは奥の主だった女中たちは皆抱いたといわれ、その主謀者は年寄姉小路《あねこうじ》であった。

御側衆の本郷丹波守も同意し、姉小路の密計を助けたそうで、それというのも家祥自身の意志をいちばんの恃《たの》みとしたものであろう。姉小路は大胆にも書をしたため、

「右大将家は現在おん独り身なれば、線姫君をご簾中に立てられて然るべし、と老公よりご発議下さるべく、右大将家におかせられては必ずおん聞入れありてご満足なるべし」

と水戸老公に送った。

老公はこの書を見て大いに怒り、すぐさま返書に、この事、将軍家のご内意にいでたるか、誰の発議なるや、と反問したところ、姉小路は、

「将軍家は夢だにご存知なきことにて、私一個の所存にいでたるまでなり。老公に於てご同意なき上は、もちろん取消しを望み奉る」

と弁明したといわれる。

老公は、事を荒立てるを好まずとこれで済ましたが、大奥ではなかなかにあきらめず、年寄のなかにはなお将軍家慶までも動かそうとする向きもあり、それを聞きつけた阿部正弘は、立って大奥の密計を排除せしめ、無事に線姫を水戸家に入輿させたという。

この件は、表向き落着したかに見えたが、その実ずっとあとを引き、大奥の水戸嫌いがますます増大したし、それにこのあと、結婚五年目に線姫は長女随姫《ままひめ》を残して自害して果てたのである。

原因については、舅斉昭に関することとささやかれ、それはおそらく、五十七歳の老公がなお老健絶倫であることと無関係ではあるまいといわれたが、真実は誰にも判らなかった。

慶篤と線姫の婚儀が行なわれたのは昨年十二月十五日だが、まだなおも大奥では線姫への執着はくすぶっており、それは、ひいては京都の公家の姫君をご簾中にと望む動きに発展する懸念もなくはない。

げんに二条家の姫君に白羽の矢を立てようとする向きもあることを、阿部正弘の書簡には記してあり、もはや一刻も猶予すべきに非ず、という判断を、斉彬自身下したのであった。

大名は、借金で家がつぶれることは古来聞いたことはないが、世継ぎがなくてつぶれる例は間々《まま》あり、それだけに当主や世継ぎたちに女子をあてがう策も、なかなかに重要な仕事となる。

徳川大奥の制度が確立したのは三代将軍の頃からといわれており、大奥が賑やかということは将軍が健康で子孫繁昌の証《あか》しでもある故に歓迎されるが、これも過ぎたるは経費膨張のために諸大名にも迷惑がかかる。

反対に、将軍ご寵愛の女性が少ないときは大奥はさびれ、それは八代将軍吉宗の時代、御台所真宮《さなのみや》が亡くなられたあと、公けの側室というのはおくめの方一人で、長い独身時代があり、このときの大奥のさびしさを奥老女たちはいまだに語り伝えている。

家祥も嘉永三年、明君を亡くしてのちすでに足かけ四年、ご簾中なしですごしており、しかもこの秋、将軍職に就くはずなのに御台所の座の空白なのはいかにもさびしかった。

斉彬は、阿部正弘とひんぱんに親書を交わした上で、とりあえず篤姫を出府させ、その上で計画の実行を急ぐと決めて八月二十一日の出立となったのであった。

斉彬は、奥のお須磨の方のもとへ渡るたびに幾島を呼び、策を授けたが、それは篤姫自身に将来将軍御台所となるという確かな言質《げんち》を与えてはならぬ、という厳命と、そしてこの計画が万一破れた場合でも、しかるべき先に輿入れさせるべき成算がある故に、それを含んだ上で篤姫の教育に当るようにとの注意を忘れなかった。

斉彬は、江戸表で藤野とともに奥を取りしきった幾島の手腕をいたく信頼しており、いまも親しくこぶ、と呼んでときには盃をつかわしながら、

「於篤のことはよくよく頼んだぞ」

といえば幾島も胸を叩《たた》くばかりに受けて、

「万事お任せ下さいませ」

と力強い答えを返すのであった。

斉彬の江戸参勤は翌年になることとて、それまでに、一切をのみ込んだ上で篤姫の身辺を守るたのもしい役目は是非とも必要であった。

参府にあたり、どの道筋を取るかについては総指揮向井新兵衛を中心にいく度も検討の評定が開かれた結果、大坂までは海路を取ることになった。

この頃、民間の信仰となっている伊勢参宮の通行路はいくとおりもあったが、そのひとつをなぞり、錦江湾を渡って垂水から山越しをして志布志《しぶし》を通り、串間《くしま》の福島から船出をする。沿岸の日向細島、国東《くにさき》、下関では上陸して休息しながら瀬戸内海に入り、丸亀を経て大坂へ着く。ここからはずっと陸路で、京大坂でしばらく滞在したあと、江戸へ入る道は木曾路を通行、という順路を取ることにした。

これは、老人や女子供も加わる伊勢参宮の道がやはりいちばん体に楽であることと、藩主の参勤交代の供で経験を積んでいる向井新兵衛が木曾路を強くすすめたからであった。

古来、これを乗せて航行すると荒波もおさまると薩摩に伝えられている波平《なみのひら》の名刀も船内に祀《まつ》り、そして八月二十一日、未明に城中を出た行列はいま錦江湾を渡りつつあり、篤姫は南の手に岩本村の別邸のかたを望みつつ、心のうちで別れを告げているのであった。

篤姫は艫《とも》に立ち、波のむこう、はるかに岩本村をのぞみながら、もう引き返すことのできぬ道を歩いているのだと今さらのように思うのであった。

女の道は、前へ進むしかない、引き返すのは恥でございます、とは亡き菊本が折にふれ口にしていた言葉だが、まことにその通り、ここまで来たからには、如何につらい耐忍《たいにん》をしようとも、この運命をしっかりと受止めねばならなかった。

うしろには、片時も離れず幾島が控えており、篤姫から見ればこのひとからは一日中叱言《こごと》ばかり聞かされているような感じがある。

「長道中でございます故、われらも十分弁《わきま》えますなれど、姫君さまご自身でもお召しあがりものの度は過ぎませぬよう、夜はゆっくりとおやすみ遊ばし」

といく度もいく度もさとされた上、今も、

「手すりにあまり近寄られますとお危のうございます」

「潮風にお顔を長いあいださらすのは毒でございます。ほどほどになかへお入り遊ばしますよう」

としきりに声をかけ、篤姫を薄暗い船室のなかに閉じ込めようとする。

幾島が自分付きの老女となって以来、一日のうち離れているのはおちょうず所へ立つお互いの時間と、髪を染めるあいだだけだと篤姫は思った。

朝の化粧は、いち早く済ませてはくるけれど、髪を染めるのにはたっぷり時間がかかる故に、いつも、

「一ときほどお暇を頂いてよろしゅうございましょうか」

と許しを得て部屋に下るが、そのあいだ、代って広川が詰めているとはいえ、何やら束《つか》の間《ま》目の前が明るいような感じがする。

篤姫はすすめられるまま幾島に手を取られ、小さな梯子段《はしごだん》を下りて船室に入ると何もする

ことはなく、脇息《きょうそく》に倚《よ》りかかってじっとしているより他なかった。

錦江湾の船路はいわば渡し舟で、ほんの一またぎ、垂水で上ってからはまた駕籠に揺られ、山道を越えて福島の町に着き、ここで船待ちをする。

島津家篤姫様御休息所と掲げられた福島の町の旅籠《はたご》馬屋《うまや》の一間に落着くと、幾島は、

「姫君さま、いたくお疲れではございませぬか」

と体調を聞いた上で、

「今宵は、姫君さまご当地における最後の夜と相成ります。お名残りにこの囎唹《そお》郡の熊野神社に古くから伝わる神舞《かみまい》をご覧に入れたいと土地の者が申しておりますれば、お許しを頂きとう存じます」

と伺いがあり、篤姫が承知すると、夕食後、庭に篝火《かがりび》を焚《た》き、若衆の肩に支えられた一人が面をつけ、箕《み》を持ちながら舞う珍しい踊りを見せてくれた。

各地にはいろいろなものがある、と篤姫が身を以て感じた、これは最初の経験といえようか。

その夜篤姫は、しのを連れておちょうず所へ立ったとき、お月事《げつじ》のやって来たのを知った。

長旅だからお月事に出会わなくてはならないが、これからの船中、こんな不快な体調では

困るとは思ったがいたしかたなかった。

翌朝は曇天で、宿の二階から見える海には三角波が立っており、幾島が、

「少々波が出ておりますが、船頭の申すにはこの時候にはしけがたびたびやって参りますそうで、ここで日和待ちをするよりも、やはり本日船出遊ばしたほうがよろしいかと存じます」

という言葉に篤姫は様子の判らないまま、うなずいた。

この船は大坂通いだけにずっと大きく、船箪笥まである畳の船室はゆったりしていたが、入ったとき、篤姫は嫌な匂いがある、と思った。

潮風の匂いとも、油の匂いとも違う、ものの饐《す》えたような、一種の悪臭で、それは幾島もすぐに感じたらしく、御次に命じてさっそくに香を炷《た》かせたが、容易にその匂いは消えなかった。

幾島は、

「これからの船路は、伊勢詣りの大小の船が往き交うところにございます故、姫君さまはなるべく上へはお出ましになられませぬように。下々の者どもにお顔を見られるのはおためになりませぬ」

と固く注文をつけたが、このことも篤姫の意識を必要以上に窮屈に縛ってはいなかったろ

うか。

船は碇を上げ、志布志湾のなかをすべり出したが、やはり外海《そとうみ》、揺れはすでにはじまった。

倚《よ》りかかっている脇息がずずーっとずれたり、座蒲団がすべったりするのはよいが、そのたびに後頭部が深い奈落《ならく》の底へひき込まれてゆきそうに篤姫には感じられる。

「おなぐさみにご書見でも遊ばしませ」

と幾島は立って手文庫のなかから歌書の一冊を取出して来たが、膝の上でひらくと字は上下左右に移動し、視線は定まらなかった。

書物のいちばん好きなはずの篤姫が、力なく歌書をたたむのを見て幾島は、今度は茶を命じたが、船中では坐りのよい湯呑みと茶托《ちゃたく》を用意してきたにもかかわらず、これも始終位置がずれたり傾いたり、第一口に含むという気にもならなかった。

これまでに二度ほど、この船路を往復している幾島は、

「ここはまだ序の口でございますぞ。大坂までには日向灘《ひゅうがなだ》と豊後水道、周防灘の波荒き難所がございます。

いまはまだ船は陸地沿いに走っております故に、大した揺れではありませぬ。じきお馴れ遊ばしますほどにどうぞお気を確かに」

と叱咤《しった》するが、船板を叩く波の大きさが聞えるたび、やはり心おののき、そのたびに胸の奥からむかむかと悪寒がこみあげてくる。

それでも、まだ湾内航行のうちは話を交わすこともでき、幾島もしっかりした口調で、

「こんなときは気を確かにお持ち遊ばさねば。一旦横におなりになれば、大坂まではもうご病人でございますぞ」

と励ましていたのが、しばらくして都井岬《といみさき》を廻ると、船の揺れはいよいよ激しくなり、体が宙に浮き上るようになったと思うと、次の瞬間には深い海底へ引きずり込まれるように落ちてゆく不気味な感覚であった。

同座の女中のなかには既に顔面蒼白、脂汗《あぶらあせ》を浮べて耐えている者もあり、一人は上から下りて来て、

「申上げます。船の帆柱が左右に真っ平らになるほど揺れております。しけのくる前触れではないかと申しておりますが。

この天窓《てんまど》は閉めるそうにございます。さもなくば波が船底にまで入って参ります故に」

と大声で報告するのを聞いたとたん、篤姫は急に胸の辺りが苦しくなって波打ち、身が逆さまになるのではないかと思う感じがあって、思わず袖で口を掩《おお》ったが、間に合わなかった。

何としたこと、と悔いる思いはあっても体は利《き》かず、こんなことをしでかしたなら、さぞかし幾島から叱言を食うであろう、と思いつつそのまま篤姫はぐったりと床に横たわってしまった。

が、幾島は驚いてそばに寄るや、叱りはせず、まず丸ぐけの帯〆《おびじめ》を解き、帯を解き、鬢《びん》の下には咄嗟《とっさ》に座蒲団の二つ折りをあてがってから、大声で、

「誰ぞ、薬籠《やくろう》と濡れ手拭いをこれへ」

と見廻したが、既に部屋の隅で吐き続けている者、苦痛のために立てない者、横になってのびている者が多数あり、そのなかでよろけつつも床を踏んばりながら近づいて来たのはしので、その差出す薬籠と、濡れ手拭いを受取るや、幾島も顔をそむけて背を波立たせた。

幾島も吐いているな、とは判ったが、篤姫はもはや口をきく気力も目を開ける気力もなく、幾島かしのかが、匙《さじ》にのせてさし出してくれた丸薬《がんやく》を飲み下《くだ》すのがやっとであった。

衝立《ついたて》仕切りの向う側の供の武士たちのなかにも船酔いに苦しめられている者が続出しているらしく、総指揮の向井新兵衛は船頭に命じて急遽《きゅうきょ》近くの港に入り、波のおさまるまで待機するようにと勧《すす》めたが、腕に自信のある船頭は、

「このくらいの波でいちいち港へ入っておりましたならば、大坂へは一年経っても着きやいたしません。

あの雲は、しけが沖を通り過ぎる証《あか》しで、こっちはさしたることもございません。なあにそのうち波もおさまりますし、船酔いにも馴れまさあ」

と荒っぽいことをいってゆずらず、船に乗ったら船頭まかせ、という鉄則の前に、新兵衛もゆずらざるを得なかった。

自分でもはっきりした意識があるのかないのか判らぬほど、息も絶え絶えにもがいていたらしいが、どれほど経っただろうか、薬が効《き》いたと見えて少し胸の辺りが軽くなり、篤姫はそっと目を開けた。

思いがけず、目の前に大きくこぶの顔があり、それは目をかっと見ひらいて篤姫を凝視《ぎょうし》しているのであった。

「幾島か」

と思わず呼ぶと、こぶの異相は大儀そうにやおら身を起し、

「少しはお楽になおなり遊ばされましたか」

とものうげに口をきいた。

その姿勢は、さすがに帯を大きくゆるめているものの、ほとんど正座し、体が前に倒れるのを防ぐために右手で扇子を畳にかっきりと立てて支《ささ》えている。

それが苦痛をこらえる姿勢であることは、その疲れ切っていちだんと皺の深い表情を見た

だけですぐ感じられ、篤姫の胸にふと熱いものが過《よぎ》ったが、口にするのは何やら気おくれがし、また目を閉じて寝返りを打った。

さっきまで体が八つ裂きにされるように苦しかったのに、いまはそれほどでもなく、頭がひんやりとして軽い。

目を閉じたまま手をやってみると、額に冷たい濡れ手拭いが載せられてあるのは判るが、その上の、高島田に結い上げてあった髪もいつのまにか解かれ、肩に垂らしてあった。

元結《もとゆい》でぎゅっと締めあげる髪がどれほどつらいか、これは女だけに判るものだけれど、船酔いの苦しみがはじまるとまもなく、帯も解き、着物もゆるめ、きつい髪の根も切って体をずいぶんと楽にしてくれたものとみえる、と篤姫は思った。

それに、枕もとには小さな厨子《ずし》に入れた普賢菩薩の像を飾ってあり、これは誰の手によるものか、意外なはからいであった。

しかし幾島自身は、吐きながら、苦しみながら、寝もやらず篤姫の枕辺に侍《はべ》っており、それは、主の前ながらいち早く横になってしまった女中もいたことを思えば、何という気丈さか、と舌を巻く思いがあった。

が、篤姫は、その思いをそのまま口に出していたわってやる気にはまだなれず、それというのも、去る七月十日の夕、斉彬が篤姫参府の首途式《かどでしき》を催してくれ、その席に今和泉家の両親を招いてくれた件がある。

二月二十日に家を出て以来、篤姫が両親に会うのはこれが初めてで、当日をどれほど待ち兼ねたことだったろうか。

藩の上級役、四分家のひとびと立ち会いの上で、もはや斉彬の娘となった篤姫を、無事江戸に送り出す祈念と壮行の式が行なわれたあとで、祝い酒と膳部が出され、篤姫は上座の斉彬の隣に坐って順番に出席者の餞《はなむ》けの言葉を受けた。

一門の上座から三家の当主が終り、末座の今和泉家夫妻がすすみ出てまず型通りの挨拶をする。

そのとき篤姫は、目を輝かせて、

「父上さま母上さまにはお変りものういらせられますご様子にて」

と挨拶したが、次の瞬間はっとして斉彬の顔いろを見た。

忠剛《ただたけ》夫妻は臣下の礼をとって、さきに、

「このたび篤姫君にはご参府の由、道中つつがなきご首尾をご祈念申上げます」

という言葉を贈っており、それに対して篤姫は幾島に教えられたとおり、安芸殿、お幸の方、と返さねばならなかったのに、肝腎の場合にはやはり本心が出てしまった。

斉彬は温顔に微笑を浮べ、何も気づかぬふりをしていてくれたが、すぐ下段に控えている幾島の顔に一瞬、きびしいかげが走ったのを篤姫は見た。

果してその夜、きつい表情の幾島が、

「今夜はまだ御寝《ぎょし》なりませぬ」

と膝詰めの説教で、あれほどにとくと申上げてございますのに、満座のなかであのような仰《おつしや》りようは、藩主さまのお顔よごしでございます、明日はきっとご沙汰がございましょうが、ご沙汰を頂く前に、こちらから御伺いを出して謝罪を遊ばさねばなりませぬ、藩主さまもさぞやみ気色を損《そこ》ねられたことでありましょう、とくり返しかきくどき、篤姫は最初こそ肩を落して聞いていたが、そのあまりのくどさに途中からまた、幾島を憎む思いが頭を擡《もた》げてくるのはどうしようもなかった。

大恩ある真実の両親に、五ヵ月ぶりでお目もじが叶ったのに、父上さま母上さま、と馴染んだ呼びかたを口走るのは当り前ではないか、幾島は自分に、道に非ざることを教えようとしている、と思ったが、しかしそれは口返答できることではなかった。

黙り込んでしまった篤姫は、ようやく夜半に解放され、翌日は早朝から幾島とともに御小座敷に詰めて斉彬の入来を待ち、そして顔も上げず平伏して、

「昨日は、日頃の教えを忘れ、うかつな言葉遣いをいたしました。以後はきっと慎しみますほどに、何卒《なにとぞ》、何卒、おゆるし願いとう存じ上げます」

と言上すると、斉彬は怪訝《けげん》そうに幾島に問いかけ、幾島が、

「篤姫君のご両親は藩主さまご前さまより他には在《い》ませられぬところを、ついうっかりと序《じょ》を乱しましてございます」

と説明すると、斉彬はああそのことか、というふうに笑い、

「よい。よい。ただ、出府したらば英姫には母として仕えてくれよ。英姫は、子を早くに失い、いまだに供養に明け暮れる毎日なれば」

としんみりした言葉であった。

英姫は長子菊三郎を産んだが、生後四十日で亡くしており、いま側室の産んだ虎寿丸がやっと育って四歳とはいえ、我が腹をいためた、世子となるはずの子供の死は、長く忘れることができないらしかった。

斉彬はべつに咎《とが》めはしなかったけれど、このときの幾島から糾明《きゅうめい》された口惜しさをいま船中でも篤姫は決して忘れてはいないはずなのに、さきほど目を開いたとき、近々と顔を寄せて自分を凝視していた幾島が、一瞬亡き菊本と重なったことを思った。

菊本は忠義一徹、朴訥《ぼくとつ》で、篤姫のために一命を捧げて奉公してくれたのだったが、幾島も内心は命に替えてまでも、と自分を守ろうとしているのだと思い、ふと涙ぐみそうになったが、しかし篤姫はその心の揺らぎを断ち切ってしまった。

このこぶの、吐言婆さまの、まるで自分を仇《かたき》の子とでも見ているようなきびしさに、いまにきっと勝ってみせる、という烈しい敵愾心《てきがいしん》を捨ててなるものかと考え、またもとのようにじっと目を閉じた。

それにしても、枕もとへ普賢菩薩の厨子《ずし》を誰が飾ってくれたのだろうか、しのか、いやしのはこの頃自分に遠く、いつもはるか下座に控えているだけだから厨子までは思いつくまい、してみれば幾島か、幾島ならばあれほど今和泉家との関わりを断とうとしているのに、明らかにお幸の方の贈りものと判るこの厨子をわざわざ取出すこともないと思われる、いや案外、幾島かも知れぬ、幾島の本心は、自分の真実を見とおしていて、ものの筋目はきちんと守っても、その裏側は見逃していてくれるやも知れぬ、と思うと、篤姫には、いままで憎らしいとだけ考えていた幾島が急に親しいものに思われてくるのであった。

しかしまだ船の揺れは続いており、篤姫は目を閉じたまま、

「幾島」

と呼んで、

「そなたも横になりなされ。私ならもう案じることはない。お厨子があるほどに、一心に祈念します」

というと、幾島は船酔いで息も絶え絶えのはずなのに、声を励まし、

「なんの姫君さま、これしきの揺れに休息などしていられませぬ。気の持ちかたでございます」

という声も船の上下のたびにとぎれとぎれになるのを聞いて篤姫は、何と頑《かたく》なこぶであることよ、と思い、がんばり較べならこちらも負けはせぬ、と内から急に力が湧《わ》いてくるように思えた。

この船旅は大坂まで約一ヵ月を予定しているだけに、いまここで気分沮喪《きぶんそそう》していては叶うまいとは篤姫にもよく判り、翌日、少し波のおさまったのを待って一人で起き上り、少量の食事を摂《と》った。

なるほど船頭のいったように、岬を廻ってすこしすれば揺れかたもずい分違って来たし、こちらの体も酔いに馴れたということもあっただろうか。

丸に十の字の島津の紋を帆に染めぬいたこの南海丸は、伊勢詣りの乗り合い伊勢丸などと違って独自に碇泊《ていはく》の予定を立てており、次の寄港地小崎《こざき》では総勢船から下りて一泊するという。

「ときどきは土を踏まねば、脚気《かつけ》をわずらいますほどに」

とすすめられ、篤姫は、宿の庭を素足に草履で、少し歩いた。

まだふらふらしており、この地の名産を並べてお目にかけたいという申出にも十分こたえられなかったが、幾島の気力に負けてはならぬという思いだけで、ふたたび元気を取戻してくるようであった。

参勤交代《さんきんこうたい》に、薩摩も船を用いることはしばしばあり、有明海廻りだともっと波は高いと聞くが、それにしても旅とは大へんなもの、というのが篤姫の得た体験であった。

少し馴れてくると、港々で風俗の違うのも珍しく、ときには日和待ちをして二泊、三泊の滞在となると、体もすっかり恢復《かいふく》するし、土地の芸なども見物できる楽しみもある。

またようやく瀬戸内海に入ると、幾島はほっとしたように、

「これからは極楽でございますぞ」

といっていたが、そのとおり、船は畳の上と同じで少しも揺れず、ゆき来の船も多いし、また沿岸の景色も手にとるように眺められ、まるで双六の絵をなぞっているように思われた。

「揺れさえせねば、船は駕籠よりはるかに楽でございます。寝ているうちに着きます故に」

と幾島はいうが、いったい幾島はいつ寝ているのであろうかと篤姫は思った。

城中でもそうだが、とくに狭い船室では、篤姫が目をあけているあいだはいつも起きており、しっかりと見張っているのを、以前はそれがひどく迷惑に感じていたものが、いまはいつのまにか頼もしげに思っている自分に篤姫は気づくことがある。

丸亀が最後の寄港地で、ここで半日ほど休んでのちいよいよ大坂へ一路航行で、付近の海には小さなはしけの類が賑やかにゆきかいしているのが眺められる。

淀川を上り、船から駕籠のまま下ろされて町なかを土佐堀の薩摩藩邸へと向う途中、篤姫は小窓の御簾《みす》のうちから、この日本一の商都の賑わいが痛いほど肌に伝わってくるように思われ、胸の昂ぶってくるのをどうしようもなかった。

薩摩の城下町の賑わいも、駕籠でいく度か通って知ってはいるが、その目抜通りはすぐ尽きてしまうのに較べ、大坂の町はどこまで行っても人通りが繁《しげ》く、その規模の大きさがわかる。

先触れがあって、大坂藩邸には代表の高木仁左衛門《たかぎにざえもん》以下が迎え、篤姫は藩主に次ぐ待遇で、奥の一間に招じ入れられた。

ここで旅の疲れを取るために五日ほど休息し、次いで隊伍を整えて京都の薩摩屋敷へ入ったが、国を出たのが八月二十一日、下関に九月二十八日、大坂着が十月八日で、京都が十三日、もはや秋も酣《たけなわ》、夜間は上着を必要とする時候に移っている。

篤姫は、近衛家の養女となる話はあらまし聞かされていたし、叔母にあたる郁姫の縁先でもあるので、身なりをととのえて挨拶に上るものとばかり思っていたが、幾島は、

「私明朝、藩主さまの名代にて近衛家にご挨拶に行って参ります。そのあいだ姫君さまには

どうぞごゆるりと遊ばして」

といい、それに対し、まだ未知なる相手に、

「よしなに伝えてたもれ」

というもふさわしくなく、ただ黙ってうなずいた。

近衛家は五摂家の一、血筋正しく、藤原北家《ほくけ》の嫡流《ちゃくりゅう》で関白忠通の長男、同じく関白基実を祖とし、現忠熙《ただひろ》で二十六代を数え、このとき右大臣職にあり、斉彬は以前からご所さまと敬称で接していたのを篤姫は幾島から聞かされていただけに、まだ養女になっても内約だけの人間が出る幕ではないであろうと納得していたのであった。

翌早朝、家来に荷駄《にだ》を負わせてたくさん土産物を持参して行った幾島は、夕方に戻り、

「お早いもので、郁姫君みまかられてよりもうおん四年にございます。

私こちらに在職中と同じように、ご所さまご供養怠りなく、それに未だにご継室をご詮議なさる気配も見えませず、さぞご不自由であろうと察せられました」

という内情を篤姫は自分に関わりあることとして聞き、そして、

「これはまだご内々にございますが」

といいつつ、

「万一、姫君さまが近衛家とのご養女ご縁組遊ばしますと、ご所さまの第九子ということに

相成る次第と思われます」

と声を低くして、

「ご所さまにはご自身のお子さまは四人いらせられますが、養女ご縁組のおん申込みが多うございまして、ただいまお四人の姫君さまがご入籍しておいで遊ばします。いずれも武家にお輿入れなさいますには、近衛家姫君として諸式相調えますとよろしゅうございますようで」

というのを聞いて、篤姫は折角の気持が怯《ひる》みをおぼえるのはどうしようもなかった。自分の意志というものは現在何ひとつ取上げられないが、養女のそのまた養女という身分はあまり快《こころよ》いものではないように思える。

幾島は篤姫のその心の動きを察したのか、

「いえ姫君さま、島津家は別格でございます。特別なご関係にありますし、それに、こう申上げては如何とは存じますが、お公家さまのお扶持《ふち》は至って少のうございます。ご養女ご縁組のさいは、多額のお心づけが入りますし、また郁姫君お輿入れののちは、毎月お化粧料として島津家からお仕送りもございました。

おかげさまにて私も、郁姫君亡きのちまで肩身を狭くすることなく近衛家にご奉公できていたのでございます」

というのは、篤姫に、身分は近衛家が上なれども卑屈な気持を抱かずともよろしゅうございます、と幾島なりに力づけたところでもあったろうか。

そう聞いても、まだ金銭のからくりがよくのみ込めぬ篤姫には、島津の分家というひけ目が払拭《ふつしよく》されるわけはなかったが、ここで訪問、対面しないのはかえってよいことかも知れなかった。

このとき幾島が単独で参上したのはもうひとつ理由があり、それは出立直前、大奥姉小路から斉彬に密書が届き、

「左大臣二条斉敬《なりゆき》の女《むすめ》、保姫君を御簾中に推さんとする動きあり。二条家は甚だ宜《よろ》しからぬ故、京都おん手当ておん成《な》し下されたく」

という内容であった。

二条家も五摂家のひとつで、歌学の伝統があり、名家ではあっても現在十三代までの将軍御台所へは一人も女を立ててはいない。

何事も「ご先例の如く」を尊ぶ大奥にあっては馴染みうすい二条家よりも、近衛家ならば十一代家斉の室以前にも六代将軍家宣《いえのぶ》が近衛基熙の女をめとっており、姉小路は、斉彬の女が近衛家と養女縁組が成立するなら、と肩入れしたところらしい。

そういうこともあって、篤姫にゆっくりと京見物をさせる暇もとれず、その三日後には向

井新兵衛大号令のもとにいよいよ江戸へ向うことになった。

秋の長雨の降る日だったが、徒歩《かち》の女中たちは蓑笠《みのかさ》着て続き、藩邸の武士たちに送られて京都を後にした。

女の多い一行のこととて、途中はまだ陽の高いうちに宿に入り、ゆっくりと休んで翌朝も陽が昇ってからの出立、という日程を取り、京都から近江へ抜けて草津で木曾路に入り、馬籠《まごめ》を経て板橋から江戸へ入ったのが十月の二十八日であった。

もう夜半は綿のものでも欲しいくらいで、とくに信濃路では刻々と江戸の近づいてくる興奮としのび寄る寒さに、篤姫は寝つきの悪いいく晩かを過したのであった。

二十九日は江戸三田の藩邸に到着の予定で、既に先触れが走り、その朝、篤姫は早く目ざめて髪を丁寧に結《ゆ》い上げてもらい、衣服を改めて今日が長旅最後の道のりの駕籠に乗った。

萩のさかりに薩摩を出、こちらではもう道の辺の木々が真っ赤に紅葉している。

入輿《にゅうよ》

薩摩藩の三田の公邸は、最初造営《ぞうえい》したときには一万三千坪だったといわれるが、その後、二十二代島津継豊《つぐとよ》の時代に、将軍綱吉《つなよし》の女《むすめ》、竹姫の入輿を迎えた際、あまりに狭隘《きょうあい》である、と将軍家から指摘があり、幕府から六千八百坪を賜わって、新しく御守殿《ごしゅでん》を建てて拡張した。

この竹姫については話があり、真実は清閑寺大納言熙定の女であったが、綱吉の寵妾《ちょうしょう》大典侍の姪《めい》にもあたる故に、叔母の縁によって将軍の養女となったものである。

最初松平肥後守正容《まさかた》の嫡子久千代と婚約ができたが、この若殿は五ヵ月後に逝去《せいきょ》され、その翌々年に有栖川宮《ありすがわのみや》正仁親王に再縁が決まったが、こちらも納幣《のうへい》だけで入輿しないうちに相手は亡くなってしまった。

竹姫はまことに不運な星を背負い、最初の婚約が調ったその後に綱吉はみまかり、次は家《いえ》宣《のぶ》、家継《いえつぐ》、そして吉宗《よしむね》の代まで、三代の将軍のかかり人《うど》となってすごしたひとで、世上にはひと頃吉宗と深い関わりがあったと取沙汰《とりざた》するひともあった。

先に述べたように、吉宗も正室を失ったあと、この竹姫を継室に、と望んだらしいが、固く側近に諫止《かんし》されたという風聞《ふうぶん》もある。

その竹姫を押しつけられた島津家では、舅《しゅうと》に当る吉貴《よしたか》が強い抵抗を見せ、万一竹姫に男子出生の暁にも、継豊には国許《くにもと》に妾腹の男子が存する故に世子《せいし》とは成し難し、とし、他にも二件、条件をつけたが、吉宗は全部これを許した上、前記六千八百坪の土地と、婚礼費用の四分の一を諸大名に割当てたといわれている。

それほど豪勢な支度で、これを以《もっ》て吉宗の竹姫への愛情と見るべきかどうか、他にも家来どもあまた供をして島津家に入ったがために、両家の武士、女中のあいだに始終もめごとが絶えなかったという。

こういう苦汁《くじゅう》を嘗《な》めた島津家では、二度と将軍の息女などは迎えまい、と考えたらしく、実を明かせば斉彬《なりあきら》の室、英姫《ふさひめ》の真実の出自《しゅつじ》は一橋家ではなく、将軍家斉《いえなり》の第十四子であったがために、めんどうな話となる。

家斉の子女は早くから各大名に約束を取りつけて押しつけ嫁としたが、島津家へも斉彬が三歳の正月、幕府へ嫡子届を済ませた直後、この第十四子、幼名晴姫の入輿についての要請があった。

このとき父の斉興《なりおき》公は、あくまで対等の結婚を主張し、幕府も折れて将軍家斉の子女ではなく、一橋民部卿斉敦《なりあつ》の第一女として入輿することが決まり、斉彬五歳、英姫九歳で婚約ととのい、英姫は三田邸に引き移った。

斉彬は曾祖父《そうそふ》栄翁の住む高輪邸で育ったので、二人の実際の結婚は成人してのちのこととなるが、英姫は竹姫の轍《てつ》を踏まぬために、お付き女中は四名としたが、しかし島津家ではやはり新御殿は造営した。

これが文化十年のことで、英姫は引き続きずっとこの三田邸の新御殿に住み、篤姫はその三田邸に到着したのである。

日本第二の雄藩、薩摩の江戸公邸らしく立派な構えで、駕籠《かご》は城中のように中まで通らず玄関で止まり、下り立ってみると門から式台まで多数の出迎えであった。

まず奥老女の小の島がすすみ出て幾島《いくしま》と挨拶《あいさつ》を交わしてのち、御側役《おそばやく》にいざなわれて表書院へ通り、ここで江戸家老他主《おも》だった者の口上を受け、そして向井《むかい》新兵衛《しんべえ》以下、道中警護の武士たちをねぎらう言葉を、篤姫《あつひめ》は述べた。

それが終ると奥の私室へ通るわけで、ここも鶴丸城と同じく御錠口によって表とさえぎられ、奥は柳営《りゅうえい》と同じく大奥と呼びまた男子禁制のために、これからさきは小の島の差配《さはい》に従うことになる。

同じ藩内でも、やはり国許と江戸ではずいぶん違う、と篤姫は考えながら廊下をいく曲りし、建物の一角へ案内されて、

「ここが姫君さまのお居間でございます」

と示されたのは、あの鶴丸城の居間に似ていながらさらに優美な感じがあった。

幾島は説明して、

「お国の居間はご城内でございますし、武家は治にいて乱の心得を捨ててはなりませぬ故に、建物はすべて堅固に造られております。

当江戸におきましては御公儀のもとに在りますため、堅牢《けんろう》な普請ともなればかえって疑いを招くもとと相成ります」

と述べたが、なるほど庭ひとつ眺めても十分に目を楽しませるよう、気持を寛《くつろ》げるようこまやかな趣向を凝らしてある。

それに、英姫の出自から考えて、江戸城大奥の模様をひき写したところもあり、ここが鶴丸城とがらり雰囲気の変るのは当然であったろう。篤姫は座につくや、視線をあてて室内を見廻《みまわ》していたが、違い棚の上に飾られてある薩摩切子の茶碗《ちゃわん》を見て瞬間大そう故郷がなつか

しくなり、立ち上って、

「これは、国のびいどろ」

とそれを手に取ったところ、幾島が、

「万事は御公儀の大奥ふうではございましても、ここはいわば薩摩の出城でもあります故に、お国の産物はちゃんと揃《そろ》えてございます。ユスノキのそろばんやさつま黄楊《つげ》、絣《かすり》の織物や帖佐《ちょうさ》の泥人形からカラカラ船の玩具まで、おなつかしければいつなんどきたりとも、ご覧に入れましょう」

といい、それは篤姫にはひどく頼もしく聞えた。

手はずは大体、国許の入城のときと同じで、まず小の島、これは奥総取締の御年寄役で、以下控えている者を順次紹介されたあと、しばらくしてこちらではご前さまと呼ぶ英姫のお使いとあって、老女藤野が高坏《たかつき》に盛られた菓子を捧げて来て、

「御遠路はるばるご大儀にございます。これはご前さまよりの贈り物でございます。どうぞごゆるりと旅のお疲れをおやすめになりますように」

との口上で、ご対面は明日、ということであった。

篤姫は厚く礼をのべて使者を帰したあと、その高坏の上の、菊花を象《かたど》ったねりものを一つ取りあげてみると、その味のよろしさ、こんな美味はいままで口にしたことがないと思うほ

どであった。

「お気に召しましたか」

と幾島はその様子を満足げに見て、

「これはたぶん虎屋《とらや》のものにございましょう。お国にもかるかん饅頭《まんじゅう》などもございますが、職人の手はやはり江戸が優《すぐ》れておりますなあ。

これからは毎日、姫君さまのお望みのままにこのようなお菓子がお召上りになれます」

と得意げに述べるのを聞いて篤姫は心のうちで、また幾島の江戸自慢、京自慢がはじまったと思った。

薩摩にもおいしい高麗餅《これもち》もあればふくれ菓子もある、とまだ国許びいきの思いは捨てておらず、幾島の言葉にまた逆らいたい気持が湧《わ》いたが、それはふしぎに以前ほど強いものではなかった。

二ヵ月余にわたる長旅で、船酔いや疲労をともにしてきたそのせいでもあったろうか。

その夜、篤姫は、はじめて迎える江戸の夜を極めて安らかに眠ることができた。八ヵ月前、体を固くして今和泉《いまいずみ》家を出、鶴丸城に入った最初の夜、疲れているはずなのに目が冴《さ》えて眠れなかった緊張を思えば、いまは引き移るのもこれが二度目、ということもあったかも知れない。

それというのも、長道中のあと、以前ほど幾島を嫌だと感じなくなったことと、それにこには母となる英姫君の御殿であり、明日はそのひとに対面できるという楽しみもある故だったろうか。

太守さまは神のように英邁《えいまい》なお方で、何も彼もよく判《わか》っていて下さる、と思うことでじっと自分を宥《なだ》めて来た篤姫は、その太守さまから懇《ねんごろ》に、

「母としてよく仕えよ」

といわれた英姫にいよいよ対面するのは胸躍るほどうれしかった。

きっとおやさしいお方に違いない。お会いしたら先ず乗り物を贈られたお礼を述べよう。国許から持参したさまざまの土産ものもお目にかけたい、またこれから先、江戸に不馴れな自分をきびしくご教育願いたいもの、とあれこれ考えていると、いつのまにやら英姫にお幸の方の面ざしが重なり、まるで長いあいだ別れていた真実の母親とやっと会えるような喜びが湧いてくるのであった。

翌日は、自分から幾島に、

「いきなり母上さまとお呼び申上げてもよいのであろうな」

とか、

「お土産《みやげ》の品は、ご挨拶のすぐ後でお見せしてよいのであろうか」

とか問いかけ、それに対しては幾島から、

「何事も、ご前さまの仰せられるままに」

という指示を受けた。

午《ひる》さがり、昨日の小の島が迎えにやって来、そのあとについて渡り廊下でつながっている新御殿に入り、対面の間に案内されてみると、上段との仕切りに御簾《みす》を垂らしてある。

これが江戸風というものか、と考えながら久しく待たされ、やがて御簾のうちにしずしずとあらわれた人影をみとめて篤姫が平伏すると、

「敬子《すみこ》か」

と声があり、

「面をあげよ」

と命じられた。

御簾はいずれ上げられるもの、と思っていた篤姫はとまどいつつも一礼して、

「島津《しまづ》安芸《あき》が娘、敬子にございます。このたび、太守さまよりの仰せにより、本家養女としてのご縁を頂き、この上もなき誉《ほま》れと存じ上げ奉ります。

何卒《なにとぞ》よろしくご教育を賜わりますよう、願い上げ奉ります」

と一息に述べて顔を上げたところ、御簾のうちの人かげはただ黙ってうなずいただけであ

った。

続けておん駕籠のお礼を申上げようか、二言と続けてこちらから口をきくのは礼にもとるものであろうか、と迷っているうち、しばらくの沈黙が流れ、

「万事、小の島に申付けあるによって、その指図どおりにいたすよう」

との言葉があり、そして人かげは静かに立ち上って御簾の奥へと消えていった。

篤姫は一瞬放心状態となり、顔もさだかに判らぬそのひとが消えていった御簾の奥をみつめていたが、これが正《まさ》しく夢ではなく、母となったひととの対面の光景だったと思うと、急に全身から力が脱け落ちてゆくように思った。

幾島にうながされ、しおしおと自室に戻る心はまっくらで、昨夜まであんなに心恃《こころだの》みにしていたひとの、この短い対面時間と、たった一言しか言葉をかけてはもらえなかった失望で、ともすれば涙が溢《あふ》れそうに思えてくる。

昨日、おいしいお菓子を下されたお心から推察すると、きっとやさしいお方だと考えていたのに、何と御簾ごしのご対面とは、自分をひどくお嫌いなされてのことであろうかという疑問も起きてくる。

幾島もしばらく言葉なく、黙然《もくねん》と手を重ねていたが、じっともの思いに沈んでいる篤姫を見て一膝《ひとひざ》すすめ、

「今日は初めてでございます故、あれは儀式でございました。次からはきっと打ちとけて母子の語らいも遊ばされましょう」

と慰めたが、篤姫はそうとは思えなかった。

もし儀式ならば、何故これからは万事小の島の指図を受けるように、とつき放した仰《おつしや》りかたをなさるのであろう、とその言葉は口から出かかったが、いえることではなかった。

薩摩からの道中、一日一日と江戸が近づくにつれて篤姫の胸は昂《たか》ぶり、それはかつて頼山陽でさえ志を立てて江戸に出て来たときの興奮を詩にうたったことを思い浮べての自分なりの期待であったが、この思いも一瞬にしてふきとんでしまうほどの失望であった。

幾島は、英姫より二年おくれてこの邸《やしき》へ奉公に入り、ずっと郁姫付きですごしてきただけに英姫の人となりについては深く知悉《ちしつ》しているというわけではないが、文政七年から急に英姫の人となりが変ったという噂《うわさ》は耳にしている。

わずか九歳でこの公邸へ輿《こし》入れしてきた英姫は、徳川からのお付き女中四人以外とはあまり会わなかったといわれるが、それでも幾島が覚えている限りでは年にいく度か、郁姫と貝合わせなどしたこともある。

徳川の大奥で育てられても、あまりに兄妹の数が多いため、父君はもちろん、兄妹がたと睦《むつ》みあうことはほとんど無く、頑是《がんぜ》ないうちに島津家へ入輿して四年目には養い親の一橋卿をも失われた。

婚儀は斉彬十五歳、英姫十九歳のときで、その翌年の文政七年に、英姫はひどい痘瘡《とうそう》をわずらったという。

このとき幾島はもう郁姫とともに京の近衛《このえ》家に入っていたが、その患《わずら》いのあと、みるも無残な瘡痕《そうこん》が顔に残り、このとき以来、英姫は人前に出ることを極端に嫌うようになったのだといわれている。

痘瘡は、斉彬自身は八歳のときに罹《かか》り、このときは良質の酒で風呂《ふろ》を立てて斉彬を入れるほどの養生をしたがために軽症で本復したが、英姫のときは酒湯は立てなかった。

それを生涯、英姫は怨《うら》んだともいわれており、こういう理由で、人と会うときは御簾を使ったのだと幾島は聞いているが、それは篤姫には明かせなかった。

それに、何といっても英姫は内実将軍の息女であり、それはたとえ一橋家の養女となって前身を消しはしても、なお意識のうちに現将軍には血を分けた叔母にあたるという矜持《きょうじ》を捨て切れなかったと思われる。

そういう一切を聞かされていない篤姫には、わり切れない残念があるが、幾島のいうとおり、これは初対面の儀式故、いずれまたお目通りの機会もあろう、と気持を宥《なだ》めていたが、その日はなかなかやってこなかった。

幾島は篤姫の気を引き立てるように、

「そのうちこの江戸にもお馴れ遊ばすよう幾島が計らいます。その上でまたご前さまとご対面になりましたら、お話の種もいちだんと多くなりましょう」

としきりにいってくれたが、篤姫は江戸になど馴れたくはないと思った。

本家の娘となったからには、父君の命じる場所に住まねばならないが、住むについては篤姫の胸には様子を十分に知らせて欲しいという願いがある。

今和泉の家でも、どうかすると篤姫はお幸の方の顔を見ない日が五日も十日も続くことがあったけれど、会わなくてもお幸の方の動静はよく判っていたから格段親を恋うということもなかった。

ここでは邸うちの事情が西も東も知れないところでの対面だったし、母なるひとへの気持の凭《よ》りかかりも大きかっただけに、御簾をへだてたった一言、という英姫の態度に篤姫が深く気落ちしたのも無理からぬところがある。

ここは、広さからいえば薩摩の鶴丸城には及ぶまいが、邸うちが何となく冷たくて、人を包み込むやさしさがない、と篤姫は思った。

始終人がざわざわと賑《にぎ》やかだった今和泉家のことは別として、あの鶴丸城の居間でも、戸障子を開け払えばあたたかい南風が城下の様子を運んで来、それは確かなもの音とはいえないまでも、言葉も習俗も相似た同じ土地に住む者同士の気持が胸に通ってくるように思えた。

小さいとき、恵橋の家の縁側に出てよく櫓《やぐら》を仰いだように、今度自分がその城の住人になってみると、縁側に出れば逆に、目の下にいく十万の薩摩人が住むことの大きな安心感があった。

鶴丸城の六ヵ月余、今和泉の家へ帰りたいとは思っても、城中のひとたちから冷たくあしらわれている感じはなかったのに、この江戸邸では薩摩から出府してきた篤姫を、人も邸も意地わるく拒《こば》んでいるように思われる。

いまは藩主は国許だから、諸式が控えめなのかも知れないが、養女とはいえ一の姫が到着したというのに賑々しい行事は何もなく、ひたすら、

「長途《ちようと》のお疲れやすめを」

の挨拶ばかりで、まるで捨てておかれているような感じは免《まぬが》れなかった。

話は少しさかのぼるが、この年の六月、ペリーが浦賀《うらが》にあらわれたとき、日本広しといえども少しも動揺しなかったのは薩藩だけであったと藩内の武士たちはいう。

というのは、斉彬はかねてこのことあるを予知し、江戸邸に警備の兵たちを配置してあっ

たので、知らせに接しては国許からわずかに百名の応援を、それも徐《おもむ》ろに出発させるという余裕のある態度であった。

何しろ全国の狼狽《ろうばい》動揺甚だしく、隣の熊本などでは幕府から江戸近海の警護命令を受けたものの、江戸邸は手薄でその人数はととのわず、国老自ら指揮をとって六百の兵を昼夜兼行で江戸に向わせたが、各藩とも同じように江戸へ急ぐために、道中の宿駅の雑踏《ざっとう》は目もあてられなかったといわれている。

関八州《かんはっしゅう》の騒ぎもすさまじく、近郷へ避難する老若男女でごったがえし、怪我人《けがにん》も出る有様、しかしこれは町人ならいたしかたのないことだろうが、日頃武器の手当てを怠っていた小藩などではあわてて銃《じゅう》槍《そう》甲冑《かっちゅう》のたぐいをととのえようとしたため、その値段がはね上り、以前の相場の十倍にもなったそうであった。江戸で俄《にわか》成金が生れたのも、この商いをしたひとたちであったという。

斉彬はさらにこの年の九月、江戸邸の二ヵ所は海岸沿いである故に砲台建築の必要ありと考え、幕府にその請願を出してあったところ、前記ペリー来航の際の準備の堅固さにかんがみて直ちに許可が下り、まず海岸を埋立て、オランダ新式の大砲六門をここに据えつけた。

三田の本邸では、このために安全が保障され、大奥では世間の騒がしさをよそにおだやかな日々であった。

篤姫の心は晴れやらず、幾島が、

「そろそろ江戸見物遊ばしては」

の伺いは毎日のようにあるが、江戸の町など見たくもなかった。

脇息に凭《よ》りかかり、じっともの思いに沈んでいると気持はますます滅入《めい》り、すぐにしぐれる江戸の寒さにも馴染《なじ》めず、吹く風でさえ何となくよそよそしく感じられ、ともすれば思いは南のほうに帰ろうとする。耳を澄ませると、風の具合で人のざわめきやものの匂《にお》いがここまで流れてくることもあるが、それは今和泉の邸で聞いたそれとはどこか違い、まるで異人の館に住んでいるような気がするのであった。

十一月に入った最初の亥《い》の日、朝食が終るとすぐ、英姫付きの女中二人が袱紗《ふくさ》をかけた金蒔絵の重箱を捧げて来《きた》り、

「ご前さまより姫君さまへつかわされ遊ばします」

という口上《こうじょう》であった。

蓋《ふた》を取ってみると、白い鳥の子餅と、黒いお萩餅の組合わせで、篤姫はふと心ゆらぎ、

「母上さまはやはり私のことを何かとお気にかけていて下さるに違いない」

と思ったが、そばから幾島が、

「これは江戸の炬燵《こたつ》びらきの日の慣わしでございます。毎年ご前さまより女中一同に下され

ます」

という説明を聞いてがっかりした。

英姫は建前として、将軍家のしきたりは一切捨て去り、一橋家の姫として島津の家風に従うべく務めてきたといわれるが、それでもお付き女中からして徳川大奥の習俗は忘れられないし、また将軍家へのなくては叶《かな》わぬ付合いというものもある。

たとえば歴代将軍の忌日《きにち》や、菩提所東叡山《とうえいざん》や三縁山の開山忌《かいさんき》、権現《ごんげん》さまに関わる諸種の行事には英姫名代の代参を立てねばならないし、そしてその延長として大奥のしきたりもいまもってその通り行なっているものもある。

この炬燵びらきもそのひとつで、英姫の居間には徳川家から持参の飾り物の炉があり、その炉にかたちだけ火を入れる真似《まね》をして、鳥の子餅とお萩餅を女中一同に下されるのは江戸城大奥のとおりであった。

幾島は重箱を示して、

「姫君さまも、これからはご前さまに万事お習いして、大奥の決まりをおぼえて頂かねばなりませぬなあ」

と笑顔で話したが、気易《きやす》くお目どおりも叶わぬそのひとが何を教えて下さるであろう、と篤姫は内心思った。

あたたかい薩摩では炬燵びらきの行事などは民間でも行なわないが、これが終ると冬になります、と幾島がいったとおり、朝晩冷えこみが強くなって、篤姫にははじめての江戸の冬を迎えることになる。

十一月十五日の七五三は、斉彬の子女が全部表書院へ揃ったが、現在二歳で国許に在る典姫を除き、世子の虎寿丸が四歳、暐姫《てるひめ》三歳、篤姫到着の翌々日誕生した寧姫《やすひめ》がまだ半月、という年並びで、それぞれの生母が付添った。

この日の行事は、篤姫との対面の挨拶あってのち、当歳宮詣り、三歳男女の髪置《かみおき》、五歳男子の袴着《はかまぎ》、七歳女子の帯解で、該当するのは寧姫と暐姫だったが、英姫はあらわれず、江戸家老がすべて取りしきった。

幾島の打明けたところによると、ここに並んだ若君姫君はすべて英姫を母上さまと呼び、母子の礼をとっているが、英姫がみずから子供たちの前に現れることはないという。

「ご前さまは身分の高いお方でいらせられます故、子供のほうからご挨拶に伺うのがそれは当然でございます」

といい、現に書院で揃って祝膳《しゆくぜん》のあとは一人ずつ新御殿へ挨拶に行くのだという。

篤姫はもはやその年齢でもないところからまっすぐ自室に帰って来たが、弟妹三人、まだがんぜないところもあって、急に親しみは湧いてこなかった。

こんなときはやはり自然に今和泉家の三人の兄と於才のことが思われ、もはやずいぶんと遠く隔たってしまったさびしさがしみじみ思われてくるのであった。
七五三が終ると粉雪のちらつく日もあってまもなく師走に入り、大奥の煤払《すすはら》いのはじまった日、幾島は斉彬から直々の書状を受取った。
斉彬はよく書状をしたためるひとで、気軽に家士の者へも書き送っているが、幾島のもとに届いたものは、
極秘の事
と頭書があって、その内容は、
この度、阿部伊勢守《あべいせのかみ》より急飛脚で大奥における姉小路の失脚を知らせて来、於篤の件は万事予が出府を待って進めたいとのよしである。その方は従前どおり、於篤の教育よろしきを頼む。予が出府の予定は狂わぬ見込み。
というものであった。
文言《もんごん》は簡潔であったが、これだけ知らせてもらえば幾島にはよく判り、それはいよいよ篤姫の大奥入輿《にゅうよ》の機が熟しつつある、と斉彬自身心迅《こころはや》っているところだと見てとれる。
姉小路というひとはなかなかの才女で、家慶《いえよし》の深い信頼を受け、長いあいだ大奥一の権勢を誇った女性であった。

出は橋本大納言実久の妹で、妹唐橋《からはし》とともに早くから大奥に奉公し、天保八年、家慶が家督を相続すると同時に、大奥女中として最高の地位、上臈年寄《じょうろうとしより》に取立てられたひとである。

もともと上臈とは主《あるじ》に凶事のある場合、その身代りとなるはずの役であるだけに気性もしっかりしており、さきごろ、水戸慶篤の婚約者、有栖川宮線姫《いとひめ》を横奪《よこど》りして家祥《いえさち》のご簾中《れんちゅう》にと企《たく》み、水戸老公とわたり合ったほどの気丈者だが、今回の失脚は老公がそのときの怨みを晴したふしも窺《うかが》えないでもなかった。

ことの起りは、家慶将軍が薨去《こうきょ》のあと、葬儀は増上寺《ぞうじょうじ》で執り行なわれたが、このとき姉小路は増上寺から賄賂《わいろ》をもらったことが発覚したのだという。

歴代将軍の墓所については、寛永寺《かんえいじ》と増上寺がずっと争っており、そのときどきによって決まるだけに賄賂のはなしは真実性があり、よしんばあらぬ疑いをかけられただけでも、上臈年寄の地位を下りるのは当然であったろう。

もっとも家慶将軍の葬儀は八月のことで、以来姉小路はその嫌疑と戦ってきたものらしかったが、外へ洩《も》れなかっただけに、今回の辞任ははた目に突然の失脚、と映ったらしかった。

斉彬に、家祥ご簾中に二条家の姫君が強力な競争相手であるのを注進してきたのも姉小路だったが、この頃の姉小路の心中は誰にも計り難かったという。

何故なら、線姫を、と横車を押すほど、同じ公家の出をご簾中に据えたがった姉小路が、武家の島津に何故好意的な知らせをもたらしたかは幾島には謎《なぞ》であった。

しかしいずれにしろ、水戸とはそりの合わぬ姉小路が失脚したとなれば、水戸老公と親交のある島津家と将軍家の縁組は一歩進んだと見てよく、幾島はその斉彬からの親書に接して身内の血が躍るのを覚えた。

斉彬が予定どおり出府すると、一月末国許を出、木曾路《きそじ》を通って江戸邸に到着するのは早くて三月の終り頃になるという。

十二代将軍薨去の発表があった七月、家督を継いだ家祥は、十一月二十三日、朝廷よりの将軍宣下があって十三代将軍職を継ぎ、名も家定《いえさだ》と改めた。

諸大名は祝儀のために総登城し、島津藩でも江戸家老が献上品の手配その他に忙殺されている由を篤姫は聞かされ、将軍家定公というのはどんなお方であろう、とふと思った。

いままで命ぜられるままに生家を出て鶴丸城へ入り、ついにこの江戸までやって来たが、この邸がまた終《つい》の棲処《すみか》でなく、次に移動する場所が自分の死地だとはよく判っている。

それが将軍家だとは告げられているものの、幾島の話では、

「何といっても将軍さまは天下びと。首尾ようご入輿できるかどうかはまだ判りませぬ。すべては父上さまがお取計らい下さいます」

とのことで、これまでほとんど家定についての詳しいことは聞かされていなかった。

大小名の姫君たちは、嫁ぐべき相手の婿君《むこぎみ》に対して過大な望みを抱かぬよう、小さいときからよく躾《しつ》けられており、それは薩摩から引き続いての幾島の講義にも、

「姫君がたのご主君は夫殿でございます。家来はご主君に対して仮りにも不忠謀叛《むほん》の気持を抱いてはなりませぬように、いずこへ輿入れされようと、まず夫殿に従うことが第一にございます」

を毎度嫌になるほど聞かされており、それは菊本が昔から夢みるように、

「お賢い姫君さまの婿君さまとなるお方はさぞご立派なお方でございましょうなあ。文武両道に秀で、奥方をやさしくいたわって下さる方がお似合いでございます。

菊本も早うに婿君さまにお目にかかりたいものでございます」

と楽しんでいた口ぶりと違い、ゆくてにも決して楽しいことはありませんぞ、といい聞かされているように思える。

いまこの江戸に来て、国許のお幸の方を眺めてみれば、身心ともに弱い忠剛《ただたけ》に連れ添い、藩主に仕え、分家との付合いも按配《あんばい》し、側室二人への心づかいを忘れず、日々身も細るほどの苦労ではなかったかと篤姫にはうすうすは察せられるようになってきている。

他家に嫁ぐのは茨《いばら》の道、生家に居るときが花、とは折々耳にした女の道だったけれど、い

まの篤姫の身はいずれでもなく、宙に浮いた頼りなさだと思う。

こんな有様でいればいきおい関心の向くのは次なる移動先で、それが将軍家か他国の大名かは知れずとも、いままでになく気がかりな気持が頭を擡《もた》げてくる。

おん年三十、と聞くその将軍家は、いままでご結婚はなさらなかったであろうか、いやそのようなはずはない。お世継ぎの方々は乳人《めのと》の乳離れと同時にお相手を捜されると聞いているし、げんに先頃対面した当家の虎寿丸も、もうお相手の姫君を物色されている由、篤姫は聞いたことがある。

一日思い切って幾島に、篤姫は将軍家のことを聞いてみようと考えたが、実際には恥しくてなかなかにいい出しかねた。

何かの話のついでに聞こうと思っても、幾島は徳川大奥のしきたりについてはたびたび口にはしても、将軍そのひとについては何も話してはくれなかった。

もしこれが菊本なら、格別身構えも要《い》らず、

「将軍家は御台《みだい》さまを一度もおもらいにはならなかったのかえ？」

と気軽く聞かれようが、幾島の場合は、腹に一物あって、わざと何も聞かせてはくれないように疑うべきところはある。

腹に一物とは、幾島がひそかに自分を試そうとしているのではないかという魂胆で、それ

は、これまで教育して来た成果を見極めようとしているのではないかと思えるふしがないではない。

つまりお覚悟のほど、を問われているわけで、ここに来て今さら何の動揺することやありましょう、お相手がどんなお方であろうと、泰然としてお受けになるのが道というものでございます、たとえお相手の方に難がありましょうとも、否やのいえるお立場ではございますまい、と暗にいい聞かされているような気がするのであった。

英姫とはあれ以来依然親しい語らいもないまま、しかしこの邸のしきたりに添って下されものはきちんとあり、その年もようやく暮れ、嘉永七年が明けた。

国許では、多事多端の折柄、斉彬は出発の前日まで大砲操練について演習の監督をし、一月十六日、このたびの供奉《ぐぶ》代表国家老島津豊後《ぶんご》が名代として門出の式事をして二十一日総勢江戸へ向って発進した。

この夜は伊集院苗代川《いじゆういんなえしろがわ》に泊り、朝鮮歌舞を招いて見物し、順調に隊伍は進んで二十四日の昼食どき、高城《たき》郡西方村で休憩中、江戸からの早馬があった。

それは江戸邸からの飛報で、本月十六日、米国軍艦再び江戸湾金沢沖にあらわれ、江戸市中騒然たりという知らせで、斉彬はただちに命令を出して出水《いずみ》、加世田《かせだ》、穎娃《えい》の郷士《ごうし》九十六名、他に与力二名、足軽八名を警衛のために先発させた。

ペリーは昨年六月の来航のとき、大統領親書を幕府に渡し、明春の再航を約していたからこれは予定の行動だったが、今回はもうぬきさしならず開国の返答を迫られ、米艦は深く内海にまで入航してきたため、昨年にも増しての騒ぎであるらしかった。

斉彬は下知《げじ》し、在府の兵二百を高輪邸に配置して父斉興《なりおき》公の守護に当るよう、そして三田藩邸の英姫、虎寿丸、姫たちを厳に守るよう、また一方では国許へ使者を走らせて、二番手としての一隊を編制し、予備のため大阪に在駐させるべき手配をした。

この一隊の総指揮には国家老筆頭の島津石見《いわみ》に当らせ、石見は大坂到着後、主として京都警備に当ったため、近衛家から深く感謝されたそうであった。

斉彬の隊伍は道中急ぎ、三月六日には江戸藩邸に到着したが、これは平常よりおよそ二十日余りも早着であった。

が、途中、斉彬の唯一気掛りの件には手を打って来ており、それはかねて考えていた世子《せいし》虎寿丸と近衛家の七女信姫との婚約の打診で、京都滞在中、先ず島津豊後を右大臣家に伺わせた。

実はこの話は唐突ではなく、信姫誕生の頃から両家の話題に上っていたもので、このたび虎寿丸も五歳となり、信姫も四歳の髪置の祝いも済ませたところで約束固めをする手はずとなったものであった。

露払い役の豊後によって斉彬訪問の日が約され、その日、斉彬はおしのびで近衛家に伺った。

相手は右大臣家故、斉彬もこのたび昇進した中将の服装でなければならないが、おしのびのため平服を許されての参殿で、このとき公家の三条実万《さんじょうさねつむ》、中山忠能《なかやまただやす》両卿が臨席であった。ときはペリー来航中、天皇家に最も近い公家と、諸大名の雄、島津家の当主とでは国事についての話題尽きず、互いに腹蔵ない意見を交換し合ったという。このことはずっとのちに大きな意味を持って篤姫の脳裏によみがえってくる事実だが、幾島から聞いたときにはただ恐れ多いこと、としか篤姫は感じられなかった。

斉彬は江戸藩邸到着の夜、子供たちを招いて祝膳を囲んだが、警護の人員だけで七百名にふくれ上った騒然たるなかのことで、篤姫には、

「どうじゃ。もう江戸には馴れたか」

の一言を賜わっただけであった。

虎寿丸の結婚の首尾をも急いでおり、これからは閣老に稟議書《りんぎしょ》を出して結婚を伺い、次には正式に近衛家の代表の出府を迎えたあと、結納《ゆいのう》の儀も執り行なわねばならず、そういう段取りに追われていて、夜半、幾島が大奥の御小座敷に呼ばれたのは、到着後六日ほど経《た》ってのちのことであった。

お須磨の方はつねに斉彬に随伴しているが、その夜は姿は見えず、酒盃《しゆはい》も遠ざけての折入った話で、

「於篤の様子はどうか」

とたずね、

「殿さまのお留守とてまだ市中へ見物にお出まし遊ばしてはおりませぬが、至ってご機嫌うるわしくおわします」

と答えると、暫《しばら》くののち、

「実は」

と声を落してから、

「島津安芸は一月二十六日、国許でみまかった」

と言葉があった。

忠剛には今和泉領の砲台の警備を任じてあったが、例によって折々は床に就き、藩主呼集の登城にも、去年秋頃から顔を見せないことが多かったという。

斉彬が訃《ふ》報《ほう》に接したのは、下関に到着してのちのことで、直ちに側用人を使者として帰したが、公表するのは斉彬江戸到着後としてずっと伏せてあったという。

幾島は忠剛の訃《ふ》を斉彬から聞かされてのち、まる一日、自分だけの胸に伏せて思案した。

篤姫はまだどうやらこの江戸に馴染まぬ様子、相変らず暇さえあれば書見を好んでいるが、いまこのように衝撃的な事実を打明けて、果して平常心を乱さずにいられるものかどうか、いや、すでに今和泉家とは縁を断ち切って、この本家の姫たる心構えに徹するよう、くどいほど話して来たのだから、と幾島は考え、自分自身を試しみる思いで、これを率直に篤姫に告げることにした。

邸うちの表は警備の人員があふれていても、奥ではやはり例年のように邸内の花見の行事が取沙汰される毎日で、花見にこそ篤姫を楽しませ参らせよう、と考えていた幾島に取ってはつらい役目であった。

気色《けしき》を改めて篤姫に向い、

「姫君さま、ただいまより幾島の申上げることをお聞き遊ばしても、決して取乱すことのなきようお願い申上げます」

と前置きしてのち、島津安芸忠剛の訃を告げた。

目を見張って聞いていた篤姫は、

「今日は三月十三日、一月二十六日にみまかられしものなら、何故早馬など走らせて私に知らせてくれなかったのじゃ。

それともこちらの藩邸へは触れがあっても私にだけは伏せておいたのか、それを明らかにして欲しい」

と大きな声で叫び、幾島を睨《にら》みつけた。

幾島は内心舌を巻く思いで、

「父上さまには内外多事の折柄、重要なご四家の当主のご逝去《せいきょ》は時期を見計らって、と思し召したかと考えられます。いえ、大事を前にした姫君さまには、父上さまおん自らお口うつしでお知らせになりたかったかも知れませぬ。

はい、げんにそう仰せられたのでございますが、姫君さまのお胸のうちを考え、前もってこの幾島が、申上げたのでございます」

としどろもどろになりながらも膝を進め、

「しかしご安心下さいませ。今和泉家はご世子忠冬《ただふゆ》さまが十一代をお継ぎ遊ばし、家督ご安《あん》堵《ど》と内定いたしおります」

と宥《なだ》めようとするのへ、篤姫も脇息《きょうそく》をわきへおしのけて、

「家督のことなどたずねているのではない。父上のご逝去を、何故に本日まで子たる私に隠していたかを聞いているのじゃ」

「それでは申上げます。将軍家におかせられては、将軍薨去ののち、公表はおよそ一ヵ月のちでございます。薨去を知る者とては、ご近習、ご重役、御台所など一部のみにて、これは

墓所や葬儀のご準備に日数のかかります故にて、それらがすべて相調ってのち、ご不例発表と相成ります」

「父上は将軍家ではない」

と篤姫は叫ぶや、幾島の目の上のこぶを目がけて持っていた扇子を発止、と投げつけた。扇子はこぶに当らず、肩を打って畳に落ちたのを幾島はやおら拾い上げ、要《かなめ》を先にして篤姫の前に戻しながら、

「どうぞお静まり遊ばしませ。

そのように女子にあるまじき猛《たけ》りようをなさいますのは、ひっきょう当家父上さまの思《おぼ》し召《め》しに逆らうことども相成ります。

また、この幾島が一年余も申上げて参りましたことを、いまだすこしもお弁《わき》え《ま》遊ばしてはおられぬことと、幾島いささか残念に存じます」

というのを篤姫はもはや耳にとめぬ様子で、

「父上さまはおん年たしか四十九歳のはず、何故いま少し長生き遊ばしては下さらなかったのか」

と呟《つぶや》くなり、脇息の上に泣き伏した。

お若い頃からお体の弱かった父上、どんなご最期であったろう、このような境涯でなくば

心ゆくまで看取《みと》ってさし上げられるものを、と涙はあとからあとからとめどなく、こらえようとしても嗚咽《おえつ》は洩れてくる。

一緒に住まっていれば、いや一緒に住まわずともせめて同じ薩摩にいれば、ご最期の様子はいち早く詳しく聞かれるものを、遠く離れた江戸邸の、奥深く囲われた日々を送っていることの悲しさがいまさらの如《ごと》く胸に迫ってくる。父上さまご臨終のその日、その刻限、自分は歌留多《かるた》などに打ち興じていたやも知れず、と思うと、胸を絞《しぼ》られるように悲しい。

母上さま兄上さま方、また於才も、どれほどご悲嘆のことであろう、せめて手を取合って慰め合いたいものを、と涙はとめどなく、それはいまの、さきの見えない閉じ込められた暮しだけに、胸のうちで悲しみが倍加されるようであった。

声を挙げて泣き続ける篤姫を、幾島は目を見張る思いで眺めながら、この姫君はやはりどこか違う、と考えることしきりであった。

実は、幾島の仕えた郁姫は、斉興の娘、斉彬の姉、ということでずっと通してきているが、真実は斉宣《なりのぶ》の娘、斉興の妹であり、斉彬には叔母に当るひとで、近衛家に嫁いだのち天保六年、実父斉宣の死の報《し》らせを受けている。

いまの篤姫とよく似た状況だが、ただ郁姫は忠熙《ただひろ》の正室という地位、篤姫は入輿さきも決まらぬ養女の身分、という違いがあったにしろ、郁姫はまわりの誰にも知れぬほど、ひっそりと涙を流しただけだったことを幾島は思い出した。

このときもたしか、近衛家への通報はずい分と遅れていたはずで、それというのも将軍家とおなじく、島津家にも諸種の準備に手間どるためであったらしい。

郁姫はもともと静かなひとで、幾島の言葉に一度も逆らった例《ため》しがなく、このときも、「表向きにはおん祖父君に当らせられまする故、三日間の喪にお服し遊ばされませ」と勧めるとそれを守り、誰をも怨み、なじることはなかったことなど、幾島は思い起すのであった。

郁姫に限らず、大体姫君方は心のうちを露《あら》わにしたり、騒ぎ立てたり、大声を挙げたりすることを幼いときから厳に戒められており、そういう郁姫の姿を見て、幾島はひそかに、我が教育の効果に満足したことをおぼえているが、いま、篤姫の怒りと悲しみに触れ、ふと、そんなふうに考えるのは間違いではなかったかと思った。

武家ではとくに表向きをいい、本心を明かさぬを立派な生きかたとされるが、血を分けた実の父がみまかったと聞くや、その遅報をなじり、泣き沈むのは娘としてほんとうの姿ではないかという疑問が起きる。

まして今和泉家では、体の弱い忠剛を中心に、家族的な睦み合いも一入《ひとしお》だったと聞けば無理からぬ思いもあり、幾島は泣き沈む篤姫を見て、これ以上の口出しはできかねる思いであった。

篤姫の涙はおさまらず、その日はほとんど食を摂《と》らず、夜も、隣の幾島がいつ目ざめても嗚咽が聞え、この様子なら、翌日の斉彬との対面も気づかわれる、と考えていたが、夜が明けるといつもの通り起き、髪を結い、きちんと化粧もした。

仏間で礼拝のあと、斉彬は御小座敷に篤姫をいざない、ここで正式に島津安芸の訃報を伝え、そして、

「安芸殿には、昨年三月より今和泉領の砲台の守備を任じたが、まことに精励、よくその任を果したばかりでなく、進んで海防の警備も厳にし、錦江湾入口の西岸に就ては予も安《やす》んじて安芸殿に託することができた。

まことに以て、冥福《めいふく》を祈りたい」

という言葉があった。

篤姫は目に涙を溜《た》めながら気丈にもそれはこぼさず、手をついて、

「そのお言葉を賜わりまして、安芸殿もさぞや冥路《よみじ》にて喜びますことと存じます」

と礼を述べた。

篤姫は、誰よりも尊敬する斉彬から父忠剛の生前の業績を賞せられたことでこころ和《なご》み、昨日来の胸のうちにわだかまった不満が次第に解けてゆくように思えた。

それは続いて斉彬が、

「於篤もこのところの国内の騒擾《そうじょう》はよく存じておろう。今や予も、その対策に忙殺されてはいるが、於篤の件は着々進捗《しんちょく》しつつある故、安心するがよい」

と慰めてくれたことも関わっており、斉彬が決して自分を粗略には扱っておらぬのを確かめたこともあった。

確かに斉彬は、江戸到着以来、毎日のように人と会ってこの時局に対しており、それは開港攘夷《じょうい》の世論沸騰のなかで、いずれの派にしろ現幕府を強化することであった。

幕府強化とは、総帥将軍の強化でもあって、ここに襲職したばかりの第十三代家定の器量が改めて浮び上がってくる。

昨年ペリーが浦賀で九日間碇泊《ていはく》し、やっと退去したあと、老中阿部正弘《あべまさひろ》は諸大名に対してひろく意見を求めたばかりでなく、幕臣及び諸藩士、また一般人にもよい考えがあれば申し出るようにと触れた。

これは、従来の徳川政治に見られなかった態度で、これまでの独裁体制は、いかに大藩ではあっても外様《とざま》大名は幕府の政策に対して発言できなかったことに較《くら》べれば、政策の大きな転換で、幕府の力もややうすれて来た感はある。

諸大名、幕臣はぞくぞくと答申書を提出し、大名だけでも二百五十名、幕臣が四百五十名、これらの意見書を前にして、老中たちの評議は昼夜兼行でひらかれたという。

つまりこの意見具申で、諸大名の和親か攘夷かの態度が鮮明となったわけで、攘夷派筆頭に水戸斉昭《なりあき》、親藩の尾張、松平《まつだいら》春嶽《しゅんがく》らがおり、この難局にあたって老中は水戸斉昭を正式に幕政参与の役に任用した。

島津斉彬は、早くから洋学に興味を持ち、和魂洋才を唱えて西洋の科学技術を取入れてきただけに、誰からも和親開港派と見られていたが、しかしこの時点でまだ態度は明らかにしていなかった。

何といっても、幕府に発言権を持つのには外様の立場は弱く、阿部正弘や水戸斉昭と親交を保つためには、幕府強化論の一致で妥協していたところもある。

結局、再度来航したペリーは数回の正式交渉ののち、下田、函館を開港するという日米和親条約十二ヵ条の締結に漕《こ》ぎつけ、琉球《りゅうきゅう》方面へと去っていった。

このあと、ジェームス・スターリングが英艦四隻を率いて長崎に来り、開国を求め、また昨年、長崎にやって来たロシア使節プゥチャーチンが今度は大坂、次いで下田にあらわれ、幕府はまたこれもいたしかたなく日露和親条約を結び、下田、函館、長崎を開くのだが、これによって長い鎖国政策は終りを告げようとしているのであった。

斉彬は参府の直後、阿部正弘に会って篤姫入輿の話をしたところ、阿部老中は、先代家慶《いえよし》公も嫡子家定の上のみを案じつつみまかられたよしを報告し、その件を急ぐことについて異論はなかった。

とくに最近、家定はこの緊迫した時局に際しておびえる様子を見せ、一向に関心を深めない由、阿部老中は斉彬に報告し、とりあえず天下の副将軍、と呼ばれる水戸老公に入輿の件を急ぐことを話そうと約してくれた。

これが三月十三日のことで、翌日篤姫に忠剛の訃を告げ、斉彬は阿部正弘からの連絡をひたすら待った。

四月に入ってのち、阿部老中からの親書が届き、開けてみると、それは、
水戸公案外なる面持にて――

と前書きあって、薩公は娘を大奥に入れて子を設けしめ、次期将軍の義父となりて権勢をふるわん所存と見ゆ、と呟かれた由、書かれてあった。

斉彬は日頃、ほとんど怒気《どき》をあらわさないが、阿部老中からの親書を読み終えたとき、体中がふるえ、手の巻紙が波立つほどであった。

憤りの理由は、この場では誰にも明かすことはできないが、事情を熟知《じゆくち》しているはずの斉昭がこんな理由をつけて入輿を妨げるのはどういうわけかと思った。

家定というひとは、白粉の鉛害とはっきり断定できないが、幼少の頃から心身に障害のあ

ることは誰しも認めている。

骨細で見るからに弱々しく、顳顬《こめかみ》にはみみずのような癇筋《かんすじ》があって感情の起伏がはげしいし、おそばの者もそういう家定を不愍《ふびん》がってとくに大事に育てすぎた感がある。

父家慶も、二十五人中、一人だけ成長した子だったから、風にも当てぬよう命じ、そのために家定はずっと女ばかりの大奥で育ち、いま以て男ばかりの表へ出ることを嫌い、しぜん政治から遠ざかっているのは誰でも知っている事実であった。

家来の前でも長時間の正座はできず、難しい政治向きの話になるとすぐ怒ったり悲しんだりする性癖では将来がこころもとないという印象を与えるのは当然のことで、小さい頃からつねに暗殺の危険にさらされてきたひとである。

祖父家斉の住む西の丸へ入っても、湯茶さえ口をつけなかったというのは毒殺の用心のためで、そういうこともあってか、家定の好むのは奥で野菜を切ったり煮たりする遊びで、この頃ではそれが進んでひとりでまんじゅうを作るようになったという。

おそばの者が、

「右大将さまもご上達遊ばして、今日はカステラを試みると仰せられ、それはそれはお見事にお作り遊ばしました」

と報告するのを聞いて、阿部老中は、

「三十すぎて、昼ひなかからカステラのご製造でいらせられるか」

と長大息したこともあるという。

家定の少年の頃、小金原《こがねはら》で鹿狩りを催したとき、たまたま元気なところをみせて小兎《こうさぎ》を一匹突いたところ、供奉《ぐぶ》の女中たちの九分九厘までが涙を流し、

「そんなむごたらしいことを遊ばして」

と嘆いたため、家定は以後、動物に手を触れるのを嫌がるようになったという話も、斉彬は聞いたことがある。

家定の障害が脳にまで及んで、暗愚であるか、はたまた、体は弱くても内心は深い洞察力を持つ賢君であるかは論議の分れるところだが、少なくとも九代家重のように言語も不明瞭なほど病いに冒されている様子ではない。

ただ、成長するに従い、ますます人嫌いになり、表向きのことにはほとんど関心を無くしてゆくのを見て、当然起ってくるのは継嗣《けいし》の問題であった。

薨去《こうきょ》ののち、いまは慎徳院さま、と呼ぶ先代家慶《いえよし》は深く家定の将来を案じ、家定十八歳のとき、京都から選りすぐって関白鷹司政煕《たかつかさまさひろ》の女《むすめ》、有君《ありぎみ》をめとってやったといわれている。

このときの婚儀を斉彬はよくおぼえており、まだ部屋住みの身ではあったが、大伯母の広大院が存命中のことで、父斉興とともに祝儀の席に招かれた。

家定と有君が揃って謁見の間にあらわれたのはほんのわずかのあいだであったが、色白の細面でさすが京育ち、と思わせるように美しかった。

有君は鼓《つづみ》の名手で、義父の家慶はよく相手を申付けたといわれ、家定との仲も睦まじかったのに、七年間の結婚生活ののち、痘瘡にかかって亡くなってしまった。

家定は悲嘆やるかたなく、日夜涙を流したといわれるが、島津家ではお由羅《ゆら》騒動《そうどう》のまっさい中で、斉彬はまだ家督を継ぐこともできず、聞いているのは、ご簾中を失ってまたいっそう人嫌いになったといわれる家定の噂だけであった。

七年間の夫婦生活のあいだ、有君にはついぞ一度も懐妊《かいにん》の兆《きざ》しもなく、それだけにいっそう廻《まわ》りでは世継ぎの問題を案じたらしい。

有君逝去のあと、大奥ではただちに次なるご簾中を捜しにかかったが、これは家定自身がなお有君を忘れかねてか、

「京都からを」

と望んだといい、姉小路の取持ちで関白一条忠良《いちじょうただよし》の女、明君が入輿してきたのが、有君逝去の翌嘉永二年十一月であった。

家定は公家の娘に亡き有君を重ね合わせ、毎日楽しみに入輿の日を待ち兼ねたといわれ、おそばの者も、病気がちな家定のために、よきご簾中の一日も早い到着をともに願ったとい

う。

　これはまだ斉彬が藩主とならぬ前のことで、人伝《ひとづ》ての噂しか聞いてはいないが、大奥の居間に到着の駕籠が引き入れられ、老女の滝山《たきやま》がこちら側から、

「姫君さま、何卒《なにとぞ》お出まし遊ばしませ」

と促すと、駕籠の向う側から小さな声で返事があり、見るともう駕籠から出てすっくと立っている。

　立ってはいるが、明君のその頭の高さは駕籠から出ず、身丈《みのたけ》四尺に満たない矮小《わいしょう》な体軀《たいく》の持ち主であった。その上、駕籠から座の位置までの数歩を進む姿は肩が大きく上下し、どうやら片足が短いらしかった。

　声も小さく、どことなく顔色も沈んでいて、期待が大きかっただけに大奥の落胆はたとえようもなく深かったという。

　将軍家が公家からご簾中を迎える場合は支度金を山と積むのが慣わしで、それで調えたかずかずの衣類調度の類《たぐい》を大奥に運び入れたが、足袋は七文、衣裳《いしょう》はまるで人形のように小さいもので、この姫君を京から連れてきた姉小路に非難は集中した。

　女の城、大奥のできごとは、都合の悪いものは固く秘し隠して表へは聞えてこないが、それでも上手《じょうず》の手から水の漏るたとえで、表ばかりか府内まで拡がることもある。

このとき、滝山が姉小路に対してどういう詰問のしかたをしたか詳細は誰も知らないが、噂として流れたのは、明君はどうやら一条忠良の娘ではないという話であった。

多額の支度金に目がくらんだ誰かが企んだことかも知れないが、それにしても橋本大納言の妹で京育ちの姉小路までがころりと欺《あざむ》かれてしまったのだという。

姉小路は利発で男勝《おとこまさ》り、かつて天保《てんぽう》の改革のとき、大奥の出費をきびしく節減させようという老中水野越前守《えちぜんのかみ》に直談判し、

「人間には飲食と男女の欲がある。奥向きの者はそのひとつ、男女の欲を全く捨て去っているのであれば、いく分の贅沢《ぜいたく》は見逃すべき」

と述べて堂々とわたりあい、老中の提案を斥《しりぞ》けたという有名な話もあるほどだが、この明君斡旋《あっせん》の件は、姉小路も京へ迎えに行ってのち、事の次第を知ったらしかった。

が、いまさら後へはひけず、このとき、滝山から浴びせられたという、

「奸物《かんぶつ》っ」

という罵声《ばせい》にもじっと耐えなければならなかっただけに、このあといろいろな噂がつきまとうのである。

姉小路は、

「お姿はややお小さくはあっても、稀《まれ》なるご聡明にてましまし、情深く、また古今の学問に

も通じてとくに歌学は巧みにて」

と懸命で推輓《すいばん》に務めたが、やはりいちばん気落ちしたのは家定自身ではなかったろうか。

立っても、襖《ふすま》の引手まで頭の届かぬ明君を家定はからかい、その頭に手をやって手毬《てまり》をつく真似をして遊んだという話も流れ、

「箱入りの京人形を連れて来て、一丈あるとは無理な姉さま」

という落首や、片方足駄、片方草履をはいた姫君の絵姿が町のあちこちに貼《は》られてあったという。

明君はこういうなかでさびしい日々を送り、翌年六月、亡くなってしまったのだが、死因については表向き脚気衝心《かつけしようしん》、その実は殺されたという噂が専らであった。

下手人は、明君を嫌った家定が、この頃また持病の癇癖《かんぺき》が募ったため、直接手討ちにしたのだという説と、いまひとつは、姉小路が自ら決意して将来御台所にふさわしくない姫君を毒殺したという説と二た通りある。

家定は病が昂《こう》じてくるとイライラと怒りっぽくなり、以前にも女中二人を殺したのだという噂が広まったとき、姉小路が決然と、

「右大将さまにはお慈悲深いお方で、人をお手討ちにできるようなお方ではない。そのような不敬の噂は以後きっと慎しむように」

と女中一同にいい渡したが、これは刀さえ持つことのできぬいまの体力をお慈悲におき換えての言葉であったらしかった。

昔から貴人の急死の原因は大てい脚気衝心で、それは美食と運動不足で根拠のあることではあるが、明君は京から江戸へ入輿してわずか八ヵ月足らずののちの逝去だっただけに、奥医師が病名を発表してもひとびとの不審は去らなかった。

姉小路が、京都の一条家へ多額の金品を見舞に贈ったり、或いは姉小路の部屋には明君の位牌《いはい》があって、日夜回向《えこう》を怠りないとかの噂がささやかれ、一時は誰もそれを信じていたふしもある。

このあと、家定の配偶者について姉小路は責めを負わされるようなかたちになり、水戸へ入輿の決まった線姫《いとひめ》の横奪りを試みたり、また在国の斉彬に密書を出してまで二条家の保姫との縁談を阻もうとしたりしたのも、姉小路自身の焦りではなかったろうか。

そしてこのたびの姉小路失脚の原因には、水戸の画策ばかりでなく、そういう陰の策謀をよしとしないところからの提言もあったらしい。

家定は、後の明君の場合はほとんど奥泊りがなかったらしいが、前の有君との七年間はたびたび褥《しとね》を共にしており、にもかかわらず子供を儲《もう》けられなかったことに就ては、側近のあいだでその能力を取沙汰するものが多かった。

早くお世継ぎを、という大奥女中の期待を、老中久世広周《くぜひろちか》が笑った話は斉彬も聞いており、しかしそのとき同座の松平春嶽は、

「かのおん九代家重公《いえしげ》には、ご病弱であらせられたにもかかわらず、家治公《いえはる》という賢君の世継ぎを儲けられた。この道だけは余人には判りませぬぞ」

といって冗談交じりに反駁《はんばく》したことを、これは春嶽自身から斉彬は聞いている。

家重は八代吉宗の実子で、生れつき病弱でずっと大奥で育ったが、女色と酒に溺《おぼ》れたため病気はさらに進んで、言語はほとんど聞きとれなかったという。

家重にとって唯一幸いしたのは、少年時代に小姓であった大岡忠光だけが家重の言語を解する特技を持っていたことで、忠光は側用人に取立てられ、生涯家重のそばに侍ってすべての用を足した。

歴代将軍中、この家重だけは自分の手で書類に署名もできず、従って政務を執ることもできなかったが、結婚は京から伏見宮邦永親王の女、比宮《なみのみや》を迎え、また側室もあまたいて、徳川の血を継承する責めだけは果したのであった。

いま十三代家定が、この家重と較べるほど暗愚であるか、また病弱ではあっても頭脳だけは健全であるか、そういう話題は城中で禁忌《きんき》にされているだけに表向き一切判らず、こんな背景もあって早くから家定暗殺の陰謀も立てられていたものであろう。

家定の性生活について、明君を失ったあと、姉小路をはじめ女中たちがそのままにしておくはずはなく、早くから側室をすすめており、いま大奥にはおしがの方がいる。

おしがは五百石の旗本、丸矢紀兵衛の娘で、最初は十六歳で最下級のお半下《はした》で城中に上り、御三之間に取立てられたとき、姉小路の計らいでお目見得に出、家定付きの中﨟《ちゅうろう》として部屋を与えられた。

非常に気の強い性格で、朋輩と口論してでも我意を曲げないところがあって、そこを姉小路に見込まれたのだといわれている。

有君を失った直後の家定はよほど心さびしかったらしく、日頃はあまり興味を示さない女中のお目見得にも積極的であったといわれ、挨拶に出たしがに家定が、

「年はいくつか」

と聞いたとき、しがは、

「恐れ多くも右大将さまと同じ申年《さるどし》でございます」

と答えたのが大いに気に召したらしく、

「そうか。申年か」

と幾度も呟き、姉小路にうなずいて見せたという。

御三之間から一挙に御中﨟に上ったしがは大した出世だけれど、それについて朋輩たち

は、

「おきれいとはいえないけれど、おきれいに見える、とくなお方」

と評したそうであった。

双の眉《まゆ》がはっきりと濃く、口のききかたに強い響きがあって、およそ迷いのない気質であったらしい。

家定の寝間に呼ばれた翌朝、姉小路から、

「ご病弱ゆえ、そなたの命に代えても右大将さまの御身をお守りしなければなりませぬぞ」

とこんこんとさとされたが、しがは生涯、それを旨としたところがある。

このときしがは二十五歳で、暇をもらって生家に戻っても嫁入先は後妻の口しかないことなどの計算も働いたものか、或いはそれと関わりなく忠義一途に仕えたものか、奥にいるあいだ片ときも家定のそばを離れず付添うようになった。

家定の生母は、書院番跡部茂右衛門正賢の娘みつで、これも早くから大奥へ上り、家慶時代御中﨟だったひとだが、家慶薨去後は本寿院《ほんじゅいん》と称して西の丸に住んでいる。

あまり出しゃばる気質ではなく、折々家定のほうから時候見舞に伺う程度だが、多病の家定はこの本寿院に替り、しがの上に強い母の幻を重ねていたのではなかろうか。

「右大将さま、お表へお出まし願わしゅう存じます」

と家来が評定の案内に来ても、しがは家定の顔いろを見てとるや、

「今日はお加減悪しきため、ご休息遊ばします」

とそばから口を出し、家定もほっとしたようにその言葉にうなずく光景は毎度のことであった。


そしてこんなしがの奉公も、今年でもう七年になる。

家定の妻妾《さいしょう》との生活をみると、最初の有君が七年、おしがが六年、明君が八ヵ月という勘定となるが、その間誰にも懐妊の兆しのないことで、家定の能力については表の主だった家来たちのあいだでは早くからささやかれていた。

奥では、

「右大将さまのせいではない。相手さえ変ればお世継ぎの望みはまだ十分ある」

と老女たちは希望を繋《つな》いでおり、そのために早く体の丈夫なご簾中を、と焦っていたふしもある。


斉彬は、いま阿部正弘からの書状を読み、この事情を知らぬはずはない水戸老公が、

「薩公は娘に世継ぎを儲けさせ、次期将軍の岳父《がくふ》としての権力を手にしようとしている」

といわれ、書状がふるえるほど腹を立てたのも無理からぬところであった。


つねづね肝胆相照らす仲、とは思っていても、大名同士の付合いというのはさまざまな思

惑がからむもの、という思いを斉彬はいまさらのように深くせざるを得なかった。

書状を読んだあと、斉彬は筆をとって阿部正弘に面談の申入れをし、すぐ使いを出した。

その使いが戻るのと入れ替り、夜間おしのびのわずかな供揃えで邸を出、阿部正弘宅に到着したのは何刻《なんどき》だったろうか。

書院で向い合った斉彬は、このひと特有の柔らかないいまわしで、

「水戸公のご真意を計りかねるに付き、夜分参上致しました。阿部殿には如何《いかが》お汲《く》み取りかな」

と問いかけると、阿部正弘は盃《さかずき》をすすめながら、

「ご老公にはこのところ、疑心暗鬼のご様子が仄見《ほのみ》ゆるふしがあります」

という。

それは、将軍家継嗣をめぐっての、最近とみに活発化してきた議論に対しての身構えで、それというのも、斉昭《なりあき》の第七子で、いまは一橋家を相続している慶喜《よしのぶ》を強く推しているためであった。

将軍家に世子《せいし》がない場合、三家三卿のうちから選ぶのが例で、これまでに八代吉宗が紀州から、十一代家斉が一橋家から宗家を継いでいる。

その例に従えば、一橋にはただいま十八歳の慶喜があり、紀州には九歳の慶福《よしとみ》がある。

親として子を将軍家に就かせたい思いは山々だが、それを熱望するあまり、篤姫の入輿《にゅうよ》についてあらぬ疑いをかけるとは、

「ご老公ともみえぬお思いすごしと存ずるが」

と斉彬がいうのは、国許下向の直前、一夜阿部、島津、松平に水戸を加えて島津邸に遊んだ際、老公みずから笑いながら話したことがあった。

それは、さき頃、家定の気分を昂揚させるつもりで姉小路が精密な枕絵《まくらえ》をさしあげたところ、家定はちょっと視線を当てただけで興味なさそうにそれをかたわらに捨ててしまったという。

老公は笑いながら、

「大奥に右大将さまの奮起を促すが如き美女は居ぬとみえる。おん年三十になるかならぬかで女色を遠ざけられるとは、阿部殿、大奥対策に梃子《てこ》入れをなさらなくてはなりませぬぞ」

といい、座の一同も同調して、

「いかにも」

と話しあったことを斉彬は思い出し、心当りがあって、

「老公は当方に盟約を求めるのでござるな」

とさぐると、正弘は、

「左様に存ずる。篤姫殿入輿と引換えに、一橋を継嗣に立てることについてご尽力を賜わりたき所存と見受けられます」

とうなずいた。

つまり、慶喜を推してくれなければ、篤姫入輿は妨害する、という含みを持たせたもので、天下の副将軍たるひとにこんな謎をかけられると外様《とざま》の立場は弱く、斉彬はそれを快《こころよ》く受けて、

「当方最初からその心づもりにて女子を物色いたしたが故に、於篤はその任を十分に果せる娘にござる。

老公にお伝え下され。島津の行動はすべて老公のお望みに添っての伏線でありますとな。於篤の入輿が実現すれば、一橋卿推進については大きな力となりましょう」

というのへ、正弘は何度もうなずいて、

「島津公がさように旗幟《きし》鮮明《せんめい》になされば、事は至極順序よく運びましょう。要するに老公は、島津公よりその言質《げんち》を取りとうござったと考えられるほどに」

と盃を目の高さにあげた。

斉彬はその夜、暁がた近くまで阿部邸で過し、三田の藩邸に帰るや、ただちに藩の抱えている儒学者関勇助《せきゆうすけ》を召し、この複雑微妙な政局に対処してゆくため、斉彬の意を体して自由

に活動できる、信頼のおける人物は誰か、と聞いた。

関勇助はその問いを待っていたように、

「ただいま郡方《こおりかた》書役助という軽輩にはございますが、西郷吉兵衛《さいごうきちべえ》という有能な男がおります」

と推薦した。

西郷吉兵衛という名について斉彬は記憶があり、農政に関する意見書をしばしば提出していていく度か目を通しているし、今回の参勤の際、国許から供奉の列に加えられてきたのも知っている。

それに西方村でペリー再航の報に接して警戒を厳にしたとき、供のなかに身の丈五尺九寸、体重二十九貫という巨漢の混っているのを見、頼もしく思って名を聞いたところ、それが西郷吉兵衛であった。

斉彬は関勇助の進言を快く入れ、ほど経《へ》て西郷吉兵衛を庭方役に登用した。

庭方役というのは、地位も禄も極めて低いけれど、君公にひそかに謁見を許され、密事を命ぜられる重要な役なので、見出された西郷吉兵衛が恐懼《きょうく》感激したのはいうまでもない。

西郷の父は藩の勘定方小頭を務める実直なひとで、物頭赤山靫負《ゆきえ》の家でその用達を務めていたが、先年のお由羅騒動のとき、この赤山靫負がお由羅の肩を持つ藩主斉興から切腹を命じられた。

四十余人に及ぶ大量処分のときで、切腹は家老島津壱岐《いき》以下十四人であった。赤山は切腹に臨み、青年西郷を呼んで忠義の道を説き、そのとき着ていた肌着を与えることを遺言したという。

血に染まった赤山の肌着を、西郷吉兵衛は生涯の教訓として大切にしていただけに、このたびの栄誉をどれほど喜んだか、斉彬に対し三世《さんぜ》の忠誠を固く誓ったそうであった。

四月上旬の夜半、斉彬は西郷を召してその初仕事を申しつけた。

それは、先夜の阿部正弘との会談後、阿部の口添えによって水戸老公とのわだかまりも解けたとみた斉彬が、いよいよ篤姫入輿の準備に乗り出したもので、ついては西郷に、その支度一切の調達をいいつけたのであった。

斉彬は西郷に、

「金子《きんす》に糸目をつける必要はない。於篤の肩身が狭くないよう、くれぐれも配慮して万端調えてくれよ」

と頼んだ。

輿入れの道具については、二代将軍秀忠の五女和子が後水尾《ごみずのお》天皇の女御《にょうご》として入内《じゅだい》したとき、調度品三百七十八荷という豪華さがいまだに語り伝えられており、また質においては、

三代将軍家光の長女千代姫が尾州へ嫁ぐ際の、初音《はつね》の調度と呼ばれる諸道具が名高いが、斉彬は西郷に、

「かような調度品を直々に見ることは能《あと》うまいが、何はともあれ当代随一の職人に、心魂こめたものを作らせるように、その方、裁量せよ」

と命じたのであった。

わずか四石の禄《ろく》しか食《は》んではいなかった自分に、全く方面違いのこのような役が果せるかどうか、西郷は一時途方にくれたというが、斉彬は案外、西郷を京へ調達にやることによって、全国情報も得るのを併せて目的としたのではなかろうか。

このの ち西郷は、諜報《ちょうほう》活動のかたわら、漆工品《しっこうひん》、金工品、指物、陶磁器、衣裳など、みずからの目で確かめ、さまざまなひとの意見も聞いて主命を果してゆくのだが、これは西郷にとって、生涯稀有《けう》なる経験にちがいなかった。

その日が四月八日だったのを篤姫はよく記憶しているが、夜に入って斉彬から呼ばれ、篤姫は衣服を改めて御小座敷へ通った。

斉彬は、機嫌よく、

「どうじゃ。安芸殿の喪も明けたことではあるし、ぼつぼつ江戸見物もしてみては」

と勧め、

「徳川家入輿の件は、内々で閣老のご賛成を得た。調度品の調達もすでに心利《き》いたる者に任せてある。

これからはいよいよ御台所としての覚悟を固めなくてはならぬが、幾島ともどもその日まで相勤めるように。

婚礼の日取りはおそらく秋になろう。於篤は待ちあぐねたことであろう。鶴丸城入城よりもはや一年の余となるか」

と斉彬は感慨深げにいい、そしてふと気軽く、

「どうじゃ一献」

と篤姫に朱盃をさし出した。

篤姫はどぎまぎして真っ赤になり、

「いいえ、私、御酒は頂けませぬほどに」

と辞退するのへ、わきから幾島が、

「江戸城大奥では、お女中がた皆、御酒は召上るそうでございます」

とすすめ、では、と篤姫が膝行《しっこう》して盃を受取ると、わきからお須磨《すま》の方が心配りして盃の半分ほどを充たしてくれた。

頂いて唇をつけると、それはひどく口あたりよく、自分でもあっと思うまに飲み干してしまったのを、斉彬は手を叩《たた》いて、

「見事見事。それでこそ、将軍家の女性を統《す》べてゆかれようというもの。於篤はなかなかしっかり者じゃ」

と褒《ほ》めてくれ、篤姫は恥しくなってじっとうつむいた。

これが篤姫の、酒というものを口にした最初で、斉彬もそれをすすめて戯《たわむ》れるほど、このときは入輿の見とおし明るく、心に余裕があったらしい。

しかし篤姫はさすがに酔い、斉彬の前を退いて自室に戻ると急に目がまわりだし、すぐ寝間に入ってしまった。行先定まった安堵もあったものであろうか。

翌日、幾島は表と奥との境にある会見の間に篤姫を伴ってゆき、奥の御用掛を呼んで、よくとおる声でいいつけた。

「明日より、篤姫君には、将軍家御台所に上るお方さまとして、お殿さまに次ぐ扱いをして頂きます。即ち、お扶持、薪炭《しんたん》、湯之木、油をこれまでの倍、支給して下さるように。

よろしゅうございますな。

もしこれを諾《うべな》わねば、恐れ多くも将軍家に対して忠誠心を欠くと見なされます。心してご処置下され」

りんりんたる態度で命令する幾島に、御用掛はすっかりふるえ上り、はっと平伏して、

「承りました」

というなり、恐れ入って退出してしまった。

幾島のこの態度は、表の財務係を奮起させる効果があったばかりでなく、大奥の態勢作りにもずい分と役立ったものであった。

また斉彬が阿部正弘を通じて閣老の同意を得たのは、篤姫の持参金と、月々島津家から仕送りする化粧料の高を、破格なほどに示したことに因《よ》るものであったらしい。

幾島は斉彬の内意を含み、御用掛に景気よく諸雑費を倍増するようといいつけたが、部屋へ戻ってのちも篤姫に、

「さあ姫君さま、もはや将軍家へお入りになったお心づもりにて、日常をおすごし下されませ。

召上りたいものあればどしどし仰せ出され、ご見物になりたい場所へはいずれへなりとお供いたします。

お衣裳もたくさんお作りいたしましょう。珍しいもの、美しいもの、欲しいと思し召しのものは皆、取寄せましょう。何事も意のままに遊ばしませ。

何しろ江戸城大奥へお入りになれば、三千人といわれる女中方を統率してゆかねばならぬ

お立場と相成ります。何事でも御台所がいちばん優れていなければ、下々へしめしがつきませぬ。ご書見も必要なれど、女子の楽しみにもすべてのお心得がなくてはなりませぬ。いまからご入輿の秋まで、お忙しゅうなりますぞ」

と幾島は篤姫の背を叩くようにしてそういったが、それは幾島自身も向う鉢巻で、さあ、と腕まくりしたところだと受取れた。

ふしぎなもので、幾島が元気いっぱいのていでそういうふうに号令すると、昨日までまだ仏間へ入って忠剛の回向一筋だった篤姫の胸のうちにも俄に陽がさし込んだようになり、身内に何やら力の湧いてくるのをおぼえるのであった。

幾島はさっそく江戸の事情に明るい女中を二、三名呼び、見物の場所や芝居の噂話などを聞いて篤姫と相談の上で今後の予定を立てた。

大奥へ入れば、御台所が漫然と市中出歩きなどできず、いまのうちになるべく下情視察を、という思いも幾島にはある。同じ花見でも、邸内の桜花を眺めるのと、上野や隅田川堤で市民に混って見るのとでは感じかたも違い、また同様に、芝居も小屋へでかけるのと御殿へ役者を招いての見物ではまるきり違う。

外出は表へ通じ、警護の士を頼まねばならぬために、思い立ってすぐ、というわけにはいかず、その道筋まで綿密な計画を立てなくてはならなかったから、幾島が作成したのはとりあえず残りの花を見がてら、市中見物を十一日、という書類であった。

十日の夕、篤姫は居間で夕食を摂《と》りながら、江戸到着以来、はじめて心はずむのをおぼえた。いよいよこの邸にも別れを告げ、定まった座へ就く日も近いと思うと、自分でもありありと判るほど顔つきも明るくなっているのを感じる。

そのときあわただしく奥の総取締小の島に仕える女中があらわれ、

「ご注進にございます」

と手をつき、伝えた口上というのは、
このたび禁裏御所炎上に付き、明日十一日総出仕のため殿さまはご登城遊ばします。追って沙汰のあるまで、外出はお控え下さいますように。

というものであった。

幾島は思わず篤姫と顔を見合わせたが、そのときはまだ事の重大さがよく飲みこめなかったところもある。

十一日に登城した斉彬は、戻ってのち幕府からの触れを伝えたが、それは、三日間の鳴物停止で、但し普請《ふしん》は苦しからず、というものであった。

京都御所が火事、と聞いても、一度も拝したことのない身にはそれがどれほどの規模なのか判らないが、右大臣家と縁の深い島津家では、積極的に見舞の金品を贈り届けることの他に、深くつつしみの意を表明する必要のあることは幾島にも判り、ひょっとすると、篤姫の入輿にまで響きはせぬか、とひとり思った。

それが具体的な話となったのは、五月に入ってからで、幾島は一夜、斉彬に西郷吉兵衛をひき合わされ、調度品依頼の委細を聞かされたあと、

「以後は予に替って西郷に相談するがよい」

といわれ、それはこのたびの禁裏炎上の後始末について、新規造営論と、国事多端の折柄、一部補修論とに分れている現状などから、新造論の斉彬もゆっくりと家居する時間がないこともあって西郷に肩替りを頼んだのであった。

禁裏の火災は、いまの御所には火除けの役を果すほどの広い庭に乏しく、従って樹木も少ないため、火災発生後、すぐに火は建物の軒に届いたといわれ、それらを考えて斉彬は土地を広くとった新内裏造営論を打出し、幕閣へしばしば建白書を提出した。

それには、このたびアメリカと和親条約を結んだことで、攘夷を望む朝廷の気色を損じたことを考え、内裏新造せば主上のみならず京都町衆の人気も上り、天下泰平の基となる旨を書き綴《つづ》ったのだったが、幕府財政担当は海防費の膨脹《ぼうちょう》をたてに、容易に首を縦に振らなかったらしい。

こんななかで、秋に将軍家の婚儀を挙げるのは朝廷に対しはばかられ、西郷を通じて斉彬

が、

「今秋入輿の予定は、延期される見通し」

を伝えてきたのは、五月末のことであった。

篤姫の入輿については、こののちたびたび思わぬ障害にぶつかるが、これが第一の関所であったといえようか。

しかし剛毅な幾島は少しも落胆しなかったし、むしろ、

「日延べすればするほど、万端用意が調います」

とそれを逆手《さかて》に取って篤姫を励ますのであった。

これより少し前、斉彬は、いまの高輪、三田の二藩邸が海岸沿いにあることを考え、万一の場合、女子供の避難場所として山の手の方に別邸を特設することを考え、土地の物色を命じてあったが、ほどなく手頃の建物がみつかった。

それは渋谷村にある河内国丹南一万石の領主高木主水正の邸で、奥向きの間取りもちゃんと備わっており、且つ閑静で、多少の補修をすればそのまま住まえるところから双方の留守居役が値段の交渉に入った。

高木家はこの頃大そう疲弊《ひへい》し、負債が嵩《かさ》んで苦しんでいたところから、市価よりもはるかに高い価を打出したので、島津家の担当は驚いて主君に報告した。

斉彬は、

「代々相伝《そうでん》の家屋敷を売ることこそ不憫《ふびん》である。向うの示した額どおりで引き取らせてもらうように」

と指示し、そしてその他に大枚の金を包んで高木家へ贈ったという。

これによって高木家は多額の負債も償却でき、家の財政は立ちなおったといわれ、このことは江戸市中でしばらく人の口の端を賑わしたそうであった。

斉彬の胸のうちには、世子虎寿丸の婚約、篤姫の入輿を控え、多少なりとも世評を計算する必要もあったのではなかろうか。

かつては日本一の貧乏殿様といわれ、参勤御免の内願まで出した三代にわたる財政困難は調所《ずしょ》笑左衛門自殺の頃にはほとんど解消し、斉彬襲封のさいには江戸、大坂、国許の三ヵ所に各百万両の非常準備金を貯《たくわ》えてあった。

薩藩疲弊の噂が立てば、幕府ものの入りの折柄、篤姫入輿についてこの上どこから横槍《よこやり》が入るか判らず、賢君といわれた斉彬はそこまでの深謀遠慮もあったものと思われる。

内裏炎上によって、将軍家婚儀はしばらく延期する必要はあったが、虎寿丸の婚約は鳴物停止が終ればすすめてよく、島津家から京へ使者が立ち、京からは近衛家の諸大夫、今大路民部少輔が来邸することとなった。

篤姫にとっては弟君となる虎寿丸のことで、これは小の島のほうからいちいち報告あり、まもなく五月上旬、諸大夫が到着、表に於て結納の儀のこまかな打合わせが行なわれたことを聞いた。

公家と大名の婚儀は、互に朝廷と幕府の許可を得なければならないし、武家と公家とではしきたりも違うので、この折合いもなかなかにむずかしい。

結局、朝廷への奏上は七月に三条中納言によって行なわれることになり、これは既に内意を得てあることとて形式のみ、これより先閣老への願書は、渡辺下総守《しもうさのかみ》が松平和泉守《いずみのかみ》に手渡すという手はずをととのえ、近衛家への結納持参の島津家代表は家老末川近江を差向けることなど決定した。

これによって近衛家と島津家の関係はいよいよ密になることとなり、ひいては篤姫入輿の推進にも必ずやよい結果をもたらすもの、と幾島ははればれとした顔つきでいい、篤姫もうなずくのであった。

末川近江を代表とする結納の使者一行十四名は、閏《うるう》七月一日に錦小路の薩摩の京都藩邸に入った。

来る九日の儀までに、予《あらかじ》め斉彬から書面を以て古笙《こしょう》一口と書簞笥一棹《ひとさお》を献上する旨、連絡してあり、近江は、到着するなりただちに京都お留守居役田尻次兵衛を責任者としてこの二品を近衛家へ送り届けた。

近衛忠熙《このえただひろ》は大いに喜び、朝廷の楽人を家に招いて笙の鑑定をさせたところ、楽人は一見するなりすぐ、これは往時、聖徳太子の愛玩《あいがん》し給える太子丸です、といい、その何よりの証《あか》しには笙身に鈴虫を描いてあります、という見立てであった。

笙はその後、聖徳太子から聖護院宮に伝えられたと聞いております、という楽人の言葉に近衛忠熙はこれは私すべきにあらずとして朝廷に献じたところ、叡感《えいかん》斜めならざる御気色《みけしき》であったという。

近衛家からのこういう報を受けた近江は、ただちに飛脚を走らせて江戸藩邸へ連絡し、斉彬もそれを聞いて幸先よし、と喜んだそうであった。

九日当日には、近江と田尻次兵衛が参殿、打合わせどおり結納の式を行ない、そのあと、奥書院で忠熙と嗣子忠房、信姫に拝謁、酒を賜わった。

このとき、おん年四歳の信姫は手ずから両人に人形と菓子を賜わり、両人は恐懼感激してこの由を詳細に江戸藩邸へ書き送ったという。

儀式は一日で終らず、この十日後、再び両人は近衛家に召され、正式に結納を受取り、そのあと奥へ移って忠熙の歌を老女村岡から伝えられた。

万代の契《ちぎり》をこめて二葉より行末しるき相生《あひおひ》の松

の一首を拝受し、忠熙から近江に手提重一組、信姫からお菓子簞笥四重を賜わった。

またこのあと、忠熙から使者一同に対し、京都藩邸へ色紙五枚、紗綾《さや》三巻、忠房から羽二重二疋《ひき》、真綿五把、信姫から縮緬《ちりめん》二巻、紗綾二巻を、島津家からのあまたの献上品への答礼として送り届けられた。

それに対する挨拶の言上は十九日、三たび両人が近衛家に参上してこれで一切の式事が終ったのであった。

一行が京都を発《た》って帰府の途に就いたのは二十一日早朝で、閏七月は暑さの頂点であった。道は涼しい木曾路を取ったが、この慶事をめでたく終えた一行と行き違いに思いがけない悲報が京都へもたらされようなどと、誰が思いみたことだったろうか。

その頃江戸藩邸では、虎寿丸が最近とみに手習いが上達し、先月末、はじめて伊、呂、の二字を大書して斉彬を喜ばせたが、結納の使者一行が木曾路にさしかかった二十三日朝、習字のあとで急に激しい腹痛を訴えた。

同時に高い熱が出て意識も混濁《こんだく》し、絶えまなし下痢があって、ただちに奥医師二十名悉く枕頭《ちんとう》に侍《はべ》ったが、容態少しも快方に向かわず、とうとう翌二十四日丑刻《うしのこく》、息を引き取った。

発病後、たった十六時間のわずらいではかなくなってしまった虎寿丸はこのとき五歳、家士の者一同しばらくはただ呆然《ぼうぜん》とするばかりであった。

奥は女たちの泣き声に満ち、表では悄然《しょうぜん》とうなだれる藩士もあるかたわら、いきり立って虎寿丸の居間を、天井裏から床下まで探索する士もあった。

それというのも、表面お由羅騒動は収まったかに見えても、未《いま》だ現存のお由羅とその子久光がある限り、虎視眈々《たんたん》と島津家の跡目を狙《ねら》っているのは明白で、それはこれまでにも斉彬の公子六人がつぎつぎと夭折《ようせつ》していることに結びついている。

即《すなわ》ち長子菊三郎はわずか一ヵ月余で亡くなり、長女澄姫は四歳、二女邦姫は三歳、そして二子寛之助が四歳で殤去《しょうきょ》、そのとき床下から呪《のろ》いの人形が発見されたことで家中斉彬派の士が決然として起ったのだったが、三男盛之進も四歳、四男篤之助もまた怪しい病いにかかり、日に日に弱って三年後にみまかった。

それだけに五子の虎寿丸への期待は一きわ大きく、早くに結婚も取決め、無事成長を祈る気持で近衛家との結納の儀を執り行なったのに、その矢先のこの死は何という残酷さであったろうか。

篤姫が虎寿丸の加減が悪いというしらせを聞いたのは二十三日の夜半で、そのときすぐ頭に浮べたのは斉彬の身であった。

父上さまはさぞかしご心労であろう、と考え、床の間に飾ってある念持仏に灯明をあげ、その一本が消えるまでじっと祈った。

翌昼前、表からの使いが小の島に伝え、小の島から幾島へ、

「ご姉妹がたは皆、表書院へお集り遊ばすように」

と触れが出て、虎寿丸が短い生涯を終えたことを知ったのであった。

家中一同、いやそれにも増して父の斉彬はこの虎寿丸にどれほど大きな望みを託していたことかと思うと、篤姫は亡くなった虎寿丸もさることながら、斉彬が気の毒でならなかった。床の間の遺骸《いがい》に、篤姫から順に姉妹は黙礼して別れを告げたが、そのあいだにもずっと虎寿丸付きの女中たちの号泣が続いており、それをたしなめることもならず、黙然と目を落している斉彬の顔に、異様なほど汗が流れているのを見た。

果して斉彬はその夜から床に就き、翌々日大円寺へ虎寿丸を葬る式へも参列はかなわなかった。

幕府へは日柄を選んで二十七日届け、京の近衛家へは御小納戸川上郷兵衛が委細を告げに出立した。

この夜から斉彬の容態はさらに悪化し、しばしば意識不明に陥ったため、家中の憂慮はただならぬものがあった。

お由羅の怨念《おんねん》は、七人の公子のみならず、英邁の当主斉彬までとり殺すか、と再び藩内騒然たる様相を呈してくる。

八月一日、この上は神仏にすがるより他なし、と近侍たちは相談して目黒の不動に十七日の願をかけることになり、代拝として井上逸作が遣わされたが、英姫も代拝八十島をさしむけ、そしてあわせて虚弱な暐姫《てるひめ》の健康をも祈願した。

もちろん邸内においても、庭の隅の祠《ほこら》のはしに至るまで、あらゆる神仏に一同祈念しており、このとき一きわ目ざましいのは西郷の熱意であった。

庭方役の軽輩ながら、斉彬の恩顧を思えば我が命に代えてもとばかり、目黒不動で断食の行に入り、昼夜を分たず一心不乱の祈願を込めた。

奥では英姫が仏間に詰めたが、替り合って篤姫も入り、片時も灯明と香を絶やさず斉彬の快癒《かいゆ》を願うのであった。

いまかりに斉彬卒《しゅつ》すれば、篤姫の縁談はいうに及ばず、島津家の行末はどうなるかと誰しも暗然たる思いに陥ってくる。

その甲斐《かい》あってか、九月に入って秋風が立ちはじめると斉彬は少しずつ快方に向い、七日には病床へ家老他二十名を召してお茶を賜わった。がまだ全快にはほど遠く、それでも家中どんなにか安堵したことだったろうか。

しかし薩摩への通報はずっと遅れ、鶴丸城へ第一報が届いたのは斉彬がよほど軽快した月末二十八日で、そして虎寿丸の遺髪が着いて福昌寺で葬儀を行なったのは、ずっと遅れて十月の五日であった。

篤姫は、御遺物分けによって虎寿丸が死の前日まで使っていた硯筥《すずりばこ》をもらったが、黒漆《くろうるし》に金蒔絵《きんまきえ》で笹を描かれたそれを見て、やはり涙がにじむ思いであった。

篤姫も幼い妹、於竜、於熊を亡くしており、あのあと、墓所に立てた小さな石の地蔵にかけるため、お春の方が赤いよだれかけをいく枚も縫っていた姿をみかけたことなど目に浮んでくる。

ようやく藩主の一命を取りとめたものの、世子を失った邸のうちは以前よりは陰気になり、そして斉彬自身も床払いは終ってもなお鬱々《うつうつ》として気分がすぐれぬ日が多かった。

それでも、禁裏造営も決まったことではあり、これより以前、炎上のさい、主上が身辺の守護剣を焼失してしまったところから、近衛忠熈を通じて斉彬に進献を促し、それを有難く受けて島津家から朝廷へ大小を内献したこともあって、もはや篤姫の入輿を推し進める上に障害となるべきものは何もなかった。

この秋、篤姫ははじめて心も晴れ、幾島に伴われて江戸市中観覧や、芝居見物に訪れた。生れてはじめてこのような賑やかな町の様子に直接触れた驚きをやはりいちばん伝えたいのは国許のお幸の方であって、幾島もこの頃ではそれを無理からぬこととして許したのは、なお母である英姫と睦み合う機会のない故もあったろうか。

そして嘉永七年は十一月二十七日に改元の詔が出て、安政元年となるのである。

年の末になって俄に年号を改めたのは、この年は京都御所炎上をはじめ、外夷相次いで現れ、また国内では福井の大火、近畿地震に次いで駿河《するが》、遠江《とおとうみ》、伊豆、相模《さがみ》にも地震の被害多く、世の平安を願っての改元だったが、翌《あく》る安政二年も多事多難の年であった。

斉彬の病気は、峠を越したあとずっとぐずぐずと長びいていたが、やっと医師団から全快のお墨付きをもらったのは三月上旬で、十九日、八ヵ月ぶりに百七十五人の隊列を組んで登《と》営《えい》、将軍に謁して病中御見舞の礼を言上した。

島津家ではこの春、二つの朗報があり、それは斉彬の新しい側室お八重の方が懐妊という発表と、いまひとつは、今上天皇から斉彬父子に宸翰《しんかん》と御製《ぎょせい》を下しおかれたので、京都まで拝受のため人をつかわして欲しいという要請が近衛家からもたらされたことであった。

斉彬は既に四十七歳だが、生れる子が男子ならば目出度く世継ぎの顔が見られるわけで、この知らせはどれほど藩邸を喜ばせたことであったろうか。

また天皇より御製と宸翰を賜わるなどのことは、長い島津家の歴史のなかでも初めてであり、且《か》つ諸大名の面々にも経験のないことで、藩邸中どよめいたばかりでなく、幕閣内にも大きな反響を呼んだ。

斉彬は納戸奉行、有馬次郎右衛門を京に上らせ、近衛家よりその二品を受取り、直ちに江戸へ取って返させたが、その授受の際、斉彬は一等礼装の直垂姿《ひたたれすがた》でそれを拝したのであった。

もののふも　こころあはして秋つすの国はうこかすともにをさめむ

という勅詠は念入りに軸装して掛物とし、一日、まず江戸藩邸の重役にそれを公開した。重役たちは麻上下でそれらを拝し、篤姫も正装してその御製を近々と拝見したが、そのあと斉彬に次の間へ呼ばれ、

「我が家において、主上よりかようにおん直筆を賜わるは未曾有《みぞう》のことじゃ。とくにこれは時勢柄、至って重い意味を持っておる。於篤にはいまからとくにご宸翰をも拝すことを許すが、これは他日、明かすことがあるためじゃ。決して口外はならぬぞ」

といわれ、身の引きしまる思いとともに無上に嬉《うれ》しかった。

床の間の金屏風《びょうぶ》を斉彬が手ずから払うと、そこには広蓋《ひろぶた》に入れた巻紙が飾られてあり、篤姫は膝行してその文を押し戴《いただ》き、我が息のかからぬよう、脇《わき》を向いては吐きながら一句一句丁寧に拝した。

読むうち、さまざまの事情が判ってくると同時に、今の世のなかの騒擾と混乱がじかに伝わってくるように思えた。

斉彬は篤姫の拝し終えるのを待って、

「去年、予の参勤の折、京都滞在中、夜半右大臣殿のお館に参内いたし、三条実万《さねつむ》卿とご同席であった。そのときの話をのちに主上が聞し召され、このご宸翰をおんしたため遊ばされたものと見ゆる。

詳しいことはいずれ話す日もあろう」

といったが、篤姫は胸を高鳴らせつつその言葉を聞いた。

人には見せぬ天皇直筆の親書を、女の自分だけに見せてくれるとは、世にこれほどの信頼があろうかと篤姫は改めて斉彬に対する尊敬と親近の念を高めるのであった。

これが五月のできごとで、それ以前、三月の登城のとき、斉彬は控えの間で松平春嶽に会った。

福井三十二万石の親藩大名松平春嶽はのちに幕府の政事総裁職に就くひとだが、それだけに情報がひろく得やすく、いまも斉彬に、

「実は将軍御台所の件につき、やはり島津殿の姫は正室には難あり、側室に如何と申されるおん方がある」

と小声でささやいた。

さき頃、西郷よりの知らせによれば、将軍継嗣を一橋慶喜と目している同士のなかでも、

薩摩から御台所を上げるについては双手を挙げて賛成しない向きもあると聞いていたので、斉彬はさほど驚きもせず、

「ご老公ご自身でござろう」

と探ると、松平春嶽は敢《あえ》て否定しなかった。

斉彬は、ここでとうとうと、京都から公家の娘を迎え、三度目の轍《てつ》を踏む愚を述べたてるよりは、と戦法を変え、

「如何でござろう。今年の花見は我が邸へご来駕《らいが》あっては」

と誘った。

春嶽はすぐその意を悟ったと見えて、

「ご老公のみならず、尾州殿、土州殿、佐賀殿、伊達殿、阿波殿などとも打ち集《つど》って泡盛などを頂戴《ちょうだい》に参ろうか」

と笑ってその場を別れた。

この年の花は三月の十日前後が見ごろで、その前日、朝のうちに斉彬は篤姫を召し、

「しかじかの諸侯が明夕、花見に参られる。そなたは挨拶に出るだけでよい。酌などはいたさずに」

と伝えた。

篤姫は胸をとどろかせてその命令を聞き、明晩がひどく待ち遠しいような、恐ろしさにふるえるような思いだったが、考えてみればこれが篤姫の、身内以外の諸大名に対面する最初の機会であった。

その夜、観花の宴は盛況で、庭に面して開け払った座敷には水戸斉昭《なりあき》を筆頭に、山内豊《とよ》信《しげ》、伊達宗城《むねなり》、松平春嶽に、将軍家斉の二十二子で阿波の蜂須賀《はちすか》家を継いだ斉裕《なりひろ》も加わり、賑やかに盃を交わした。

その日の趣向には芳町芸者の手踊りが繰出すことになっており、篤姫はその一団がまだ入らないうち、座敷に出て挨拶した。

昨日来、異常なほど緊張していたのに、いざとなれば自分でも驚くほど落着いており、篤姫は斉彬に紹介され、一人一人の目をきっかりと見つめながら初対面の言葉を述べた。初めて見る諸大名の方々は、想像していたよりずっと気さくでくだけ、篤姫の固さをずい分らくにしてくれたところがある。威厳のある尾州公、親しみやすそうな伊達公、阿波公は若々しく、土州公は薩摩内の士の誰かに似ていると思い、しかし並み居る諸侯のなかでやはり水戸公はいちばん気むずかしそうだと篤姫は思った。

その斉昭から、

「篤姫どのにおひとつ参ろう」

と朱盃をさされ、さすがにもじもじしているとそばから斉彬が、

「有難く頂くがよい。於篤もいけるではないか」

とすすめてくれ、膝行してその盃を受けた。斉昭はじっと篤姫に目を注《そそ》ぎながら、

「篤姫どのには頼氏の日本外史をご愛読のおもむき、お父上より洩れ承っているが、当家の大日本史も目を通して頂けると有難いのでござるがな」

といった。

実は一昨年、斉昭は水戸家第二代光圀《みつくに》の編纂《へんさん》した大日本史のうち百五十巻をこの年新刻して幕府へ献納しており、その残余百巻を箱に入れて斉彬に贈ってあった。

斉彬は、斉昭からそういう質問が出されたとき、篤姫にこの由を伝えていなかったことを思い出し、一瞬、てのひらに汗する思いで息を詰めていると、篤姫は盃を下において、

「はい、有難きお言葉にございます」

と礼を述べてから、

「当家書庫に大切に保管してあります大日本史を、私もわずかながら拝読の栄を得ました」

と答えた。

「ほう」

と斉昭は、

「わずかとはご謙遜でござろう。ご当家へは確か百巻、時代にしては平安時代の前期あたりまで、と思われるが、どの辺りにお目を通されたかな」

とわりあいに執拗な問いかたで、篤姫はそれに対して、さらりと、

「まだ古代でございます。外史のほうは源平から徳川さままでの武家の歴史でございますが、大日本史は古代の起源からを叙述《じょじゅつ》してありますのでさらに詳《くわ》しゅうございます。以前に読みました日本書紀よりずっと判りやすいので、有難い書物と思います」

と飾らず答えたところ、座は一瞬、言葉がなかった。

斉彬が幕府への届けに、いくら真実の一の姫と書いたところで、この座の諸侯は末家からの養女であることは皆知っており、それは即ち、江戸からも学問からもはるかに遠いと考えられる地の果て、薩摩育ちであるだけに、女子の身でかほどの篤学《とくがく》であるなどと、誰ひとり思い見ないことにちがいなかったからであった。

斉昭はややあって、

「いや左様でござるか。当家の版本にお目を通されたとはまことにかたじけない。本日の記念に、これも当家二代の著した『礼儀類典』を贈らせて頂こう。いずれ後日、お役に立つやも知れぬほどに」

といい、篤姫はそれに対して丁重に礼を述べた。

聞いていた斉彬は、どれほどに安堵したことであったろうか。

水戸光圀編著、礼儀類典は水戸家から代々将軍に献じるのが慣わしで、それを篤姫に贈るというからには斉昭自身、篤姫入輿の推進者となることの表明にちがいなかった。

そうでなくても、この場の諸侯は、当時歌学のたしなみはあっても学問についてさして造《ぞう》詣《けい》の深い女性は見当らぬのに、薩摩育ちでいながら日本の史書を愛読する篤姫に、度肝を抜かれたというのが真実ではなかったろうか。

この夜から、篤姫を御台所でなく側室に、という声はぴったりと収まり、これぞ将軍を助けて徳川大奥を統《す》べる御台所の器量を備えた姫、という見かたが強まったのは当然であったろう。

同座の松平春嶽は、のちに「斉彬公行状記」という短文を草したとき、この夜の篤姫を述べて、

「聡明にして温和、人との応接も機智に富み、学問深し。かくなる姫を御台所に迎うるは、徳川家に取りても幸福というべき也」

と記したといわれる。

まず本人の人となりを見てもらって納得させる、という斉彬の戦法は功を奏し、この日を境に当日の客たちがまず篤姫の鑽仰者《さんぎようしや》となり、それは幕閣内を動かして入輿はもはや決定的

となった感がある。

斉彬は殊の外よろこび、後日篤姫を呼んで、

「書庫のなかの大日本史がご老公恵贈の書物だとどうして知っていたのじゃ」

と聞いたところ、篤姫は、二年前の参府の年、江戸見物よりはまず島津家の蔵書を、と考え、幾島を通じて書庫を見学させてもらった際、箱書のあるその百巻の書物を発見し、しばらく拝借したのだと語った。

斉彬は篤姫に対し、そのとき愛用していた文鎮代りの刀の鍔《つば》を与え、なお幾島にも羽織を賜わった。

機嫌の取りにくい水戸公に好ましい印象を与えた篤姫の人がらを、心から賞《め》でる思いであったに違いなかった。

このあと阿部老中から入輿に就て改めて話もあり、それはやはり島津家から直接というよりも、養女ではあっても近衛家の姫として徳川家に入るかたちが望ましいということで、島津家はかねての計画どおり、三番家老島津将曹《しょうそう》を京都への使者に立て、近衛家との養女縁組を正式に約束し、その布告をしたのが四月末であった。

島津の三田藩邸には一陽来復《いちようらいふく》、虎寿丸の逝去後暗雲垂れ込めていたのが、いま一度に払拭《ふっしょく》された感があった。

斉彬が建白していた御所の新造営も無事決定し、この三月木造初《きづくりはじ》めの儀式も行なったし、側室お八重の方の健康も順調で、秋には出産を迎える手はずになっている。

篤姫の入輿についても、阿部老中の肝煎《きもい》りで少しずつ進捗《しんちょく》し、島津家が提示した篤姫の化粧料としての仕送り、月々一千両という額も了承し、あとは将軍の決裁を待つばかりとなって秋を迎えた。

斉彬はこの年の正月、それまでいく度も出した質素節倹、並びに風俗矯正の訓令を家中に出し、とくに衣服に就て紬《つむぎ》、太織、木綿類の着用は許しても、縮緬羽二重のたぐいは固く禁じる旨、通達し、それに伴って諸費用の引き締めをも徹底させたが、篤姫の入費についてのは、西郷幾島の裁量に任せ、少しも口をはさまなかった。

西郷吉兵衛《さいごうきちべえ》は、江戸、京の職人を督励して準備を急いだが、これには幾島の強い口出しが与《あずか》って大いに力があった。幾島は、

「恐れ多くも五摂家筆頭の近衛家から将軍家の御台所にお輿入れなさるのですぞ。よろしいか。ご簾中のお輿入れでなく、現将軍の御台所ですぞ。お較べ申上げては恐れ多いが、将軍家の姫君がお大名へお輿入れ遊ばすおん支度などよりは、はるかにはるかにご立派でのうては、当島津家と近衛家の恥となるばかりか、ひいては将軍家のご威光に拘《かか》わります」

と西郷を煽《あお》り続け、頭の飾りに至るまで自ら点検を怠らなかった。

というのは、入輿の手はずがととのったこの春、小の島が幾島のもとを訪れ、

「ご前さまお輿入れのときのお支度を、そっくり篤姫君におゆずり遊ばすという有難き思し召しにて」

と英姫からの意向を伝えた。

英姫は、自分の子供たちのなかで、他家に嫁がせる経験は初めてであり、かつは実家徳川宗家へと入れ替りになるため、一入《ひとしお》の愛情を込めて篤姫を送り出したいという。

「ご紋はすべて一橋家のものなれど、おん九歳で当家にお輿入れ遊ばされました故に、一橋斉敦《なりあつ》卿もご不愍《ふびん》と思し召され、お支度はそれはそれはお見事な品々がお揃いでございます」

と小の島はもったいをつけて幾島に話し、幾島はそれに対し、厚く礼を述べて辞したが、篤姫の居間に戻るなり、こらえ切れぬようにどっとその場に泣き伏した。

「何事じゃ」

と篤姫がたずねても、しばらく嗚咽はとまらなかったが、やがて顔を上げて、

「幾島は口惜しゅうございます」

というなり、近々と膝を寄せてしかじかを語り、

「何とこちらを見くだした思し召しでありましょうか。ご自分のお使い古しなど」

涙など決して人前では見せぬ幾島なのに、自分の手で養育する篤姫の婚礼に、継母から我が使い古しを、という沙汰を受けたことは、体中ふるえるほどの屈辱にちがいなく、こらえ切れずに篤姫にぶちまけたところらしかった。

「あまりといえばあまりのお扱い」

と口惜《くや》しがるのは、まだ篤姫には打明けてはいないが、家定にとっては三度目の継室であることのひがみも大いにある。

小の島は言外に、ご前さまのお品がこれだけ数多く揃っているからには、この上ご新調の必要もあるまじく、の意味を匂わしたと幾島は受取っており、

「洩れ伺ったところでは、将軍家より加州さまにお輿入れ遊ばした溶姫《ようひめ》君のときには、お道具送りだけで毎日未明より夕七つどきまで、日数かぞえて三十日余りと心得ております。当家から将軍家へ上るのには、私、これをはるかに上まわるご調度を整えねばと存じおります故に、お使い古しを、というお言葉は篤姫君のご身分をご前さまはどのように思し召しか、と」

とかきくどく幾島を眺め、篤姫は笑いながら、

「母上さまのお使い遊ばした品々をそのまま私に賜わるとは、何よりも大きなお気持ではないか。

かりに、今和泉家のお幸の方さまからかようなご沙汰があったとしたら、私はどんなに嬉しいことか。母上さまのお志は喜んでお受けいたしたいと思う故に、そなた明日、新御殿へご返礼に上りなされ」

とおだやかな声音でいった。

幾島はその言葉を聞いて急に目の前がひらけたように感じられ、涙を拭《ふ》いて、

「幾島よう判りましてございます。ずっと姫君さまの教育に当っておりました私が、今は逆によいお教えを頂きました。

ご前さまのご調度品は有難く頂戴仕り、その上さらに、それに倍する品々を調えるようにきっと計らいます。これは私の意地でございます」

ときっぱりいうのへ、篤姫は微笑しただけであった。

いつのまにか立派にお成り遊ばされた、と幾島は感嘆の思いに打たれ、それは即ち、この姫君の入輿については誰に何の口もはさませぬよう、きっと盛大にやり遂げてみせる、という決意につながってゆくのであった。

九月の終り、斉彬は広大な庭園を歩いていてふと心字池の水位が異常に下っているのを見た。

いつもは鯉の群がゆうゆうと泳いでいるほどの水深があるのに、岸近くではその鯉の背びれが水面から出ているほどに水が減っている。

すぐ用人にいいつけて邸内の井戸を改めさせると、こちらもかなり減水していることが判り、斉彬はその日のうちに庭の一隅に布屋を建てさせた。

邸内の水位が下るということは、近いうち天変地異の起る前触れかと考えられ、布屋はその万一の避難場所として設置したのだったが、それが実際に役立つとは斉彬もまさか思ってもいなかったのではなかろうか。

十月二日の午後、幾島は西郷から一応お目通しのほどを、と連絡を受けていた篤姫の夏用の打掛けを下検分し、そのあまりの見事さに居間に取って返して篤姫を誘い、もう一度ふたりでそれを眺めた。

涼しそうな水いろの麻の重ねに、染めの模様はいちめんに江戸解きを散らしてあり、その線をなぞって丁寧な縫いが施されてある。

小さなあずまやの軒から箏《そう》の端が見えていたり、水の流れにかささぎが遊んでいたりの芸のこまかい柄ゆきで、同座の女中たちも感嘆の声を挙げてしばし見入った。

篤姫は大そう気に入り、

「今宵、この品を枕許に飾ってやすみたいと思うが、どうであろう」

と幾島に問うと、

「西郷が聞いたらさぞかし喜ぶでありましょう。姫君さまのおん持物でございますもの。今宵といわず、お荷物をまとめる日までずっとお居間にお飾りいたしましょう」

とみずから立って衣桁《いこう》からそれを外《はず》し、捧《ささ》げ持って居間に戻った。

これを持って行く日は、ほぼ来年早々と決まっており、その晴れがましさを考えると、やはり篤姫は娘らしく胸がときめいてくる。

幾島は、まだ先のことなれど、虫よけにも香を炷《た》きしめておきましょう、と居間に伏籠《ふせご》をかまえ、それに打掛けをかけて伽羅《きやら》を炷いた。

「やはり呉服ものは京でございますなあ。模様の置きかたがどこやら、違いますもの」

としみじみ幾島がそれを見やれば、女中たちも口々に褒《ほ》めたたえ、ここにはもう一足先にその日がやって来たように華やかであった。

その日の幾島はやさしく、香を炷いたあとの打掛けをまた衣桁に通し、篤姫の枕許に立てて寝《しん》に就いたのは夜四つ頃であったろうか。

打掛けから立つ伽羅の香りが部屋中に充ち、その快さに包まれながら篤姫がとろとろとしたとき、突然、轟音《ごうおん》とともに体が宙に浮き上る感じがした。

枕許の衣桁《いこう》がぱたりと倒れ、幸いなことにその木枠は体に当らず、打掛けだけがふわりと顔を被《おお》ったのをすばやく手に取って頭に被《かず》き、寝床に起き上るあいだ、めまいではあるまいかと思われるほど周囲は轟音とともに揺れ続け、天井からはおびただしい土砂が降ってくる。闇《やみ》のなかから、

「姫君さま」

と呼ぶ声に、篤姫は大声で応《こた》えると、手さぐりで上段に這《は》い寄った幾島と手と手が合った。

この頃、邸内には悲鳴が充《み》ち満ち、篤姫付きの女中たちも声を限りに叫びながら寄ってくるなかを、手を引かれて篤姫は庭に下りた。

この大騒擾のなか、幾島は気丈にも落着いていて、

「火打石を」

と邸内に取って返そうとする女中どもを、

「灯《あか》りを点《とも》してはならぬ」

と一喝し、

「表庭の布屋へ」

と一同を誘導した。

この頃ようやく邸内には盤木《ばんぎ》が鳴りはじめ、表警護の武士たちが庭を走ってきて、

「地震でござる。地震でござる。ご一同、表庭の布屋へ、布屋へ」

と絶叫してさらに奥へと駈け去ってゆく。

女中のなかには腰を抜かしたり、途中で気絶したりしている者もあるらしく、それらを顧みる余裕もなく幾島に手を引かれ、地響きとともに揺れ続ける木々のあいだを抜けて、篤姫がやっと布屋に辿《たど》り着いたとき、そこにはまだ誰も来てはいなかった。

ここはついおととい、斉彬が建てさせたもので、一見ひよわに見える細い柱を立て、壁の代わりに麻布を四方に垂らしてある。柱も麻布も、こまかく震え続けているものの、倒壊の懸念なく、畳の座になおってすぐ、篤姫は、

「幾島、早う母上さまをこれへお迎えするように」

と命じた。

この頃にはもう提灯《ちょうちん》が近づいて来、邸外の半鐘の音、阿鼻叫喚の様相が折々聞え、これが容易ならぬ大地震だと誰にも判ってくるのであった。

火の見櫓《やぐら》に上っている武士は、

「火の手が上ってござる。ひとつ、またひとつ火の手でござる」

と怒鳴り続け、どの方面か、と下からいく度も怒鳴り返す声のやりとりに女たちはただふるえるばかり。そのうち、暐姫《てるひめ》、寧姫《やすひめ》も避難して来、つい十四、五日前、見事お世継ぎ、哲

丸を出産したお八重の方が武士に背負われて子供とともにあらわれ、そしていちばん後で、前後を武士に守られながら英姫が到着した。

英姫はかつぎを被《かず》いており、皆の無事を祝う挨拶を受けてのちいちばん奥の座に坐ったが、両手でかつぎは離さなかった。

まだ地は震え続け、とき折砂煙をあげて屋根や庇《ひさし》が崩れ落ちる音はこの世の終りかと思うばかりにおそろしく、そのたびに全員畳の上に突っ伏しては、信仰する念仏や称名を唱えるのであった。

「殿はご無事でいらせられるか」

を英姫はいく度も繰返して小の島に聞いていたが、斉彬がこの布屋にやって来たのは大きな揺れが少し収まってのちであった。

見れば、表の居間にいつも飾ってある火事装束をきちんと身につけており、既に八方へもの見を放ち、高輪の父君の許へは見舞をつかわしたそうで、

「皆無事で何よりじゃ。布屋が役に立ってよかった」

と落着いた態度であった。

布屋に膝と膝をつき合わすほどに避難して来ている女子供全員、指示のあるまではここを動けず、重苦しい沈黙のなかで、いちばん奥に座のある英姫は静かな声音で、ひとりひとり

に声をかけた。先ず、

「篤姫どの」

と呼び、返事をたしかめてのち、

「ご無事か。お怪我はありませぬか」

と尋ね、篤姫が恐れ入りながらも場所柄礼は略して、

「はい、つつがなくこれに控えております」

と答えると、

「それは何より重畳《ちょうじょう》」

と喜び、次には側室お八重の方に、

「哲丸どのはお変りなきか」

と問うた。

産後日も浅いお八重の方はかぼそい声で哲丸の無事を言上したが、これにも、

「未だいとけなき若君故、このあととくに気をつけるように」

と言葉を添え、暐姫、寧姫と順に安否を確かめるのであった。

篤姫は、この夜の地震の恐怖にも増して英姫のこの態度には驚き、あとあとそれはなかなか去らなかった。日頃ほとんど口をきかず、極めて権高な方、と怨んでいたそのひとが、一

大事に際しては大奥を率いるご前さまとして家族全員を庇《かば》う様子を見、そして嫡子の哲丸よりも篤姫を先んじたことで、いままでの印象を根こそぎ覆すほどの感じがあった。

これほどおやさしい心根の母上さまが常日頃何故《なにゆえ》、人前に出るのをお嫌いになり、また已《や》むを得ぬ場合は深く御簾を垂れるのであろうと不審でならず、このあと幾島に迫ってとうとう英姫の顔の痘痕の話を聞いてしまうのである。そして、ふだん居間でもいつも紗《しゃ》の頭巾を被《かぶ》っていることを知って、何とおいたわしいお方であろうと思った。将軍家に生れながら父君と言葉を交わすこともほとんどないまま、名目だけ一橋家の養女となり、もの心ついた頃からすでにこの島津家に入輿という流寓《りゅうぐう》の人生を送っているひとの心身の悲しみがいまの篤姫にはほぼ察せられるように思えるのであった。

哲丸よりもさきに篤姫の安否を確かめたことについて幾島は、

「将軍家御台所にございます故に」

と当然の如くにいうが、これも篤姫にとってはうれしいことに違いなかった。

これが歴史に残る安政の大地震で、余震翌日の昼すぎまでやまず、江戸市中四十ヵ所から火の手が上り、家屋の下敷きで圧死した者、焼死者、あわせて二十万人に上ったという。

江戸城内部はもちろん、大名屋敷も被害甚大で、知れるだけでも丸の内酒井雅楽頭《うたのかみ》の邸では奥女中残らず焼死、深川の津軽家では六十二人即死、翌日さらに三十人死に、また肥前鍋《なべ》島《しま》家では死人を三十俵車に山積みにして、六つ七つも運んだという噂が聞えてくる。

江戸開闢《かいびゃく》以来の天災で、幕府は被害に応じて諸大名に貸付金を出したが、返戻《へんれい》に及ばずという一項をつけ加えたのは、このとき十万石級の大名たちの多くが家屋敷と家来を失い、その回復の見通しも立たなかったことに依《よ》るものであった。

しかしこの見舞金はずっとのちのことで、当夜はどこからも救援のないまま、自力で防禦《ぼうぎょ》しなければならず、こういうとき平素の心がけがものをいったというところがある。

三田の薩摩藩邸では、三日の未明、増上寺近くの柴井町まで火が延び、藩士たち皆鎮火に繰出した甲斐あって五つすぎまでにはようやくおさまり、火難をまぬがれた。

三日の夕方、ものの見の番の報告により、渋谷別邸が破損も少なく、そのまま使用できるという様子が判り、混乱のなか、女駕籠を仕立てて英姫を先頭に、奥はすべてこちらへ移った。

山の手は市中に較べてまだ被害も少なく、手狭な邸うちに女たち全員住むことになったが、こういう状態のなかのことで誰も異議は唱えなかったし、むしろ以前に増して女同士ものを贈りあい、譲り合って睦み合ったのは地震の夜の英姫のあたたかな気持が奥中に浸透している故もあったろうか。

日が経《た》つにつれて被害の状況は明らかになり、三田藩邸では土蔵と長屋の大半が破損、高

輪と、もうひとつ登城の際に使う桜田邸では死者計十一名を出したが、いずれも焼失はまぬがれ、家臣一同、

「これも殿さまの御運強き故」

と喜び合った。

このあと阿部老中は将軍家定に進言し、市中回復までは、ご身辺の金銀器をお用いにならぬよう、またご政務専一に遊ばされるよう、願ったといわれ、しばらくは幕閣内も虔《つつ》しみのいろを表明するのであった。

一方京都では新内裏が完成し、十月末から御所引き渡しの儀、遷幸《せんこう》の儀など一ヵ月以上に亘っての儀式が続き、それに伴って諸大名への御祝儀献上物も割当てられてくる。

こういうなかでは、将軍家の婚儀は延期さるべきだと誰も考えており、手続上、斉彬から書面で以て、入輿の儀しばらく御遠慮申上げたく、の意を幕府に提出したのは十月末のことであった。

来年早々を予定していた婚儀は、これでまた無期延期となってしまったわけで、斉彬から幾島にその旨もたらされたが、幾島は口惜しさをあらわにして、

「姫君さまはもはや二十と相成ります」

と洩らさずにはいられなかった。

姫君さまはご運悪き方、と幾島は心中ひそかに嘆きつつも、しかし唯一の救いは延期の原因が当事者ではないことだと思う。

それだけに年が明けると交渉は再開され、四月に入ると家老島津伯耆《ほうき》が薩摩帰国の途中、近衛家に立寄って父娘の結定式を行なうことになった。

発表から一年後、やっと書類の上でも固めができたわけで、この儀式が約十日間、双方から献品のやりとり、勅許の披露、慶宴と続き、島津伯耆がそれを終えて国許へ発ったのは十九日であった。

このときの取決めは、近衛家の養女となれば父は忠熙だが、郁姫を失ってのち正室を迎えてはおらぬため、かりに母となるひとを老女村岡《むらおか》、と定めたこと、そして婚儀の日取りが決まれば近衛家からは同じく老女亀岡、花乃井、岩瀬の三名が下向《げこう》して島津邸に入り、公家の娘としての行儀作法を教育すること、また、結定式が済んだからには、調度品に近衛家の藤の紋を入れてよいこと、等々であった。

伯耆は、近衛家の柳之間で、村岡を筆頭に四老女に面会したが、このなかで篤姫について亀岡が江戸城へ入り、終生仕えることも決めた。これで篤姫の身辺はいよいよ調《ととの》い、いわれるように衣裳持物のどこかには必ず藤をあしらって、公家の娘の象徴を終生身につけることになる。

明けて二十一の篤姫は、盛上りかけては崩れ、盛上りかけては崩れする我が運命を、これでもう足かけ四年間もじっとみつめているのであった。のちに篤姫は、とんとん拍子に階段を上ってゆく、と人から見られている自分の道に、その内実はこういう堰《せき》がいくつかあったことを思う日もあり、この堰にせかれた経験があとあと堅忍《けんにん》にいかに役立ったかを知るのであった。

もともと聡明な質に忍耐を学べば、外見も年に似合わず﨟《ろう》たけてみえ、いまはもう幾島に対して強い口をきくこともなくなり、むしろこれから展《ひら》ける運命をともにする親近感がいよいよ増してくる感じがある。

七月一日、幕府より内示があり、納采の儀は九月半ば、婚儀は十二月十八日の吉日、篤姫の江戸城入城はそれより一ヵ月以上前の十一月十一日と決定した。

島津家ではこれで四年目にとうとう宿願が果せたわけで、その通達のあった翌日、篤姫は表書院に出て藩の諸役から祝儀の挨拶を受けた。

国許へもただちに早馬が飛び、八月一日鶴丸城では藩士一同、麻上下で登城、国許の家老島津伯耆に祝いの言葉を言上した。

これからさき、藩では婚儀特別班を組み、ほとんどの仕事が表方《おもてかた》の武士の手にゆだねられることになり、篤姫を守る幾島は八面六臂《はちめんろっぴ》の働きでその日程を検討しながらこなしてゆかねばならなくなる。

邸うちには慶事ばかりでなく、八月二十五日には江戸市中を暴風雨が襲い、渋谷邸三田邸も大きな被害を受けたが、もはや決定した婚儀の日取りはゆるがなかった。

秋、日和も定まり、その目出たい日が近づくにつれて、島津家では身内一族との別れの宴、家来たちとの別宴などえんえんと続くことになるが、幾島は一夜、斉彬に言上して余人を入れず目通りを願った。

「毎日定めし多忙であろう」

という斉彬のねぎらいの言葉に、幾島はいっそう膝を進めて、

「お殿様、私思案いたしております。姫君さまのはこせこの中に、枕絵《まくらえ》をお入れ申すべきか否やと」

と小声で話すと、斉彬は委細を理解してうなずきつつ、しばらく膝の上で扇子を鳴らした。

輿入れする姫君の性教育には、微細に描いた枕絵を胸に差すはこせこに入れ、婚礼の前夜にそれを見せておくのが老女の役目だが、家定について洩れ聞くところの多い幾島は、果してそれを篤姫に見せてよいものかどうか、斉彬の意向を質《ただ》しておきたかった。

「それに、姫君さまには、未だご継室なるご事情をお話し申上げてはございませぬが」

とこれも加えて伺いをたてたところ、斉彬はややあって、

「継室であることは、婚儀の前夜、予から明かそう。もう一件については」

と、幾島の顔を見やって、

「そのほうの才覚《さいかく》に任せよう。姉上付きで近衛家との婚儀のおぼえもあろう故」

と笑《え》みをうかべてするりと逃げた。

「ま、お人の悪い殿さまでございますこと。郁姫君の婿君はご立派な忠熙さまでいらせられました故に、私、何の懸念もございませなんだのでございますが」

「いやいや、それは判らぬ。将軍家も於篤を迎えて俄にお元気になられるやも知れぬぞ」

「ならばお殿さま、やはり幾島、枕絵はお見せすることにいたします。必ずや、お世継ぎをお挙げになりますようにとの祈りをかけまして」

というと斉彬もうなずいて、

「そうあれと予も心から望んでおる。その方《ほう》力を致してやるように」

と懇《ねんごろ》な言葉であった。

国許で主従の縁を結んでからこのかた、苦楽をともにしてきたからには、幾島にも篤姫に対して特別な愛情が湧き、でき得れば御台所として夫に愛される日を送らせてさし上げたい思いは、婚儀が決まってからとくに深くなっている。

もしや家定に、夫婦の交わりがかなわなかった場合、むごいのは篤姫君、と思う気持が昂《こう》じ、それならばいっそ、枕絵などでそれを知らしめぬほうがご本人のため、とこのところずっと思案しつづけて来たのであった。

が、いま斉彬の言葉を聞き、幾島はふっと気持が昂揚《こうよう》して、なりゆきに任せるだけの受身では事態はひらけぬ、と思った。

一生奉公であるからには、主がより栄達の座に上るよう、粉骨砕身するのが道であって、これからは姫君さまお一人でなく、将軍さまにまでお仕え申上げ、と心にきりりとたすきをかけるような気持になってくる。

十一月にはいると、篤姫は幾島にすすめられて邸内の座敷という座敷を塞《ふさ》いでしまった自分の婚礼の諸道具を見てまわった。

まず表道具七品といわれる長柄《ながえ》、駕籠、打物《なぎなた》、挟箱、お茶弁当、煙草盆《たばこぼん》、それに薬用のおもく茶碗《ちゃわん》、これには徳川葵《あおい》の、それも三つ葉左ともえ、筋立ては十五の家定の紋を金蒔絵で打ってある。

中身の詰まったおびただしい数の長持と両掛には葵と近衛家の藤とをどこかに散らしてあり、その他の小道具も、紋こそなけれ、鼻紙入れに至るまで御台所用として特別のものが作られてあった。

たとえば、本丸で使う鼻紙入れは必ず鏡付きで模様もすべて手細工、決して横切れを当てたりなどの略しかたをせず、使うのはこれに鼻紙を巻いてから懐中に差すというやりかたを、篤姫はすでに教わっている。

一生使っても使い切れないほどの自分の衣類諸道具の他、婿君の将軍への土産、家来衆への土産の他に、諸大名からの祝品が山積みされている。

御三家御家門一統よりの祝言の献品は大よそ決まっており、尾州紀州家からは屏風五双、水戸家からは屏風三双など、これは諸道具のうちいちばん先に城内に入り、黒書院に飾って将軍に親しくお目にかけることになっているのであった。

九月納采の儀を終えてから、篤姫は心昂《たか》ぶり、思うのは、生涯夫たるべき将軍家定のことだったが、本人については幾島から、

「少々お体がお弱くいらせられます故、姫君さまが万事お助け遊ばしますよう」

と聞いているだけで、そのみめかたちや、暮しぶりについてはまだ何も判らなかった。

それでも、この二月、老中が将軍に篤姫との婚儀について伺いをたてたとき、

「許す」

と喜ばしそうにいわれたことは聞いていれば、心のどこかでそのひとが江戸城のうちで自分を待っていてくれるのだという、ひそかなときめきもある。

夜、眠りに入る前、夫となるべきひとの面影を闇のなかに思い描くこともあり、お体がお弱くおわすならば今和泉家の兄上の如きおん方であろうか、などと考えていると自分でも判るほど両頬が火照《ほて》って来、まわりには誰もいないことを知っていながら恥しさにてのひらで頬を押さえてみたりする。

十八の年に生家を出て以来、鶴丸城、江戸藩邸を経ていまようやく、辿《たど》り着くべき場所へ進みつつある安堵感もあればまた一方不安もあり、幕府さし廻しの儀礼係と近衛家の三老女にずっと連日儀式の順序を聞いていながら、当日果してすべてうまく運ぶかどうかと案じる気持もないでもなかった。一生奉公と決まっている亀岡は、篤姫に対して幾島のような積極的な教育の仕方をせず、これは幾島への遠慮もさることながら、島津家が大藩で、万事徳川大奥の慣習と相似たところもあり、また何より、

「篤姫君は一を聞いて十を知るお方であらしゃりますほどに」

くどく申上げずとも、と弁《わきま》えているらしかった。

日は一日一日と迫り、荷物すべて荷作りも終り、いよいよ明日が入輿、という前晩、篤姫は居間で髪を洗ってもらった。

布を温湯にひたして揉《も》み、梳《す》き櫛《ぐし》でていねいにいく度もいく度も梳くだけだが、こうすると汚れが落ちてさっぱりとする。その髪のままの姿で、寝間に入る前のひとときをくつろい

でいると、表から使者があり、斉彬の居間にまで来られたしという。

親子別れの最後の盃は明朝のはず、それにしてもこのままの頭では、と幾島は髪結いの女中を呼んで島田にとりあげさせ、篤姫を表に導いた。

表の事務の間ともいうべき書院に、斉彬は小姓だけを控えさせて一人坐《すわ》っており、幾島を見てしばらく考えてから、

「よい。そのほうも同座いたすように」

と命じた。

幾島にはおおよその察しはついており、これから将軍家定についてのあらましと、篤姫が三度目の室であることを明かそうと遊ばすのだと考え、篤姫の斜め後ろに手を膝にしてかしこまった。

もう夜寒で、斉彬はわきの火桶《ひおけ》に折々手をかざしながら、

「万端調い、いよいよ入城は明日と相成った。まずは祝着《しゅうちゃく》じゃが、於篤も機嫌ようて何よりじゃ」

と祝いの言葉あってから、

「いまから予の申すことを、肝に銘じてよくよく聞取っておくように」

と前置きした。

きっと将軍家への入輿の心得だと篤姫は受取り、居ずまいを正してうなずくと、
「於篤がこのたび、将軍家へ輿入れの首尾と相成ったのは、無論本人の器量もあるものの、これには幾多のかげの助力があったことに思いを致さねばならぬ。家斉公の御台所、我が島津家より出でし大伯母君の御威光はむろんのこと、老中阿部伊勢守をはじめ水戸御老公、越前どの伊達どの諸侯の大いなる力あってのことじゃ。

それと申すのも、於篤も知ってのとおり、去る年、アメリカのペリー浦賀に来航してより外国船の日本を窺《うかが》う度数日を追うてひんぱんとなり、我が国はついに日米和親の神奈川条約、下田条約を締結するに至った。

のみならず、オランダ、ロシアとも和親条約を調印せざるを得なくなり、朝廷におかせられてはこのことを深くご憂慮遊ばし、恐れ多くも昨年、この斉彬にご宸翰《しんかん》をくだしおかれたのを於篤はよく覚えていよう。

日本国内はいま、攘夷開港をめぐって未曾有の危殆《きたい》に瀕《ひん》し、騒乱の状態にある。かかる場合、何よりも望まれるのは、まつりごとを司《つかさど》る幕府の強化じゃ。しかるに現将軍はご身体脆弱《ぜいじゃく》にましまし、ご政務をお執り遊ばすのはいかにもご大儀のようにお見受けされるが故に、幕閣、諸侯ともこれが悩みの種であった。

そこで於篤、そなたの任務が、単に御台所として大奥を統《す》べるだけでなく、一歩も二歩も

いでて将軍を補佐するという重大な意味を帯びてくる。

補佐にはいろいろな役割があり、まずお世継ぎを挙げねばならぬが第一、これは幾島の助けを借りて、十分努力をいたさねばならぬが、目出度く願望達せられた暁でも、家定公はただいまおん年三十三歳におわし、世子の君がご成長の日まで、あるいは空白の月日を迎えるやも知れぬ。

かかる情勢下において、指導者たる将軍がご老体であったり、またご幼少であったりするのは甚だ望ましくないことは於篤にもよく判るであろう。

これが太平の世ならばよい。げんに徳川家でも、七代家継《いえつぐ》公はおん五歳で将軍職を継ぎ給い、ご在職中、間部《まなべ》詮房《あきふさ》、新井《あらい》白石《はくせき》の補佐を受けて政務を執るかたちを整えられたが、将軍は於篤も史書で知るとおり、おん年八歳でみまかられた。

そこでいま、徳川家に必要なのは、次期将軍を早々に決めておかねばならぬことで、これには諸侯が推す水戸御老公の七男、慶喜《よしのぶ》卿の名が挙がっている。

くれぐれも申すが、これは万一のときの予備態勢であって、家定公もずっとご息災で長生き遊ばし、そなたも無事お世継ぎを挙げた場合には必要なきものであるが、何といっても二百五十年継承しつづけてきた徳川家を、この時期に潰滅《かいめつ》させては神君家康公に申開きができぬという思いは幕閣、諸侯ともに強く抱いておる。

これは先代家慶公も深く案じられ、家定にもし所生《しょせい》なくば、という仮定のもとに心ひそかに慶喜卿を、と思し召した由、こういう話もある。

それは去る嘉永五年十二月の鶴御成《つるのおなり》のさい、家慶公が慶喜卿をお連れ遊ばそうとして、阿部老中からおとどめ申され、

『少し早いか』

と仰せられ、

『慶喜は、亡き初之丞にそっくりじゃ故』

と呟かれたということ、このことを於篤はよく記憶しておくがよい。

家慶公のその御意志は幕閣内、大奥に伝わり、次期将軍候補者としては慶喜卿を、と望む声が高いのじゃ。

あと一人の候補は、紀州の慶福《よしとみ》公であるが、こちらはただいま十一歳で将軍職を背負うについては幼少にすぎる感がある。

慶喜卿は、ご老公三十七子のうち、とくに英明にあられ、そこを見込まれて阿部老中どののご尽力で、一時絶えていた一橋家をおこされ、当家英姫にとっては舎弟にあたるという深い関係にある。

ご老公が昨年観花の宴でそなたの利発に目をつけられ、ぜひとも御台所に、という強力な

推輓《すいばん》をなし下されたのも、その内実、そなたから慶喜卿を、と将軍にすすめて欲しいからじゃ。

のう於篤、そなたのこれからの働きは、単に水戸家とか島津家とかの利益になることではなく、大きくいえば外夷《がいい》に対するこの日本の国を守る態勢に深く関わっていることじゃ。いまの時世は、女ながらも国のため挺身し、この重大な時勢を乗り切ることが肝要じゃと思われる。

家定将軍は世子時代、前二回、京都よりご簾中を迎えられたが、いずれの方もお体弱く早くにみまかられた。

身心ともに壮健なるそなたを迎えるに当って、家定公はこころからの期待を以ておよろこびと承っている。

よいか於篤、国のため、徳川家のため、この重大なる任務を首尾よう果しくれるか」

とじゅんじゅんと語ってきた斉彬が言葉を休め、覚悟のほどをたしかめたとき、篤姫は体中がおののき、熱くなるのを覚えた。生れてこのかた、いまだ覚えたことのない深い感動に思わず手をついて、

「私の如き数ならぬ身に、そのような大任を仰せつけられ、この上なきほまれと存じ上げます」

と篤姫はほとんど涙を浮べながら、

「及ばずながら私、身命に替えてもそのお役目果してごらんに入れたく存じます」

とけなげな答えであった。

斉彬は、そういう篤姫を満足げに見やりながら、

「むろんそなた一人の力に頼るというのではない。始終当方と連絡を取合いながら計画をすすめて行くのじゃが、さしあたっては当家庭方役の西郷吉兵衛を働かせ、その報告を当家小の島に、小の島から幾島への密書として、常時届けさせる故、於篤はそれを十分承知の上で行動するように」

とその手続きの腹案を打明けた。

国のため、といわれた言葉が、このときどれだけ篤姫の胸をゆすぶったか、それは日本外史や大日本史を読んだ青年たちが、血汐《ちしお》をたぎらせて国事に奔走《ほんそう》する思い以上のものがあり、真実一命を抛《なげう》ってでも、という凛乎《りんこ》たる覚悟を決めないではいられなかった。

女の身でも国のお役に立てる、という陶酔感は、年来篤姫が胸に秘めてきた頼山陽の、
千載、青史に列するを得ん
の実行であるのを、いままざまざと感じる。

篤姫は胸ふるわせつつ斉彬の言葉を胸にしっかりと刻み、そして国を憂えるこの父の娘と

なったことのしあわせを、いまさらに覚えるのであった。

斉彬は笑って、

「於篤、於篤、と呼べるのも今宵限りじゃの。明日からは御台様で、予は下座からそなたを仰がねばならぬ故」

と名残り惜しそうにいい、それを聞いて篤姫は、これと同じ言葉を、今和泉家の忠剛から聞いたことを思った。

運命の糸にひかれ、あの岩本村の別邸の浜で遊んでいた末家の一少女が、一段一段と階段を上ってゆく、それがこの自分で、その上次期将軍を定めるという重大事にも関与できる地位に上るのだと思うと、めまいにも似た大きな喜びの衝撃が体中にひろがってくるようであった。

斉彬は、そなたと一献《いっこん》汲みかわしたいが、明朝早かろう故、これにて、といい、篤姫は挨拶して辞したが、頭のなかは斉彬のいまの言葉でいっぱいであった。考えることは溢れており、興奮さめやらぬていの篤姫に幾島は、

「三度目の室でありましょうとも、何ら臆《おく》する必要はありませぬ。篤姫さまは将軍御台所、天下の内君《ないくん》として堂々ご入輿遊ばすのでございます故」

とくり返しいうが、いまの篤姫には自分が継室であることなど極めて些細《ささい》なことでしかな

かった。考えてみれば斉彬もこういう効果を狙《ねら》って、入輿前夜に重大責務とともにそれを打明けたのではなかったろうか。

安政三年十一月十一日、その朝、これがおそらく見納めであろうと思われる、天球儀のある表書院で斉彬と篤姫は親子別れの盃ごとを執り行なった。

女子一たび嫁しては再び帰らずという古訓《こくん》にのっとり、熨斗《のし》はすべて結び切り、二度と同じ動作を繰返さず、そして次の間に下《さが》って、将軍名代で御台所お迎えの役、大奥総取締滝山との挨拶が交わされたのち、いよいよ行列は出発となる。

渋谷村から江戸城お広敷《ひろしき》まで、先頭は滝山、続いて近衛家より母親役として下向《げこう》した老女村岡、介添えの幾島のつぎに篤姫は朱塗鋲《びょう》打ちの駕籠に乗り、その両脇に近衛家から篤姫付きとなった亀岡、花乃井が付従う。

当日この道筋にあたる諸大名には通達が出され、篤姫通行並びに諸道具送りが屋敷の前を通過するときには、熨斗目《のしめ》麻上下着用の家来、羽織着用の足軽等、禄高に応じて相当の人数を差出し、見物人を払い、土下座して見送るよう、固く指示があった。

この行列は陸続《りくぞく》と続き、先頭が江戸城へ入ったあとでも、後尾はなお渋谷邸を出発しておらず、早朝から日没まで毎日毎日、人を送ったあとは調度品送りとなって、都合六十五日間続いたという。

さいわい、秋の晴天が続き、途中時雨が二、三度降りかかった程度で、人も道具も濡れずに江戸城に到着したのを見届けて、さすが篤姫君、御運つよきおん方、といちばん喜んだのは、西郷吉兵衛ではなかったろうか。

篤姫は、一旦薩摩の桜田屋敷で休息し、ここで茶と菓子を喫してから再び駕籠のひととなって、ここからは江戸城まで、緋《ひ》と紺のどんすを縫い合わせた幔幕《まんまく》を一丈ばかりの高さに張りつめたなか、昼ひなかから葵ご紋の台提灯を一間おきに灯した道を進み、そしてお広敷玄関に到着、ここではご三家ご三卿のご簾中と大奥上﨟年寄、お年寄、御客会釈《おきやくあしらい》、お中﨟出迎え、駕籠は松竹梅を散らした衣服のお末《すえ》女中、十二人にかき替えられて奥の御座の間まで引き入れられる。

このあと、お守り刀の受渡し、またすみやかにお子を挙げさせられるようにとの祈りをもって這子《ほうこ》の土人形の飾りの儀式、お化粧なおし、七いろのお土産のやりとり、と次々としきたりどおりの順序を踏んで、やがて一切の入城の式次第が終ったのは深更であった。

この手順は、渋谷邸のときから篤姫はいく度も儀式係から聞かされており、また覚えの書付けもあって、さして面倒とも思われなかったが、何しろ江戸城の規模の大きさ、入れかわり立ちかわりする人数の多さに少しばかり酔ったような感があり、その夜は、はじめての城内にもかかわらず、篤姫はすぐぐっすり眠った。

それを見届ける幾島のほうがくたくたに疲れ、今日からは自分の居間で休むことになる名残りにしばらく次の間でお伽《とぎ》をしたのち、中﨟に導かれてはるかに遠いその長局《ながつぼね》へと下《さが》って行った。

島津家の奥のしきたりも、英姫の影響でかなり江戸城大奥のふうをならっているが、実際に入ってみれば、ここは目をみはるばかりの絢爛《けんらん》と贅《ぜい》であった。

夢のように運ばれてここまで来たその翌日、目ざめてみれば切形の間といわれるこの部屋は京間の十畳敷き、起きて楽居するご休息の間は三十五畳敷き、切形の襖は銀泥で玉かつらを、こちらは狩野派の筆で加茂競馬の図が描かれてあり、見れど見飽かぬ興趣を添えてある。

それに篤姫がいちばん気に適《かな》ったのは、どこまで歩いても尽きることがないと思われる広い吹上の庭園であって、ここは植込み、泉水、四阿《あずまや》、花畠、と人工の極致の美が見られるかと思えば、道はいつしか鬱蒼《うつそう》たる林のなかに入り、すぐそばから雉子《きじ》が飛び立って行ったりする。

婚儀の日取りは来月十八日、と定まっており、それまでの一ヵ月余、この大奥の暮しに馴れるよう取計らったのは、篤姫が薩摩育ちということもあったろうか。

翌日からはいよいよ御台所としての日課を踏むことになるのだが、先ず大奥女中のうち、年寄たちとの対面があり、それらはすべて総取締の滝山が取りしきる。滝山は幼くして大奥に上り、家定で都合三代の将軍に仕えた年功者で、篤姫は初対面のとき、幾島以上のいかつい老女を想像していたが、案に相違して小肥りの体格であまり多弁でなく、しかしそれなりの威厳はあった。

総取締役ともなれば、大奥では御台所に次ぐ権勢で、滝山付きの中﨟でさえ五人もおり、もちろん二階の付いた局部屋も立派で、歴代取締役は平生はこの部屋からほとんど出ず、一日中煙草をふかして命令を発するだけだというが、滝山はよく働き、自らあちこち見廻って篤姫のもとへはひんぱんに顔を出す。

一日は寝たまま髪を梳《と》かしてもらうお寝梳《ねす》きからはじまり、起きておちょうず所、朝食を摂りながらの髪あげ、おしまいというお化粧、そのあと仏間で礼拝、とこれは薩摩鶴丸城から島津江戸屋敷を経てきたその手順とあまり変らず、変っているのはこれがさらに念入りに、大勢の女中たちの手を経ることであった。

一日に五度の衣服の召替えも、馴れるとそれほどおっくうではなく、中﨟のすすめるものを着、頭にも飾っているうち、一わたり覚えると篤姫は自ら工夫して不便なものは排し、よいものを取入れるようにした。例えば朝のお寝梳きは、どんなに眠くとも片側を梳いて終ったら寝返りを打ってもう片側を上にしなければならず、これもなるべくならとどめるようにしたし、また化粧のとき、水を入れて運んでくる黒漆の角盥《つのだらい》も、重い故にのちには軽い錫《すず》や銀を用いるのである。それに、大奥では奉公もきちんと時間制が守られており、幾島のように一日中べったりとそばに侍っているのではなく、三交替で詰め合っている。どんなに好きな女中でも非番のときに召してはならず、篤姫はその勤務態勢をみてお幸の方の、女子が内助の功を立てるのには奉公人をうまく治めることが肝腎《かんじん》ですぞ、という言葉がいま耳によみがえってくるように思った。

服装はもの日と平日、月替りと区別がある他、髪結い、化粧、守り袋、煙草入れ、扇子、汗拭《ぬぐ》い、足袋、上草履のはしに至るまで御台所専用のものを使用、これは西郷が調達したものの他、徳川家でもすべて新調してあった。

御台所付き女中はお目見得以上でおよそ百人、お目見得以下では二百人の余に上り、これに将軍付きと大奥女中をすべて数えると三千人近くになり、これらの頂点に御台所が位置することも、一目見ただけでよく判る。

御台所付きの女中の総帥は唐橋《からはし》といい、さき頃失脚していまは市中に下っている姉小路の実妹にあたるが、姉妹でも気質は全く違い、男と対等にわたり合ってひけを取らなかった姉に較べ、唐橋は鷹揚《おうよう》であまり人の意見にさからうことがないという。

これほど多くの女中を前にして篤姫は一種の畏怖《いふ》を感じるほどだったが、早くもそれに出《で》会《くわ》したのは、入城後二十日ほど経った頃のこと、その日、篤姫の夜食のとき、懸盤《かけばん》をなかに両方へ三方《さんぼう》をおき、瀬戸物へ木蓋があるのを、幾島が手をのばして蓋を取ろうとしてふと手もとが狂い、打掛けの袖口がほんの少し、汁に触れた。幾島は平に謝り、ただちに皿のものを取換えさせるよう、次の者に命令したが、ちょうどその場に居合わせた滝山が、

「幾島どのには、お召物の袖口に当て布をしてはございませぬのか」

と聞いた。

幾島はそれに対し、ちらと滝山の袖口に目を走らせて、

「大奥では、袖口布を用いるようとくべつご政令が出ておりますでしょうか」

と反問したが、滝山はそれが癇《かん》に触ったのか、

「ご政令とは大げさな。袖口布を当てると衣服が長持ちする故に、私の考えで部屋の者どもにかようにすすめております。

ただいまのような粗相《そそう》をいたした場合でも、袖口布だけ解いて洗えばよろしゅうございます故に、幾島どのも如何かと」

と話しているのを幾島は遮って、

「それはご無礼なおっしゃりよう」

とひらきなおり、

「かりにも御台所のおん前で、袖口布を当てた服装でお給仕などいたされましょうか」

と昂然と首をのばして言葉を返すのへ、

「幾島どのにはこの大奥の様子がまだお判りになってはおらぬようじゃ。

表方がつねづねいかに大奥に対して節倹を要求して来ているか、我々はその交渉にいつも身も痩《や》せる思いをいたしおります。

衣服のたぐいも、新調ばかりしているのではのうて、袖口には袖口布を当て、少しでも永持ちするよう心遣いいたしておることを知らしめるためにも、つね着にはそれくらいの配慮を、幾島どのにもして頂きたいものじゃ」

と滝山がいうのへ、幾島はひるむふうもなく、

「それは滝山どののご勝手でありましょう。袖口布なと胴抜きの小袖なと、十分ご節倹遊ばして表方の受けをよくなさればよろしいかと存じます。

が、われらは、十三代将軍御台所付きの女中にございます。御台所はおそれ多くも右大臣近衛忠煕どのの姫にあらせられ、ご生家島津本家からは月々多額の化粧料をお送り頂く高いご身分の方でございます。

その御台所のおん前へ、われらが袖口布などつけた打掛けを着てお目通りすると聞いたなら、まず将軍さまがいかにご不快に思し召されるか、また近衛家も島津家もどれほど落胆遊

ばされるか、われらはそういう意味あいからも、袖口布などあてたつね着などには、この城にある限り、生涯手は通さぬつもりにございます。

徳川家も、御台所付きの女中に、それを命令するほど金銀が逼迫《ひっぱく》いたしてはおりますまい」

と朗々と、大音声で述べたてた。

思いがけぬ抵抗にあった滝山はただ呆気《あっけ》にとられ、二の句がつげずにいるのへ幾島はさらに追打ちをかけて、

「滝山どの、以後、大奥がいかに節倹をきびしく取締ろうと、御台所の入費については表方といえども口ははさませませぬ故に、そのようにお心得おき下さいませ」

といい放った。

大奥へ入れば大奥のしきたりを、と軽い気持で口にした注意に、これだけ強く噛《か》みつかれた滝山はとっさに返す言葉もなく、

「幾島どのはきついお方よのう」

と呟き、早々に退出してしまった。

一切を黙って見ていた篤姫は、幾島が新参者とあなどられまいとして、最初に一撃、大奥総取締役に報いておこうという気持はありありと読みとれたが、これからさきの困難が思い

やられると心のうちで呟いた。

幾島は地声が大きい上に、例のこぶによって容貌魁偉《ようぼうかいい》というふうな印象を与えたから、言葉に威力があり、今後滝山がどう出るか、気にかかるところでもあった。

この頃、江戸城には、将軍家定の生母、おみつの方がおり、これは書院番跡部茂右衛門の女《むすめ》で、家慶公薨去のあとは本寿院と称して西の丸に住んでいるが、性格は地味で年中紋付きを着、居ずまいを正して暮しているようなひとであった。

むろんまだ篤姫とは対面はしていないが、婚儀のあとで母子の挨拶を交わしたとき、篤姫は本寿院の待遇がまだお中﨟格であるのを見て、家定に直接、

「お腹さまを上通り《かみどお》りのご待遇に遊ばされては」

と進言し、家定もこれを入れて新御殿の一室に移らせたという。

上通りというのは、将軍の家族としての待遇を指すが、当然のことながら、嫁としてのこうした心配りを怠りない篤姫の態度が次第に周囲からの尊敬を高《たか》めていった感がある。

幾島が滝山に強く抵抗した噂はひそひそとその日のうちに大奥に広まり、女中たちは、

「滝山さまはこぶのお方に一目おくようにおなり遊ばしたそうな」

あの気丈な滝山が、という響きが含まれてそれは表方へまで伝えられていった。

入城以来、手はずは順次すすめられ、婚儀を明後日に控えた夜、幾島は寝所へ篤姫を訪ね

た。

十二月一日から十二日までは大奥煤払《すすはら》いが続き、十三日からは畳の総替えで、このときは一時御台所は将軍御座所へ立ちのくのが慣例だが、篤姫は化粧の間へ休息に出ただけで、戻ってみれば一面青々とした新畳になっていたのであった。

その畳の上に敷いた寝床の上に坐り、髪を梳《す》かせている篤姫の前に出た幾島は、髪結いの中臈の下るのを待ってはこせこを取出し、

「明後日のご寝所のお心得を申上げます」

といったところ、篤姫の顔が燭台の灯りでもそれと判るほど赧《あか》く染まった。

膝をすすめて、

「当夜は、何事も将軍さまの思し召し通りになさいますように。それがお子さまを挙げる儀式にございます故、決して嫌がらずに遊ばしますように」

さらに枕絵をひろげ、

「あらましはかような様子にございますが、将軍さまがどのように遊ばすかは誰にも判りませぬ」

というと、篤姫はちらりと目をやったがすぐそらし、俯《うつむ》いたままであった。

「当夜は、お部屋の外にてお中臈二人、ねずの番にてお伽をいたします」

と話したとき、篤姫は異《い》なことを、というけげんそうな表情で幾島を見返したが、何もいわなかった。

「将軍さまがなるべくたびたび姫君さまのもとへおわたりになりますよう、これからお願い申上げねばなりませぬ故、どのようなことがあろうとかまえて思し召し通り」

とくどいほどそれを幾島は口にした。

式当日、篤姫は駕籠に乗り、陰陽の松明《たいまつ》というものを焚《た》いている玄関から改めて入っての ち、御対面所ではじめて将軍家定と顔を合わせた。恥しくもあって正面からまじまじと正視はできなかったが、想像していた兄忠冬よりはさらに痩せていて、青白い額に大きくみみず腫《ば》れのように浮出ている青い癇筋が強く目に残った。

床の左右に相対して坐り、四人の介添えを連れた待上﨟《まちじようろう》の手で三三九度の盃事が交わされたが、篤姫は始終目を落していながら、相手がふるえているのがよく判った。

自分は意外に落着いていて、

「気を張りつめておいで遊ばすせいなのか」

と相手を思いやる余裕があり、そう思うとふっと、斉彬から聞かされた自分が継室であることが頭の隅を通っていったりした。

こちらももう二十一歳でもあったし、将軍も三十三歳でもあれば継室と聞かされてもべつにたじろぎはしなかったが、やはりおいくつになられても婚礼の儀はお窮屈でおいやなのであろう、と自分も同感しながらそう思った。

三三九度はかねての練習どおりつつがなく運び、双方とも衣服を改めて二番内躬《うちみ》の盃ごと、次に三番肝煎《きもいり》の盃ごとと続き、終ってようやく本膳が出て一旦休息、そしてふたたび御対面所で雑煮三献の式というのを行なう。

この日、家定は内大臣の服装で、篤姫はおすべらかしに緋の袴、いく度か召換えて、正午すぎからはじまった式はようやく夜の四つどきに終って、これからお床入りとなる。

この間一切無言で粛々と儀式はすすみ、寝所となる御小座敷の、鶺鴒《せきれい》の台を枕もとに飾った部屋に東枕にふたつ並べて敷いた蒲団《ふとん》の前で、お床盃があった。

介添え役が瓶子《へいし》を取って先ず将軍に一献、次に篤姫に一献注ぎ、介添え役は灯火を掲げて次に退き、待上臈だけが枕もとの簾台、乱れ箱、鼻紙台等を改めてのちやがて屏風をひきまわし、その外へかしこまる。

まわりに誰もいなくなると、家定はもう一度あたりを見廻してのち、篤姫のそばににじり寄って、

「これからよしなに頼む」

といい、篤姫の手を取った。

その瞬間、篤姫の体を稲妻のようにふるえが走り、体が硬直して何もわからなくなってしまったが、そういう状態がどのくらいつづいていただろうか。

ふっと気がついて、というのは家定に取られた手の甲の冷たさに身ぶるいし、目を上げてみれば家定は篤姫の手を押し戴《いただ》いて、その上に涙をしたたらせている。

このときの驚きを篤姫は終生忘れることができないと思ったほど、それは異様な光景であった。

三百諸侯の頂点に位し、この国の武家の総帥たるひとが、婚礼の夜の寝間で、御台所の手を握って涙しとどという有様に、篤姫は危く気を失うほどに驚き、取られた手を急いでひっこめると同時に、

「上さま、いかが遊ばされました」

と恐る恐る伺いをたてた。

篤姫はこのとき、体の弱いと聞いていた将軍が急に気分が悪くなったと思い、手を叩いて屏風の外の人を呼ぼうとしたのだったが、家定は首を振って、

「何もいたしはせぬ」

と力ない声でそれを拒んだ。

枕元の燭台《しょくだい》に照らされた家定の顔を、そのとき篤姫ははっきりと見たが、さきほどの初印

象よりはさらに青白く、痩せて小さく、いまにも倒れそうなほど脆弱《ぜいじゃく》であった。

「御台よ」

と呼びかけ、

「今宵はゆっくりと休まれるがよい。婚儀というものは疲れるものじゃ」

というと南側の、へりを金襴《きんらん》でとった、緋裏白羽二重の自分の蒲団に入り、肩まで夜具を引きあげて、じっと篤姫を見た。

それは小犬があたたかい犬小屋に戻り、安堵してこれから寝《しん》に就こうとしている姿に似ていて、篤姫はふっと心さそわれ、目と目が合ったとき、思わずにっこりとした。

家定も釣込まれて頬をゆるませたが、途中引きつったような顔になったと思うと、くるりと寝返りを打って、背を向けてしまった。

それが篤姫には少しも不快ではなく、むしろ、

「上さまって、何てかわいらしいお方」

と思いながら、自分も北側の寝床に入り、足をのばしたが、今宵夫となる君に初めて接し、それがいかにも身体虚弱という感じを受けても、篤姫は別段落胆はしなかった。

生涯連れ添うひとがいかなる欠陥を持っていようとも、それは嫁《か》した女の運命であることは疑っておらず、それに篤姫は、父と兄三人の男子の弱い家に育っていれば、健康な女が夫

を補佐しなければならぬという覚悟はしぜんに身についているものであった。

幾島に見せられた枕絵と、今夜の様子がちがっていることくらいは判っていたけれど、それがすこしも悲しいこととは思われなかった。何故お泣き遊ばしたのか、とそればかり気になり、それは常日ごろ、人には見せぬほんとうの姿を、今夜から妻となる自分にだけ露わにしたというなら、それが枕絵とは違った行為ではあっても、うれしいことではないかと一人思うのであった。

婚儀は疲れる、と仰せられたが、三度目でもあればきっと婚儀がもうお飽き遊ばしていたに違いない、さすれば一ヵ月も前から美々《びび》しい行列を組み、今日は朝から多くのひとをわずらわして長いめんどうな儀式をしたのも、お弱い将軍にはさぞかし重いお気持だったことであろう、と思った。

篤姫の慰めは、夜具から首だけを出し、はにかんだようににっこりした家定の笑顔を見たことであって、この夜はもうこれで何を望むこともないようにさえ考えられる。

それにしても、将軍というお立場はお気の毒、気分が休まれるのはこのお寝間だけなのではあるまいか、と思うと、これから先、よき助力者となって補佐してさし上げようとますます気持を固めるのは篤姫の若さというものだったろうか。

翌朝、家定篤姫ともに未明に起き、家定は御対面所のお次で、篤姫は化粧の間で衣服を改めてふたたび一しょになり、まず打合《うちあわせ》の餅というのを食した。

昨日の待上臈が、

「ご無事におん契《ちぎ》りもすみ、お目出とう存じ上げます」

と祝いをのべるのへ、家定は小さくうなずいて礼を返し、篤姫は黙ったまま頭を下げた。

このあと、篤姫だけ御対面所に戻って、本寿院とお目見得以上の女中に一人一人正式対面するのだが、本寿院のときは篤姫が上段を下りて挨拶しようとし、本寿院は恐縮してそれを辞退する一幕があった。

将軍の生母ではあっても、身分が未だ中臈ならば、「御台さま」とうやまってはるか下座からお祝いを言上しなければならぬが、篤姫はそのしきたりを破ってでも生母を立てようとしたことで、本寿院は感涙にむせんだという。

次いでお目見得以上の者へはいちいち土産を渡したが、そのなかに側室おしがの方があった。

一人一人を紹介する滝山は、おしがをどう説明してよいか、一瞬迷ったが、やはりさらりと、

「お部屋を賜わっておりますお中臈のしがの方でございます」

と申上げたが、篤姫はこのひとが他のお中臈とは違って特殊な立場に在ることがすぐ判っ

た。

もう三十過ぎの姥桜《うばざくら》だが、濃い双の眉が強い気性をあらわしていて、心なしかツンとしているようにみえる。

篤姫は他のお中﨟に対するのとおなじように祝儀の挨拶をうなずいて受け、

「これからもますます忠勤を励むよう、頼みます」

と言葉を添えたが、心のうちに不快な気分が過《よぎ》ったのはどうしようもなかった。

婚儀はこのあと三日目、五日目、七日目、と行事が続き、最後にお生家《さと》びらきがあって、篤姫から近衛忠熙《このえただひろ》と村岡に上下《かみしも》一具、小袖《こそで》一重ねその他の品を贈って終るのだが、京から江戸へ下向し、一切の式に立ち会った村岡は、これを限りに島津藩邸に下り、京へと帰っていった。

家定三度目の婚儀ではあっても、前二回はまだ世子時代のことでこれほど盛大ではなかったし、今回はまたその上、幕閣内にも将軍の威光をひろく知らしめるよい機会、と考える者もいて、一入《ひとしお》念入りに豪奢《ごうしゃ》に執り行なった感がある。

それに応《こた》えるのに、調度品の荷送り六十五日という島津家の財力は十分で、この将軍婚礼はのちのちまで江戸市中の話題を賑わしたほどであった。

そして二十一歳の御台所は、少しも臆するところなくこれを勤め終え、堂々たる貫禄を示したことも人の口の端から消えなかったのである。

この婚儀の一切を、わきについて見届けた幾島は、夜半、長局《ながつぼね》に戻ってくると、いつも篤姫の成長をつくづくと思った。

将軍と初めて床をともにした翌朝、まわりに人のいないのを確かめて、

「ご首尾はいかがでございました」

と聞くと、篤姫はうす赧《あか》くなりながら、

「案じるには及ばぬ。やさしいお方であった故に」

といっただけであったが、それを聞いて幾島はほっと安堵の胸を撫《な》でおろした。

当夜の首尾は、ねずの番の待上臈が仔細《しさい》を表に報告することになっており、幾島が洩れ聞いたところによると、家定はやはり夫婦の交わりはかなわなかったらしいが、それに対して鷹揚な態度であった篤姫をお気に召したらしかった。

家定は、ふだんから政務を嫌ってよく中奥で休息し、夜もそのままこちらで寝《しん》に就くことが多かったが、昼間はずっとおしがそばに侍《はべ》っていても、夜はいちいちお招きはなく、ひとりでゆっくりと寝るのが好きであるらしかった。

将軍付きの上臈年寄梅野井と総取締役の滝山は、婚儀のあと幾島を加えて談合を持ったが、それはこののち、いかにたびたび家定が御台所のもとへおわたりになるように工夫する

か、ということであった。

幾島は、篤姫を大事に思うあまり、入城早々滝山と衝突したことを思い出し、一瞬怯《ひる》んだが、大奥にとって将軍の夜のおわたりはご繁栄、と考え、その談合に出た。

三人顔を合わして談合に入り、いちばん年若い梅野井が、

「御台さまご自身から、たびたびおわたり賜わるよう、お願い申上げましては」

というのへ、幾島は言下に、

「そのようなはしたないこと、私は御台さまにおすすめはでき申しませぬ。夫婦の和合は自然であったほうがよろしいかと存ずる」

「そんな悠長なことはいうておられませぬ。かのおしがの方は、上さまにおわたりをたびたびおせがみ申上げると聞いております」

という梅野井に幾島はおっかぶせ、

「それを聞けばなおさらのこと。御台さまは側室ではない。上さまのほうからすすんでおわたり遊ばされるように考えるのがわれらの勤めではございませぬか」

と幾島は言葉きつくそれを斥《しりぞ》けようとし、梅野井が反論しようとするのを滝山は制して、

「お待ち下され、私によい考えがある。

上さまはお美しいものがお好きな方じゃ。おしがの方には真似のできぬことを御台さまに

お願い申上げては」

と声をおとし、

「それは、御台さまがずっとお頭《つむり》はつぶいち、お召物は派手やかな振袖を召しておいで遊ばすことじゃ。こうすればきっと上さまは御台さまの許へたびたびおわたりになる気持におなり遊ばすに違いない」

と提言した。

つぶいちというのは、公家の娘の髪型で、ふつう御台所ともなればこれをおまたがえしに結い替え、そして懐妊すれば片はずしなどを結《ゆ》うと同時に、お袖留めといって振袖は着なくなるのが常であった。

篤姫は婚儀のあと、まだ鉄漿《かね》はつけないが眉は剃り落しており、梅野井は一ひざ進めて、

「御台さまはただいまはもう半元服のご様子におなり遊ばしております。おん眉のなきご様子で頭はつぶいち、というのは大奥の風紀を乱すのではありますまいか」

と反対した。

そういわれてみれば、つぶいちはまだいとけない十代の公家の娘のもので、二十一歳の御台所が眉を落としてのちも結う髪ではなく、風紀はともかく、幾島は、これは篤姫にはお似合いにならぬ、と思った。

「それでは」

と幾島は私見を述べて、

「御台さまにはおまたがえしがようお似合いでございます。これをいま少し派手やかに結い、頭のものもたくさん挿して、お振袖もなるべく赤く華やかなものをお召し頂くよう、御台さま付きの唐橋どのとよくよく相談をいたしたいと存じます」

といい、結局、この日の談合はつぶいち提案はとりさげられ、幾島の考えかたに他の二人は同調したのであった。

先ごろ口論したにもかかわらず、滝山が篤姫のためを思ってこのような談合を持ったことで、幾島の心は解《と》け、安堵した感があった。

してみると滝山どのは、先ごろの節倹の論議を、御台さまの身辺にだけは及ぼさぬ考えを明らかになされたものとみえる、と幾島は判じ、長局に戻るなり呉服之間のものを早速に呼んで、

「御台さまのお召物は、ご生家からのお支度のものは、長くお召し頂けるようにとの配慮からどちらかといえばお地味なものが多いので、上さまお好みのお色目、おん柄ゆきのものをこれからはどんどん新調いたしたい。

お召物だけでなく、お頭のものもできるだけ派手やかにして、御台さまがいつまでもお美

しくあられるよう工夫を凝《こ》らすように」

と命令した。

御用は、大奥からの注文を受けて表方の御用人が出入の町人、二十四業種九十三人に発注するが、なかでも多い業種は塗師蒔絵師の十九人、呉服の十四人、飾師の十一人などがある。

幾島は、こと篤姫の必要なものについてはいささかの遠慮なく発注し、気に入らなければいく度でもなおさせて、出入りの者からは、

「幾島の局は、金銀を湯水のようにお使いになる方じゃ。女ながらも、金遣いにかけては豪胆におわす」

といわれたという。

篤姫は、こうして独特の派手やかなおまたがえしを結い、それに重いばかりに花簪《はなかんざし》をさし、そしていつも地赤の振袖に同じ地赤の打掛けであった。

もともと体格のよいのへ、ぱっと華やかな服装をしていれば、御台さまの、

「お通り遊ばします」

と女中たちが先触れしてゆく廊下は、これまで六年もの御台所空白のさびしさを払って俄に活気を呈してくるようであった。

家定とは毎朝、仏間で顔を合わせるしきたりで、そのときは互いに、

「ご機嫌よう」

という挨拶を交わすだけだが、美しく化粧した篤姫に、家定はしばしば見とれることもあり、そういう様子を見ると、幾島は我が意を得たり、と思う。

しかしおわたりは極めて少なく、婚儀のあとその沙汰があったのは、十日ののちであった。

案じるには及ばぬ、という篤姫の言葉を信じて幾島は篤姫を寝所へ送ったが、やはり心は平静でいられなかった。将軍も三十三の男ざかり、御台所も二十一なら、毎晩でもおわたりになってふしぎはないのに、婚儀のあと十日もご沙汰のないのは何故かと不審を抱く。幾島は以前から、この大奥で斉彬の使命を果すのには、手足となって働いてくれる人間が欲しく、それとなく物色していたが、自分の部屋子のなかに重野《しげの》というよく働く若い子をみつけた。以前、女ながらも狐狸《こり》退治をしたことがあるという噂があり、いつも風呂上りのように耳朶《みみたぶ》が赤いのをみて健康であると思い、その重野を呼んで、

「そなたと見込んで頼む」

と打明けたのは、おしがの方への監視であった。

もちろん直接、相手の部屋へ乗り込んでゆくことはできないが、お目見得以下の者は御膳

所などで他の部屋の者と顔を合わす機会もあるので、それとなく様子をさぐるよう頼んだのであった。

この重野は、表方の近藤左近の娘で、武芸百般に通じているという強者《つわもの》、とりわけ手裏剣の名手と聞え、賢くわきまえあって、幾島は入城以来、ずっと目をかけており、特命を受けて重野はかしこまってそれを拝した。

将軍二度目のおわたりの翌朝、居間へ戻った篤姫から、

「これからはねずの番は廃するように」

と幾島に通達があった。

将軍寝所の隣にお中臈二人がねずの番をするのは大奥のしきたりで、それは、側室が将軍にものをねだったり、家来衆の悪口を告げたりの弊《へい》を防ぐためで、ずっと独身のお中臈のなかには、先代先々代の将軍などの寝間での戯れがあまりに刺激的であるため、いつの頃からか、当番の者は奥医師から半仮睡に陥る薬をもらい、それを服用しているのだという。

幾島は篤姫の命を受けたとき直ちに理解し、あのお気の小さい、体のお弱い将軍は、隣に監視者がいるとご気分が萎縮《いしゆく》し、夫婦のお交わりもできないのだと悟って、すぐさま滝山のもとへその由を告げに行った。

そして将軍二度目のおわたりのあと、また十日ほどしてお泊りの沙汰があった。

幾島は、このたびこそ、と意気込み、例の枕絵を今宵こそは上さまのお枕の下に敷いておいてごらんに入れるように、と進言したが、篤姫は微笑しているばかりであった。

二度目のときも、家定は篤姫の手を取っただけで、

「今宵は冷える。早うやすまれるがよい」

といって自分からさきに臥床《ふしど》に入ってしまったが、ふたつ並べた蒲団のなかでいっとき話は交わした。

そのときの会話に、

「御台は薩摩じゃそうなが、彼の地にはからいもと申すものがあると聞く。それはまことか」

と聞かれ、篤姫も国許でそれを食べたことをなつかしく思い起しながら、

「はい、甘味のあるお芋《いも》でございます」

と答えると、

「一度それを食してみたい。島津の献上品には砂糖、煙草、焼酎《しょうちゅう》はあっても、これまでからいもはなかった故」

「上は、御酒は上られますか」

「あのような苦いものは嫌いじゃ。飲むといつも腹が痛うなる。予が婚儀がいやなのは、三

三九度の盃を干さねばならぬからでな」

「まあ」

と篤姫は笑って、

「お嫌なれば、お膝もとにおしずく受けを置いてございますのに。私もそれにあけました」

「御台はよい。女はよいが、いつも待上﨟は予が男じゃ故に、なみなみと注ぎおる」

といってからふと首をすくめ、

「さあ眠られるがよい。眠るほどどらくなものはない。朝がいちばん嫌いじゃ」

というと、蒲団を鼻まで引きあげて目を閉じてしまった。

もっとお話をお聞きしたかった、と思ったが、上さまは次の間のお伽を気にして口を噤《つぐ》んでしまわれたのだと篤姫は悟り、全くの独断でお伽を廃するように幾島に伝えたのであった。

滝山は、幾島からの申出を聞くとうなずいて、

「長いあいだの大奥のしきたりを破ることは重大事でありますが、そのためにお世継ぎを挙げられるようになれば、これは何より喜ばしいこと。表へは私から通達しておきます」

と快く受け入れてくれた。

実は、お伽廃止はこれがはじめてではなく、歴代の御台所のなかにもそれを申出る者がい

たそうだが、その例を知らない幾島は、滝山がいともたやすく承知してくれたことでほっとした。

先ごろの袖口布の争いを滝山どのはお忘れかと見える、と幾島は思い、しかしこの大奥で一度いさかいすれば未来永劫《みらいえいごう》、根に持たれることから考えれば、このすなおさはかえって不気味だとも思われる。

三度目のおわたりは一月の五日で、この日は恒例のお流れ頂戴の式があり、家定は熨斗目《のしめ》長上下《ながかみしも》、御台所は下げ髪に緋の袴、というでたちで御対面所の上段に並び、お目見得以上の者に一人一人盃を賜わる。

元旦からずっと毎日のように儀式があって家定とは顔を合わせており、この日、家定は打ちとけてくつろぎ、盃を捧げ持つ者にわざとなみなみと注いでは、いく度も声を立てて笑った。

家定のこの悪ふざけはいまにはじまったことでなく、酒の飲めない者はあらかじめ下着に手拭のたぐいを巻き、衿《えり》もとから酒を流し込んで空の盃を返したりすることを篤姫は聞いているので、将軍の次に御台所の前へ膝行してきたとき、手ずから注ぐのはかたちだけにした。

「御台さまはおやさしい」

とこのときからまた篤姫の評判は上り、それを聞く幾島の鼻はさらに高くなる。

その夜、寝所に入った家定は上機嫌で、

「御台に、今宵はよいものをさし上げよう」

といい、いつものように手を取ったその上に、鼻紙で包んだものを載せてくれた。

「何でございましょうか」

とそっと開けると、こげ茶いろにふくらんだ蒸菓子の一切れで、みるなり篤姫は、

「あ、薩摩のふくれ菓子」

と小さな声を挙げた。

「そうか。ふくれ菓子というのか。予はカステラ作りが得意じゃ故に、今日は御台のために薩摩の黒砂糖を使うてみたら、このような色になった。

さあ、食べられよ。予が手ずから試みた薩摩カステラじゃ」

とすすめた。

家定は今日御流れ頂戴の式のあと居間に帰り、表の執務を断って黒糖のカステラ作りに熱中していたらしく、その一切れを紙に包んで懐に入れたままこの寝所まで持ってきたものと推察され、篤姫はふっと胸のつまる思いがした。

が、蒲団の上でさあ食べられよ、といわれても、恥しさが先に立つし、

「かたじけのうございます」

と頭を下げたまま捧げ持っていると、家定はさらにもう一度すすめ、それでも篤姫がためらっていると突然目がつりあがり、体がぶるぶると小刻みにふるえだした。

「上、どう遊ばしました」

とカステラを枕許に置き、篤姫が手をさしのべながらにじり寄ると、

「予のいうことがきけぬと申すか」

とふるえながら篤姫に飛びかかって来て蒲団の上に押倒した。

その拍子に枕がずれ、下に敷いてあった極彩色の枕絵が目を射たとき、家定は顔面蒼白《そうはく》になってしばし呆然とし、そしてしばらくたってから、篤姫の体をかき抱きながら、さめざめと泣きはじめた。

家定が自分の体の上に顔を伏せ、しばらく泣きじゃくっているのをみると篤姫は胸がいっぱいになり、片方の手で家定の背をしずかに撫でてやりながら、

「上、お静まり遊ばしませ。カステラはただいま頂戴いたします故」

と二、三度繰返すと、家定はようやく頭を上げて、

「許せよ。御台」

といいつつ枕絵を取上げ、小さく引き裂きはじめた。

「予はもう、このようなものは忌《いま》わしい。見るのもいやじゃ」

と引き裂いた紙を丸め、枕許へ投げつけ、

「許せよ」

をくり返しながら寝床に入り、さも疲れたようにぐったりと手足をのばした。

燭台の灯りにうつるその顔は、もう六十の老人のように深く皺《しわ》を刻み皮膚につやなく、いたく衰えてみえる。そして篤姫の視線のなかで、半ば開いた口からはもう軽いいびきが洩れているのであった。

篤姫は胸の底までしんと冷え凍る思いがし、その寝顔をみつめながら、

「何とおいたわしいこと」

と口に出して呟いた。

さきほど、青い癇筋を立てて飛びかかってきたとき、やはり篤姫の胸をよぎっていったのは故郷今和泉家の長兄忠冬の面影で、いまこうして眺めていると、二人の姿が重なってくる。

あれは篤姫五歳の夏、岩本村の別邸の夕景の砂浜で、篤姫がふと目をあげると、忠冬は漁師の少年にいまにも襲われようとするところであった。

とっさに足もとの砂を摑《つか》み、少年に投げつけて兄をかばったが、あのあと、父忠剛は忠冬

に格別強意見をしなかったのに、忠冬は一人居間にこもって声を忍んで泣いた話を篤姫は聞いた。

家の格こそちがえ、身心ともに脆弱な人間が家督を継がねばならぬとき、その重さは余人《よじん》のはかり知れぬものがあるかと思われ、そういえば、忠冬は、篤姫が家を出るまで側室の一人もおいてはいなかった。

きっと兄上さまも、上さまのように、気はあせるものの体にお元気がなくて口惜しかったのだと思い、そういうことを妹の自分が本能的に嗅《か》ぎつけていたからこそ、あの砂浜で兄をかばったのだといまは思える。

上さまも、おわたりはこれで三度目、廻りからお世継ぎを、お世継ぎを、と催促される苦しさに耐えきれず、いつもお泣き遊ばすのだと、篤姫はようやく判ったように思った。

考えてみれば、篤姫は小さいときから目下の者だけでなく、長上からも頼られ、力とされてきたところがあり、いま江戸城大奥へ入ってその運命はますます増幅《ぞうふく》された感がある。自分がいよいよしっかりしなくてはならぬ、と思いながら、その夜、篤姫は考え続けた。

一日夜更けて、幾島の部屋にしのんでやってきたのは重野で、声をおとしていうことに、

「御台さまの許へ上さまのおわたりが少ないのは、おしがの方のせいでございます」

といい、それは今日御膳所で一しょになったおしがの方付きの女中から聞いた話によるも

ので、嫉妬《しっと》深いおしがは家定に、御台所へおわたりの回数と同じく、自分をお呼び下さるように、と強くせがむのだという。

「一度、上さまの御気色のすぐれぬときにおしがの方はまたそれをしつこく申上げ、上さまはお怒り遊ばされ、そばの脇息で打擲《ちょうちゃく》なされたそうにございます」

脇息は足が折れて飛び、おしがの方は頬に大きな青あざができて三日ほど寝込んだそうであった。

それでもなお懲りず、家定の顔いろをうかがいながらやはり、

「御台さまと同じでなければ嫌でございます」

といい、そして母親が子供をさとすように、

「上さま、しがはずっと昔から上さまのおそばに仕えて参りました。上さまのお体の具合は、この大奥で誰よりも誰よりもしががいちばんよく存じ上げております。

御台さまのもとへおわたり遊ばされた翌日は、必ずこのしがにお体を拝見させて頂きませぬと、上さまはご病気にかかられるやもしれませぬ。御台さまはまだお年もお若うございます。ひょっとお交わりの度が過ぎて、上さまがお倒れ遊ばすようなことがありましたなら一大事でございます。

どうぞ上さま、御台さまと同じだけ、必ずこのしがのもとへおわたりになりますよう」

と噛んで含めるようにいい、そういわれると家定の表情がゆるんで、

「そのようにいたす」

と、おしがの方に約束してしまうのだという。

その報告を受けたとき、幾島は腹の底からむらむらとこみあげてきて、

「側室の分際でなんと思い上ったことを」

とつい声を荒げようとし、ようやく思いとどまった。

入輿の前夜、斉彬からこんこんと聞かされたように、篤姫は次なる継嗣問題に深く関わり、いわば特命を帯びてはいるが、しかしやはり何よりも大切なのは将軍正室として立派なお世継ぎを挙げることであって、婚儀以来、幾島はそればかりあせっている自分を、ときに苦笑することがある。

生娘《きむすめ》のときから奉公に上り、男知らずで勤め上げてきて、いま主の夫婦の交わりが何よりの気がかりになっているのはおかしなものだと思われるが、奉公は滅私、あくまでも将軍と御台所がおん仲むつまじくあられるよう、取持つのが任務だと思われるのであった。

おしがの方のこの言動は、こんな幾島にとって許せることではない、と断固思い、やっぱり篤姫の耳に入れようと決心した。

幾島は人払いをし、篤姫のそばに膝をすすめて小声で重野の報告を伝えてのち、

「御台さま、おしがをこの大奥から追い払ってしまいましょう。あれこそ上さまの獅子身中《しししんちゅう》の虫でございます。

お弱い上さまなら、そのお力のありったけを以て御台さまにお子を儲けさせて頂かねばなりませぬ。うまずめのおしがのもとへ、上さまが御台さまと同じようにおわたり遊ばしては、それこそご病気になるやも知れませぬ。

大体、おしがはもう三十三でございますもの。いつまでも上さまのご寵愛をお受けしたいと考えるのはみだらでございます。恥というものを知らしめてやらなければなりませぬ。早速に滝山どのを通じて表の御用掛に御台さまのご命令として、大奥から下らせようではございませぬか」

と幾島がすすめたとき、篤姫は何もいわず、つと立って後の襖の前に立った。

お気に障ったのであろうか、とみつめている幾島の視線のなかで、篤姫はしばらく石のように動かず、やがてやおら座に戻ってのち口をひらいたのは、

「幾島、そのようなこと、かまえて滝山に話してはなりませぬ。おしがはいまのままでよい」

という言葉であった。

定めしお怒りのおもむき、と考えていた幾島は拍子抜けし、また自説が正しいと思う気持

もあって再びいい募ろうとするのを篤姫は制して、

「おしがのいい分ももっとものところがあります。上さまは確かにお体がお弱いし、おしがは長年上さまのおそばに仕えてお体のご様子をよう知っておるし、上さまもまた心ひそかに頼りにされておいでかと思われる。

罪とがもなく、ご奉公に励むものを、理由なくして暇をつかわすなどということは、この大奥の決まりを乱すもと。そしらぬ顔をしていやれ。騒ぎ立てるは見苦しい」

と説くのを、幾島は膝に手を置き、感じ入って承《うけたまわ》った。

お腹立ちでないはずはないのに、このご分別、といきり立っていた自分が省《かえり》みられ、ここでもまた幾島は、これまで訓育してきた篤姫から逆に説得される喜びを思った。

篤姫とても、さきほど報告を聞いたとたん、目の先が真っ暗になる思いだったが、その混乱の顔を見せたくなさに背を向け、襖の玉かつらの模様にじっと目をそそいでいるうち、思い出したのは母お幸の方の忍耐であった。

別邸にはお春の方、お雪の方の側室がいたけれど、お幸の方は一度もいさかいを起さず、

「殿がお元気になられるならば」

と万事に目をつむって若い側室を侍《はべ》らせていた情景が浮んでくる。

養家の島津家でもこれは同じで、斉彬は英姫を正室として大切に扱うものの、大分以前か

らお寝間にお招きはなかった、と篤姫は聞いている。

大小名の家に、財政難でつぶれた例はないが、世継ぎが無くて改易《かいえき》になったことは間々《まま》ありそういうことを恐れるために、どの家でも主君が側室を持つことは常識になってしまっている。

また、正室でも三十歳を過ぎてなお夫と寝間をともにするのはしつ深《ぶか》い、などと非難されるのを嫌がり、二十代の終りからお相手を辞退するのが慣いだが、これは一説に、三十過ぎて妊《みごも》った場合、難産となるのを避けるためともいわれている。

斉彬よりは四歳年上の英姫も、疱瘡を患《わずら》った直後から寝間を下っているから夫婦の交わりは結婚後わずか一年余でしかなく、斉彬はずっとお須磨の方、お八重の方の許へわたっているが、しかしそうわきまえてはいても、人間の感情は別ものであって、英姫は二人の側室に一度も目通りを許してはいないという。

おしがの方が三十三歳でなお家定のおわたりを願うのは、表をも含めて顰蹙《ひんしゅく》を買ってはいるが、家定がそれを容《い》れる限り、いたしかたないという考えかたはある。

幾島は、それが許せぬことと思い、おしがを排除できるのは篤姫の立場からだけだといきり立って話したのだったが、篤姫は冷静であった。

これこそ大奥を統《す》べる御台所としてのお考え、と深く感じ入ったものの、この現実については腹に据えかねる思いがする。

そして御台所のもとへは早くて十日に一度、体の具合がよくないときには二十日に一度のおわたりが続き、まもなく大奥女中たのしみの花見の季節となった。

花見の催しは桜と菊、年に二度あるが、柳桜をこきまぜての賑やかさは何といっても春に止《と》どめをさすだけに、女中一同この日の天候を祈るやせつで、ちょうど咲きも揃わず散りも揃わずの静かな花に運よくめぐり合わせたときは一入《ひとしお》の盛況となる。

この日はかねてからご一門のご簾中に案内があるが、登城をするのはなかなかのもの入りで、綺羅《きら》の上に綺羅をつくさねばならぬし、またお土産ものも気張らなければならず、大奥女中一同へも目録を配らねばならぬという慣習がある。

一人ご簾中だけの衣裳の新調ならともかく、供の女中の端《はした》に至るまで取揃えるのははした金では間に合わず、そこでご一門は江戸住まいの姫君のみを伺わせるのであった。

今年の花見は、若き御台所を迎えて例年になく大仕掛けのよしで、幾島は例によって、

「御台さまのお衣裳がぬきん出てご立派でのうてはかないますまい」

と叱咤《しった》し、当日の篤姫の装束は頭のものから全部特別注文で新調、笄《こうがい》はべっ甲の花飾りで藤牡丹《ぼたん》をかたどり、藤の花の垂れたような精密な細工を施したもの、打掛けは地白にこれも花づくしの総ぬいの豪華な品で、この日はとくに腰帯をつけ、黒塗りのあと丸の桐下駄《きりげた》は

もえ黄びろうどの表つき、これを履《は》いて吹上の庭園を歩くのであった。

吹上へは将軍御台所別々に出掛け、将軍は滝の茶屋、篤姫は諏訪の茶屋へ一旦《いったん》入ったのち一緒におちあい、庭内の店々を眺めながら花の下を歩く。

店は甘酒屋団子屋、田楽屋汁粉屋、すし屋そば屋、およそ巷《ちまた》にある店はほとんど出揃っているが、これは皆、御膳所が支度して運んできたものを奥女中たちが乞《こ》いに応じてさし出すもの、それでも常ない趣きに一同大はしゃぎ、この日は緞子《どんす》の幔幕も紫、もえぎと華やかに、それに五色の練綾《ねりあや》の房をつけたものを張りめぐらせる。

ここへは表役人は出入り禁止だが、長年の習慣で透見《すきみ》黙許があり、幔幕のあいだから御台所の一団をのぞく目は至るところに見られる。

家定は殊の外機嫌よく、滝の茶屋の前から先に立って篤姫をいざない、朱塗りの太鼓橋をわたって奥の小道を辿ってゆくうち、突然歩を止めてうずくまった。

見れば顔面蒼白、額に玉の汗を浮べて苦しんでおり、そばの梅野井が駈け寄ると、

「しがを呼べ。しがが薬を持参しておる」

と胸をおさえながら絶え絶えにいった。

梅野井はあわてふためき、この一団の最後尾に従っているはずのおしがの方を呼ぶべく、そばの者に、

「おしがの方をこれへ。早う早う」

とうわずった声を出している。

そのとき篤姫が梅野井を制して家定に、

「薬は私が持参いたしております」

とすすみ出るや、胸にさした赤びろうどに牡丹の縫いのあるはこせこを取出して開けた。

これには七つ道具と化粧道具、薬入れが入っており、そのなかの丸薬を三粒指先でつまみあげると、片手で家定の背をささえながら、

「さ、上さま、いっきにお飲みくださいませ」

と家定の口のなかへそれを入れた。

そして打掛けを脱ぐや、かたわらの床几《しょうぎ》の上にそれを敷き、家定を助け起しながらそこへ体を横たえてやり、

「この薬は、しがの持つものと同じ、いえそれ以上の効《き》き目《め》があるよし、奥医師が申しております。いまにきっとお楽になられましょう」

と胸の辺りを軽く撫でさすっている。

なるほど薬の効力か、家定の苦悶《くもん》は次第におさまり、しばらくすると弱々しい声ながらも、はっきりと、

「この薬はしがのものよりもはるかに早う効くようじゃ」

とやおら起き上ろうとするのを篤姫はとどめて、

「お大事をおとり遊ばしませ。ここへはお乗り物を呼びますほどに」

とそばのものに駕籠をいいつけた。

その態度は、とうてい家定より年少とは思えぬほど落着いていて気配りがゆきとどき、家定は喜色と感激を露わに見せて、

「御台よ。今宵はそなたのもとへ渡ろう」

と告げた。

一部始終を見ていた幾島は、さき頃篤姫が奥医師を召して家定の健康状態をつぶさに聞いたわけがこれで判ったと思った。

ふつう将軍の健康は表方が司り、病臥のせつも側用人などの男手で一切看病を引き受けて、大奥の女たちは御台所でもめったに病床の見舞はできぬほどだが、篤姫がすすんで侍医を呼び、その容態を聞いたのは徳川の御台所では稀有《けう》なることであったという。

奥医師の多紀元堅《たきもとかた》はかねてより斉彬と親交があり、篤姫入輿についても一臂《いっぴ》の力を貸してくれたひとだけに篤姫の問いには快く、

「上さまはご気分に波がおあり遊ばします故、それが先ず第一お体に強く影響いたしますと

考えられます。

大体がお弱いお生れつきでいらせられますが、お気持を平安に、日々ご養生専一に遊ばされますならばご政務にお障りはございますまい」

と話してくれた。

お気持を日々平安に、という多紀元堅の言葉はいたく篤姫の胸を打ち、かりにも逆らうようなことの無きよう、とそのとき幾島を通じて将軍付きの老女たちに申し送ったほどであった。

重野の偵察によれば、おしがの方はいつも家定の持薬を携帯していて、その薬欲しさに自分のそばに侍らせるという話もあったが、篤姫はそういうことをもすべて考慮の上で、奥医師を召したのであろう、と幾島は思った。なるほど聡明《そうめい》な方の夫への思いやりというものはこういうものかと感じ入り、それは表立ってしがを追放するよりこまやかな心づかいで家定の気持を招き寄せるのだと悟るのであった。篤姫自身にその意図はなくとも、こういう気働きは公家の出の姫君がたには得られないものであり、さすが武家の出の御台所、と幾島は重野を相手にいつまでも自慢話を続けることになる。

花見の夜のおわたりは、家定は篤姫にとくに打解け、来《こ》しかたの話などして、

「予は幼き頃よりこれといって頼る女性《にょしょう》なく、本寿院殿とも縁うすき親子であった。

体の弱いは無念この上なく、亡き父君慎徳院さまでさえ、予が未だ将軍職を継ぐ以前から早くも次期の世継ぎについて考慮遊ばすありさまであった。

御台は女性にしては近頃珍しくしっかりした気性と見ゆる故、予はこころから頼りにいたしておる。これからも頼むぞ」

と親しく、篤姫を自分の臥床《ふしど》に招き入れたが、やはり両手をひしと握りしめただけであった。

珍しく身の上を語り、ご機嫌も上々なら今宵こそ夫婦の交わりも叶うかと篤姫は期待と少々の恐ろしさも混って胸は轟《とどろ》いたが、しかし家定はすぐ疲れたようにその握りしめた手さえ離してしまうのであった。

家定は、武家にあってはこの国で最高指導者の地位にありながら、体の弱いためもあっていつも孤独に責めさいなまれていたものであろう。父にうとまれ、生母は正室でなく、二度の結婚も不幸に終ってしまえばつねに頼るひと欲しく、しぜんと気性の強いおしがに引き廻されていたところがある。

篤姫はその夜の家定の述懐を聞いて、しみじみと、上さまは何というおかわいそうなお身の上、と思った。

はるかな薩摩にいて思えば、将軍家とはこの世でなにひとつ叶わぬこととてない、まるで神通力を備えたかのような権力者、と思っていたが、この実態をみれば、人間のしあわせとはいったい何であろうか、などと深く考えさせられてしまう。

継《けい》嗣《し》

この花見の宴の以前、年あけの十一日、大奥では御鏡びらきの行事があった。

このときはご三家ご三卿《きょう》の姫君がたから、紅白三枚ののし餅《もち》が献上され、これは御台所《みだいどころ》みずから盛って女中一同に下されるおゆるこ（汁粉）のあとで頂くが、例年、田安、清水の両家から贈られた餅は質が悪く、厚さもなく、女中たちは累々《るいるい》たる餅切れの山からそれをみつけ出す楽しみがあるという。

この日、篤姫《あつひめ》はお目見得以上の女中たちの椀《わん》にいちいちおゆるこを盛り、三椀まで、という規定どおり、遠慮する女中たちに無理強《じ》いして笑いころげた。

将軍付きの女中へはあんに餅を添え、重箱に詰めて部屋部屋に届けるが、それが終ったあとで滝山《たきやま》とよもやまばなしになり、

「今年は紀州のお餅がいちばん美味《おい》しゅうございました」

という滝山に、

「紀州の糯米《もちごめ》は、今年よいできであったことであろう」

と篤姫も相槌《あいづち》を打ち、そのうち話はなんとなくわずか四歳で家督を継いだ慶福《よしとみ》の上に移った。

将軍の継嗣問題で、水戸老公の子息一橋慶喜《よしのぶ》か、紀州十三代慶福かといたく噂《うわさ》に上っていることは篤姫もよく判っており、かつは父斉彬《なりあきら》からもいい含められていることで、

「してその慶福公とやらは、利発なお子であろうか」

と篤姫は聞いた。

赤坂の紀州藩邸で生れた慶福は、父は前将軍家慶《いえよし》の弟で紀州十一代の徳川斉順《なりゆき》、母は藩士松平六郎右衛門晋の女《むすめ》みさで、十二代斉彊《なりかつ》の養子となって嘉永二年、まだ幼年の身で十三代を継いだひとである。

滝山はこの間の事情をよくわきまえていて、

「それは前将軍慎徳院さまは伯父にあたらせられ、いまの上さまとはお従兄《いとこ》の関係にございます故、何といってもお血筋でございます」

といい、亡き家慶がこの慶福をそれはそれは可愛《かわい》がり、世子《せいし》家定《いえさだ》が多病であるために早く

から後継者を案じ、この慶福を六歳のとき召見されたという。

ときは秋で、苑内《えんない》の菊を将軍、家定、慶福の三人で観賞したが、その際、規定によって佩《はい》刀《とう》を許されるのは将軍親子だけなのを、幼い慶福はそれを知らず、刀を持ってくるように家来に命じた。

滝山はそのときの模様を話して、

「私おそばに侍《はべ》っておりましたが、慎徳院さまは慶福さまのお言葉をおとがめにならないのみか、よいよい、とお笑い遊ばしましてそのあと、上さまに、『もし万一そなたに所生《しょせい》なくばこの子を養うがよい』と仰せられました。

この私がそれははっきりと伺っております」

滝山がそういうのを聞いて、篤姫は腑《ふ》に落ちぬ思いがし、それは入輿《にゅうよ》の前夜、斉彬から聞かされた話では、慎徳院は慶喜のおもかげが亡き子初之丞に生き写しの故に慶喜を寵愛《ちょうあい》され、鶴御成《つるのおなり》のさい同行させようとして阿部正弘《あべまさひろ》にとどめられたということだったが、してみると前将軍の真意はいずれであろうかと篤姫は思った。

上に立つ人間は日頃から言葉に気をつけ、二度と同じことを繰返してはならぬことや、ひとり言をも禁じられており、まして二言をもてあそぶことがどれほどの罪を生むか、篤姫はよくよく幾島《いくしま》から躾《しつ》けられてきている。

将軍ともあろう方が、次期継承者という重大な問題をそんなにかるがるしく口になされるであろうか、或《ある》いはこれは父斉彬の作りばなしであろうかと迷い、篤姫は滝山に念を押すと、

「御台さまはまだご存知ないかと思われますが、大奥では、上さまのおん跡取りは紀州さま、と一同とっくに諒承いたしおります。何と申しましても、紀州家は徳川宗家とはお血が濃うございます。

当宗家では、おん五代常憲院さまのご継嗣も、おん三代大猷院《だいゆういん》さまのご三男綱重《つなしげ》さまのご長男を迎えられ、おん六代家宣《いえのぶ》さまとなりました。またおん八代さまは紀州家からお入りになっております。

亡き権現さまのご遺言にも、宗家に継嗣なき場合はまずご三家、と揺るがぬ仰せでございます。

御台さま、一度慶福さまをご召見遊ばされてはいかがなものでございましょうか。ただいまはおん十二歳なれど、お四歳のみぎりより紀州藩五十五万石の太守として政務をお執り遊ばした方故、それはそれはご立派でいらせられます」

と滝山の説明はとめどなく、篤姫はふっと不安を感じてそれをさえぎった。

「まだ上さまもご壮健でおわす故、そのような話はあまり声高にはせぬほうがよい」

とたしなめると、滝山はいとも素直に、

「判《わか》りましてございます。以後きっとつつしみます」

とすぐ話題を変えた。

が、この件について篤姫の受けた驚きは大きく、幾島も同じ思いなのか、その夜、更《ふ》けてのちひそやかに寝所を訪ねてきた。

「御台さま、先だって小の島さまよりの密書では、殿より一橋卿継嗣の件は着々と進捗《しんちょく》いたしおれども、大奥内部にては未《いま》だ大勢の賛同は得がたしと聞ゆ、とありましたなあ。もう一ふんばり、と励まされたばかりでございましたのに、滝山どのがああいうお言葉では」

と、幾島あてに届けられた小の島からの、小袖《こそで》の衿《えり》に縫い込んだ手紙のことをもう一度口にし、暗澹《あんたん》とした表情であった。

篤姫は小声で、

「大奥の意向が如何であろうと、何といってもいちばん大事なのは上さまの思《おぼ》し召《め》しじゃ。次のおわたりのとき、私からお話し申上げてみよう」

と幾島をなだめ、その夜は引き取らせたが、滝山の言葉はずっと脳裏を離れないままでいる。

かねてより、水戸老公と姉小路との軋轢《あつれき》などから推して、大奥の水戸嫌いは察していたが、今日の滝山は明らさまにそれをいわず、紀州家を褒めあげることで暗に示威《じい》としているふしがある。

しかし篤姫は、斉彬の前で、

「私一命に代えても、きっと一橋卿をご推輓《すいばん》いたします」

と誓ったからには是非なく所期の目的は実現させねばならぬ、と思い詰めているのであった。

万一、滝山等にいいくるめられ、紀州慶福に決定した場合は、斉彬をはじめ諸侯の尽力によって御台所となった甲斐《かい》もなく、と考えていると、篤姫は胸のうちが冷えるような感じがあった。

さすればこの私は、一橋慶喜を将軍となすために送り込まれた間諜《かんちょう》であったのか、とふっと疑いが湧《わ》き、それはやはりそういう役柄は別とし、単に女として夫の子供を生み育てたい思いへとつながってくるのであった。

おいたわしい方、と同情はしても、その裏に、こういう上さまの体のお具合を、果して父上はご存念でおいで遊ばしたのか、と改めて考えさせられ、家定の次のおわたりを待つうち、十七日の紅葉山参拝の日に、そのご沙汰《さた》があった。

その夜は朝から雪で冷えこみきびしく、家定は唇を紫いろにして、

「寒い、寒い」

とふるえ、

「もっと火桶《ひおけ》を」

といったり、

「いや火桶はよい。蒲団《ふとん》をあたためよ」

といったりして苛立《いらだ》ち、

「何故このように寒いのじゃ。女中たちは如何《いかが》なしおる」

とかん高い声で怒り、そして一人蒲団のなかに入ってしまった。

篤姫は、がたがたとふるえている家定を、蒲団の上からさすってやるのがせいいっぱいで、とうとうこの夜は話を出しそびれたのであった。

何しろ上機嫌の夜というのはいかにも少ないし、いつもそそくさと、

「御台よ。早くやすまれるがよい。寝るのがいちばん楽じゃ」

を口ぐせにする家定なら、ねむいのに引き起しての話もならず、いつものように二つ並べた臥床《ふしど》で何ごともなく朝を迎えるだけであった。

篤姫がやっとその機会を捉えたのは、彼岸の供養も終った翌日のことであった。

彼岸の行事は御台所付きの唐橋《からはし》が取りしきり、御台所みずからが粉をこねて作った団子は、おこりなどの熱病に効くといういい伝えによってお目見得以上の者に配る慣わしだが、その夜おわたりの家定に、篤姫は三盆白《さんぼんじろ》をかけてすすめた。

家定は料理に興味があるらしく、じっと団子を眺めたあと一つを挟んで口に入れ、

「うむ、よくできている」

とうれしそうに声を挙げて笑った。

篤姫は一膝《ひとひざ》すすめて、

「上、今日は私、おたずねいたしたいことがございます」

と口を切って、

「上は、次なるお世継ぎについて如何なるお考えでございましょうか。ただいま内外多端の折柄、上にもし万一のことがありますれば、あとの者たちは必ずや困惑すると思われます。もしみ心のうちをこの私にお明かしくだされば」

とそこまでいったとき、篤姫は家定がぶるぶると震えているのに気がついた。

あ、またお怒りでは、と思ったとたん、目の前の皿から団子を摑《つか》んで手当り次第投げつけつつ、頭の頂きに抜けるようなかん高い声で、

「女子の分際で、御台は予に意見をしようというのか」

とわめいた。

「お静まりを」

となだめようとしたが、家定が真っ青になって歯の根もあわないほどにふるえているのを見て篤姫はすぐ、

「誰ぞ」

と宿直《とのい》を呼び、一人は当直の奥医師を呼びに走らせた。

夜更けに一騒動で、将軍付きの梅野井はじめ女中たち一同も駈《か》けつけ、新たに御小座敷に寝間をとってそちらへ家定を移し、やすませる。

篤姫はその間、ずっと表役人のわきに付添ったが、奥医師が診察するとき、その腕の下からはじめて夫の胸を見た。

肋骨の露わに浮いた胸はうすく、嵐の大海をゆく小舟のように大きく喘《あえ》いでおり、みるからにひ弱そうなその様子に接して、篤姫は思わず目を伏せざるを得なかった。

日頃から、自分の肉体の弱いのをこの上なく悲しんでいる身にとって、次なる世継ぎを、と腹を聞かれるのは、死が近よってくると同じ恐怖ではなかったろうか、と篤姫は思った。

悪いことをお伺いしたという悔いに責められ、篤姫はその夜、自室に帰る気にならず、奥医師のすすめるのもきかず、ずっと家定のそばに付添い、容態を見守った。

もし自分があんなことを聞かなければ、今宵は団子を召上り、機嫌よく御寝《ぎょし》になられたろうに、としきりに唇を嚙《か》みながら。

しかしその夜を境に、家定の篤姫のもとへのおわたりは絶え、十日をすぎても何の音沙汰もなかった。

家定の癇症《かんしょう》は、以前カステラをすぐに口に入れなかったときにもよく判っているはずなのに、申上げねばよかった、と篤姫は悔い、これっきりおわたりが絶えたらどうしよう、と心おののく思いになる。

ひそかに重野《しげの》にさぐらせると、家定はしがの許へも訪ねてはいない様子で、それを聞くと篤姫は、よくよくあの夜のお伺いがお気持にひびいたものと見える、といっそう悔いに責められてくる。

幾島は、ほとんど毎夜のように忍んで来、心を痛める篤姫をなぐさめるものの、これという知恵はなく、最後には、

「滝山どののご意見など伺ってみましょうか」

というところへ行きつき、いまは幾島も以前とくらべて少し気弱になっているのが判るのであった。

こういうとき、おん文《ふみ》を参らせておわたりを乞《こ》うのがよろしかろうか、いやいや、御台所

は側室とは違う、と幾島は一人思案した挙句、ふと妙案が浮び、

「御台さま、上さまは稀《まれ》に絵をお描き遊ばすそうでございます。御台さまもいまから絵をお習いになり、色紙を一枚、表へお届けになられてはいかがでございましょう」

とすすめたところ、篤姫もはっと目のさきが明るくなったように思われ、

「それはよい考え。さっそくご機嫌伺いにそういたしましょう」

とその意見を取上げたのは、今和泉《いまいずみ》家に在る頃、月一度、一族全部が出入りの絵師に墨絵を習う慣わしがあり、篤姫も墨の濃淡の手法くらいはよくおぼえているせいであった。

何を描いたらよいか、については幾島も考えあぐね、唐橋をも入れて談合したところ、

「鈴《すず》の絵はいかがでございましょう」

と唐橋は膝を叩《たた》いていう。

将軍が大奥へお渡りになるときは、御錠口から御鈴廊下を通るのが決まり故に、鈴を描いておけば、お成りを待ちおります、との謎《なぞ》になる、と唐橋はいい、それはあまりに露《あら》わにすぎるという幾島を制して、篤姫は、

「なるほど鈴はよい。かわいらしい鈴を描きましょう」

とさっそく色紙を取寄せ、小さい鈴の文字どおり鈴生《すずな》りになった様子を描き、それにはや咲きの桜一枝を添え、幾島に表のお側用人《そばようにん》まで届けさせた。

将軍は殊の外喜《ほか》ばれた由、表から報告があり、それに、

「来る花見の宴に、滝の茶屋にて待つ」

というう れしい言葉まで添えられてあった。

その挙句の花見の宴で、そしてそのあとのおわたりだっただけに胸おどらせて夜を迎えたのだったが、家定は庭歩きで疲れていたのか、いびきをかいての早寝であった。

観桜《かんおう》の宴《うたげ》のあと、四月一日に斉彬は江戸を発して国許《くにもと》へ帰る旨、これは表からの沙汰以前、小の島の密書によって篤姫には予《あらかじ》め知らされてあった。

今回の在府中、宿願であった娘於篤の将軍家入輿も無事果したし、それは即ち水戸公への義理も務められたことになり、これで斉彬は心おきなく薩摩に帰り、懸案の、磯邸内に建設中の洋式製作工場を完成させられるというものであった。

のちに尚古集成館《しょうこしゅうせいかん》と名づけられたこの工場のなかには、他藩にさきがけて溶鉱炉、ガラス工場、陶磁工場を作り、動力は水車、工員千二百名を擁《よう》する規模だという。

斉彬は帰国後、みずからも立ち会ってまず磯邸内の石灯籠《いしどうろう》に日本最初のガス灯をつけたり、地雷、水雷の実験に電気を使ったり、そして秋には、ダゲレオタイプの写真機を手に入れ、自らを写し、また自ら撮影をも試みるのである。

斉彬は帰国に先立ち、三月、二十一歳の慶喜に会い、その様子を篤姫に書き送って、

「一橋殿はまことに人君《じんくん》の器《うつわ》と見ゆ。かような君を一日も早く継嗣《けいし》と定めたきもの」

と述べており、それは暗に篤姫にも、機会あれば慶喜に会うようすすめたものであった。

帰国にあたって篤姫へのひそかな申送りとしては、

「すべては老中阿部伊勢守《いせのかみ》に託しある故、その指示に従って行動なさるべし」

とあった。

おそらく斉彬は、伊勢守の肝煎《きもい》りでまず篤姫と慶喜とを会わせ、しかるのち、将軍とも篤姫を通じてゆっくりと会見の機会を得るよう、ひそかに望んでいたのではなかっただろうか。

斉彬は途中京都に遊び、薩摩到着は五月二十四日だったが、その安着の知らせが未だ届かぬ六月十九日、突如大奥に悲報がもたらされた。

毎年土用にはご三家ご三卿以下諸大名の献上物があり、その日、篤姫は加州よりの輪島そうめんを食したあと、滝山から折入って目どおりをという願いがあった。

休息の間に対すると、滝山は改まった面持で、

「一昨日十七日夜半、老中阿部伊勢守どの御急逝《きゅうせい》遊ばされたよし、表からの知らせでございます」

といい、篤姫は一瞬耳を疑い、

「なんと、それは」

といったきり言葉がでなかった。

老年なら突然の死を聞いても納得できぬこともないが、たしか伊勢守はまだ四十にはなっておらぬはず、と聞くと、本年三十九歳であるという。

歴代老中のなかでは際立って容姿《ようし》端麗《たんれい》、もの腰も至ってやわらかな阿部正弘は大奥に絶大な人気があり、女中たちは何かといえば伊勢さま、伊勢さま、とすべてにわたってひどく頼りにしていたところがあった。

阿部正弘は備後国福山十万石、阿部正精《まさきよ》の六男に生れ、その俊鋭の才を買われて弱冠二十五歳で老中となり、以来六名の老中の筆頭として実に十五年間も幕政を司《つかさど》ってきたひとであった。

嘉永六年にペリーが浦賀にあらわれたあと、ひろく諸大名に意見を求めたり、水戸烈公を幕政参与に登用したり、これまでの幕府の独裁制に新風を吹き込んだが、またそのため反対派の非難をこうむり、二年前の安政二年十月から首座《しゅざ》を次席の堀田《ほった》正睦《まさよし》にゆずっていたものの、ずっとこのところ精勤のよし、帰国前の斉彬の手紙にもあった。

若く元気な伊勢守が何故にこの突然の死、と篤姫は不審に堪えず、それを聞くと、滝山

は、

「さあそこまでは分明いたしませぬ。暑気《しよき》あたりではございますまいか」

と詮索《せんさく》の気はなく、

「これからは堀田どのが思うさまふるまわれましょう。堀田どのは大奥にはおきびしい方ゆえ、われらもよほどしっかりいたさねばなりませぬ」

と独りごとのようにいい、篤姫の前をさがっていった。

残った篤姫と幾島は茫然《ぼうぜん》と顔を見合わせたが、それは口にこそ出さないものの、これからさき、一橋慶喜を継嗣に立てるためには杖柱《つえはしら》とも頼むひとであっただけに、目前の灯明《とうみよう》が風に吹き消された感じであった。

篤姫はややあって、

「重野に聞かせるがよい。伊勢守どののご最期を」

といったが、それは病いによる常死か、或いは誰かの陰謀による変死か、という不審で、いわれるまでもなく幾島もそれを考えていたところであった。

篤姫は、結婚以来、これほど気落ちしたことははじめてで、これから先、斉彬の密命をどうすすめていってていいか、全く途方に暮れる思いがした。

大奥では、滝山がその件を発表すると、泣き沈む女中たちも大勢いたといわれ、それは直接交渉はなくとも、美男で大奥びいきという正弘に女たちのひそかにあこがれた気持からではなかったろうか。

二、三日後、重野からもたらされた報告によると、阿部正弘の死因は腎虚《じんきょ》だとの専らの噂という。

昨年来、正弘は十六歳の側室を愛し、そばの者が意見をしても聞き入れないのみか、死の少し前まで、昼間からでもその側室と寝間で戯れていたそうであった。

「それはまことか」

とあまりの意外さに幾島が念を押すと、

「はい、この一ヵ月、頬はこけ、肌は色つやを失って衰弱甚だしく、奥医師からそのための薬をもらっていたと申します。

これは表方からの噂ですので、間違いはございませぬ」

と重野は断言したが、この報告は、篤姫にとって近頃にない大きな衝撃であった。

この世のなかには、三十四歳の男ざかりでいて、妻をかき抱いて泣くばかりのひともいれば、若い妾を愛しすぎたために四十に手の届かぬ年で若死にをするひともいる。これをひとごとと思えば気持は軽いが、嫁いで半年余、いまだ懐妊のおしるしなきや、と周囲から待ち焦がれられている身にとっては、いいようもないせつなさにおそわれる。

先日も唐橋がいうことに、

「部屋子が申しますのに、御台さまはご体格よろしく、薩摩育ちで至ってご息災《そくさい》でいらせられますのに、何故にお子をもうけられないのかと、出入りの商人が噂しおるそうでございます。

私、そのようなはしたないことを口にする商人は出入り差止めじゃと、厳重に申しつけおきました」

と幾島にまで伝えたそうで、それを聞くと篤姫はふと気が立ち、そんなことをわざわざ忠義顔して報告する唐橋にさえ腹立たしくなってくるのであった。

しかし御台所とはつらいもの、一旦口から出した言葉は訂正はきかぬし、三千人の女中たちを統率するすべは信賞必罰を正しく行なうことだと、これは在薩摩の折から幾島にたたきこまれている。

子に恵まれぬことを噂されたといっていちいち罰を与えていたら、この大奥にしめしはつかないし、また夫婦の寝室の秘密を明かすことなど立場上、金輪際《こんりんざい》できはしない。

篤姫は、自分はおそらく一生、うまずめの烙印《らくいん》を押されるのではあるまいか、という何ともいえぬ悲しい気分と、そのうちにも一縷《いちる》の、上さまがひょっとお元気になる日があるやも知れぬ、という望みを抱きつつ、阿部正弘の死は長いあいだ胸のうちにわだかまり、容易に去らなかった。

正弘の死因に就ては、五月上旬以来多病、疝気《せんき》及び癪《しやく》を病み、しばしば胸痛を訴う、五月九日以降遂に登営《とえい》かなわず、十七日卒《しゆつ》す、と記録されたそうで、それはずっとのちになって篤姫は表方役人から聞いた。

正弘の死によって大奥は動揺いたしはしませぬ、と滝山が公言したとおり、表面は何の変化もなかったが、しかしお目見得以上の女中たちは寄るとさわるとこの噂で持ち切りだったらしい。

篤姫はそれからしばらくのあいだ、毎朝の入浴のさい、いやでも目に入る自分の肌の白さに接するたび、悲しい思いに陥ってくるのはどうしようもなかった。肉置《ししお》きのゆたかな篤姫をみて幾島は、薩摩藩邸に待機しているとき、

「代々の御台さまは糠袋《ぬかぶくろ》はお使い遊ばさぬとご前さまから伺っておりましたなれど」

といいつつ白い真岡木綿《もおかもめん》に包んだ糠袋で背を洗うよう、お付き中﨟《ちゆうろう》に指示したものであった。

近い将来、将軍と臥床《ふしど》をともにするのなら、その肌もより美しく、よりなめらかに、と願ってのことだったが、その意味が篤姫には十分に汲《く》みとれぬまま入輿し、そしてようやく判ってきたいま、やはり習慣となった糠袋は使い続けている。阿部正弘のように、昼間でも寝

床で戯れることなど決して望みはせぬが、この肩にでも上さまはお手を触れて欲しい、と折々考え込むのは、篤姫が成長した証《あか》しでもあったろうか。

小の島からの密書がまたもや届いたのは八月も末のことで、今度は小袖の衿でなく、二重底になった文筥《ふばこ》の底に薄葉にしたためた手紙であった。

それによると、斉彬は、ご承知の如《ごと》くただいま老中首座の堀田正睦は、かつて天保十四年、老中を退いていたものを、正弘の推挙によって再び返り咲いたひとで、一橋派の強力な推進力となっているので、今後の策のすすめかたについては格別心配はいらぬ旨しるし、しかしながら、と但し書きがあった。

但し書きとは、堀田正睦は元来開明的な性癖で、「蘭癖《らんぺき》」という別名があるほどだから、このところハリスが幕府に迫っている日米修好通商条約に調印するという懸念は大いにある、こういう重大危殆《きたい》に瀕したとき、西の丸君《ぎみ》を早くお定めあるのが万全の策と思われるので、御台所みずからお口添えし、将軍と一橋卿との会見を一日も早く実現して頂けるよう、ご尽力を頼む、というものであった。

篤姫もこの頃では、家定が表方のめんどうな評定になると、例の発作《ほっさ》が起り、いつも大騒動になるという話を聞いていれば、自分も決断すべき時期に来たことの自覚があった。

いまはもう次期将軍の継嗣というだけの役でなく、現将軍を補佐し、この外夷《がいい》押寄せる日本の運命に対抗し得るひとを定めるのは焦眉《しょうび》の急と判り、この斉彬からの手紙を読んで深くうなずくのであった。

しかしながら、この前、お世継ぎ問題を口にしただけで家定は怒りにふるえ、その後しばらくおわたりの絶えたことを思えば篤姫の決心は鈍《にぶ》りがちとなってくる。

おわたりを願って、できれば枕絵《まくらえ》にあるような交わりを得、正真正銘のわが子に将軍職を継がせたい、たとえそれが次の代に間にあわずとも、と思う気持はいつも心底に横たわっており、そう願う身にみすみすお怒りと承知で父の命を、いや、単にそれだけでなく、入城の前夜、こんこんといわれた、

「於篤、これは大義ぞ。そなたの行為は日本の国の運命を担《にの》うておるのだぞ」

という言葉はいまなお胸の奥に刻印されている。

とつおいつ考えつつ、ふっと立って縁側に出ると、誰が飼っているのか、庭さきで一匹の狆《ちん》が手まりを転がしつつたわむれている。

「まあ可愛いこと」

と思わずほほえみ、その無心に手まりとじゃれるさまを見ていて、自分もこんな狆が欲しいと思った。

かたわらの唐橋に、

「誰が飼《こ》うていやるか」

と聞くと、

「さあ、新御殿のほうから迷うて来たものではございませぬか」

といい、篤姫は、

「私もあのように可愛い狆を飼うてみたいが」

と聞いた。

唐橋は、おやすい御用でございます、と請け合い、出入りの商人に頼んでおけば、これよりもっとかわいい、素姓《すじよう》よろしき狆を届けてくれるでございましょう、と二つ返事で引き受けてくれた。

ほどなく座蒲団の上に坐《すわ》らせて届けてくれたおとなしい狆は、黒と白の斑《ぶち》で、澄んでつぶらな目をしており、篤姫は見るなり、

「まあ絹糸のような」

と抱きあげて、その長い毛を撫《な》でてやった。

狆は篤姫によくなつき、何かといえばすぐ篤姫の膝の上に乗るようになり、そしておちょうずどころまで鈴を鳴らしながらついてくる。

男子禁制の大奥では生き物までめすでなければならず、狆はさくら姫と名付けられて片と

きも離れず篤姫のそばに侍《はべ》るようになった。

その年の夏が来て、寝間に蚊帳《かや》を吊《つ》るようになった最初のおわたりの夜、篤姫は、今宵の語らいのなかにそれとなく一橋慶喜をどう思うか、名を挙げて聞いてみようと思った。

むし暑い夜で、十六畳の上段いっぱいに吊った萌黄《もえぎ》津綟子《つもじ》の蚊帳の外から二人の中﨟が宵のうちだけ、という約束で団扇《うちわ》で風を送っており、そのなかに入ってきた家定はすでに不快そうに眉間《みけん》にたて皺《じわ》を刻んでいるのを見て篤姫は、今回は例の話はできぬと思った。

「暑い、暑い」

を連発しながら家定は、

「御台よ。今宵は朝まで風を送るよう、申付けよ。こう暑うては寝つかれぬ」

といいつつ蒲団に横たわったとたん、キャンキャンと甲高いなき声をあげてさくら姫が飛び上った。

「これは何じゃ。狆ではないか。予は狆は嫌いじゃ。臭《くさ》い。早う外へ」

と早口でたてつづけにいい、篤姫は驚いてさくら姫をつかまえようとするのに、あいにくとすばしこく逃げまわり、なかなかつかまえられぬ。

蚊帳の四方には鉛を紙でくるんだ文鎮のようなもので押えがしてあり、これあるために、

「早う、外へ、外へ」

と家定がいら立っても、篤姫はあわてるばかり、とうとう外の中﨟に手伝わせてさくら姫を連れ出したが、篤姫はひれ伏して家定にわびをいわねばならなかった。

不愉快そうにこちらへ背を向けて寝てしまった家定を見て、篤姫は、今回もまた慶喜との会見を申上げそびれた、と思った。

これを幾島にいわせると、

「紀州派の陰謀でございます。上さまが狆をお嫌いなことは、梅野井はじめ、長いご奉公の方は皆よう存じておりますのに、それを知らぬふりして見過したは、御台さまのお寝間でのお語らいを妨げるという目論見《もくろみ》があったに違いございません」

としきりに口惜《くや》しがるが、狆が寝間までついてくることは予想していなかったのだから、それは少し気の廻《まわ》しすぎであろう、と篤姫は笑いながらなだめた。

が、家定が狆をはげしく嫌う以上、そしらぬ顔をして飼うことは篤姫にはできず、いたしかたなくさくら姫は唐橋にいいつけて、もとの飼主に返してもらった。

ついては、今後一年分の餌代《えさだい》として金五十両と、こちらで新調した座蒲団五枚を添えて届けたので、もとの飼主は大いに喜んだという。

それにしても、生きものがそばにいるのは気の紛《まぎ》れるもの、狆にかわるおとなしい動物で家定も嫌いでないもの、と今度はよくよく調べた上、猫を飼うことになった。

仲立ちはやはり唐橋に頼み、出入りの業者から目もとの涼しい三毛猫を届けてもらい、篤姫みずからミチ姫と名付けて狆以上に可愛がったが、大奥の暮しが合わなかったのか、もらって七日目に突然死んでしまった。

朝、御台所付きのお末が廊下で四肢をつっぱって死んでいるミチ姫を発見して大騒ぎになり、なかには、おしがの方の部屋の者が毒物を食べさせたなどとささやく者もあったが、篤姫は、

「詮議《せんぎ》せずともよい」

とその噂を聞捨てた。

取立てて騒げば家定に知られてしまうし、猫は狆ほどお嫌いでないのを確かめてのち飼いはじめたのだけれど、できることならこれは家定には内緒にしておきたかった。

篤姫は、あの狆をはじめて庭に見た日、それは阿部正弘に日夜愛されたという若い側室のことを考えていたときだったし、それは何となく自分の身の上のさびしさにつながる思いだっただけに、やはり気を紛《まぎ》らせる動物は飼いたかった。

狆に続いてミチ姫を飼うことになったとき、幾島は反対で、

「上さまがお嫌い遊ばすというだけの理由にてはございませぬ。巷《ちまた》の口伝えにも、犬猫を飼うと女は子供が産めない体になるよしでございます。まんざら根も葉もないことではござい

ますまい。

どうぞ思い止どまられますように」

といさめたが、篤姫は珍しく強引《ごういん》で、

「猫を飼っている中﨟はこの大奥にもたくさんいる故、上さまにも知られはせぬ。巷のいい伝えなど取るに足らぬことじゃ」

とミチ姫をもらったのだったが、それがたった七日で死んだことには大きく気持を揺すぶられた。

幾島は鼻高々で、

「そうれごらん遊ばしませ。畜生の死は気味悪いもの、生命のあるものは触《さわ》らぬが賢明でございます」

と凱歌《がいか》を上げ、篤姫はなるほど、と納得したが、しかし日が経《た》つにつれて何となく手もとさびしくなってくる。

結婚してもう一年がめぐってくるが、将軍のおわたりはよほど遠く、いまだに夫婦の交わりのかなわぬさびしさは、この頃になっていっそうしみじみと感じられてくる。

唐橋や幾島の手前、案ずるな、となだめているものの、正弘の死を聞いて以来、男が腎虚になって死ぬほどに愛されることが、実は女にとっていちばんしあわせなのではあるまいか、という疑いにとき折取りつかれることがある。

それがただの夫婦ならばともかく、お世継ぎは、ご継嗣は、と天下の人からみつめられている身になればこれほど耐えがたい圧力はなく、この圧力のなかで自分は果てしなく孤独であることが感じられるのであった。

孤独の感慨は将軍も同じであろうと思われるが、そのさびしさを分ちあうにしては、相手はあまりに感情の波がはげしく、これまで二人しみじみ語り合ったのはほんの二、三回でしかないことが思われる。

もう少し心を寄せ合いたい思いはこの頃篤姫にはしきりだが、何しろ胸に一つの使命を帯びている身には、ご機嫌のよいときにこそ一橋卿をご召見のほど、とすすめねばならぬだけに、気の安まる夜もないような気がする。

九月に入ると、水戸老公の幕政参与が免ぜられた知らせが、これは滝山から伝えられた。一橋派の動きは、いつも小の島からの密書で事前に判っていただけに、この知らせは寝耳に水で、それに水戸嫌いの滝山が、

「もう大分以前から、それは伊勢守さまご存命の頃から、三日に一度のご登営をよほど減らされまして、五日に一度、あるいは十日に一度、という程度でございました故、今回の罷免《ひめん》

は当然のなりゆきと申せましょう。水戸公を幕政参与にご登用遊ばされましたのは伊勢守さまご自身のご発案でございましたなれど、あまりの剛直《ごうちょく》、かつはご融通《ゆうずう》なきご気質のこととて、伊勢守さまももて余《あま》されていたと聞いております。これで表も、少しはご政務がおらくになりましょう」

というのを聞いて、篤姫はいま自分が正しく両者のはざまにあることを知った。

もとより父の使命は果さねばならないが、大奥のこの水戸嫌いの風潮から耳に入ってくる噂というのは、どれもこれも紀州に有利なものばかり、また一橋卿というよりも、父親水戸公とのさまざまないきさつが未だ生きていて、滝山に限らず、大奥女中のほとんどの口の端からそれを察することができる。

幾島もときどきため息をつきながら、

「国許のお殿さまの思し召しを通すのは、至難のわざではございますまいか」

と案じ、それに対し、篤姫は、一縷《いちる》の望みとして、

「紀州家はまだお小さいし、一橋卿はご英邁《えいまい》のよし、それを上さまがよくご理解賜わらば、大奥はみなそれになびきましょう」

と逆に励ますのであった。

重野の調査によれば、紀州派と明らかに判るのは、いまはお役を免ぜられ、市中に侘住《わびず》ま

いしている姉小路の派と、滝山の部屋の者、それに本寿院付きの歌橋の局《つぼね》、等で、水戸派というのはどうもはっきりしないのだという。

重野のいうのには、水戸から送り込まれている間諜はたしかに多数いるはずで、それが篤姫の前に姿を明らかにしないのは、何やら別の企《たくら》みを抱いているのではないかという推察であった。

してみると、同じ水戸派でも旗幟《きし》を明らかにしているのは幾島に唐橋、亀岡に花乃井とわずかな数に限られ、この大奥で篤姫一派は孤立無援か、と幾島は嘆く。

幾島は、紀州派は大奥でわりあいに大っぴらにそれを口にするのに引き換え、水戸派は篤姫を中心に何故正体を明らかにして結束しないか、とはがゆがるが、篤姫も、その点がずっと心にかかり続けている。

いまのところ、篤姫と幾島は、斉彬の密書を小の島経由で受取り、それに従って単独で動いているばかり、それを誰が背後で応援してくれるのやらさっぱり判らなかった。

この間、日本の外国との関係は次第に緊張を増し、ずっと下田に滞在し続けているハリスは五月に結ばれた九ヵ条の日米条約のあと、江戸に入ることを要求し、執拗《しつよう》に将軍に面会を求めている。

九月は吹上の庭で観菊の会があり、花壇を設けて菊を植え込み、その後の五段の階《きざはし》に諸

家より献上の盆栽を飾りつけるが、この菊を見る会をいつにするかの相談で、滝山が篤姫に伺いをたてにやって来、

「その日はご三家の方々、お見え遊ばします」

と告げた。

これは紀州の慶福《よしとみ》を、将軍と御台所に引き合わせる目論見があるとはすぐ判ったが、篤姫はすすんで会ってみようと思った。

国許に在《あ》るとき、亡き菊本がよく口にしていた諺《ことわざ》のなかで、一方聞いて沙汰すんな、というのがあり、自分が一橋卿を推すからには、その対抗者たる慶福をもしっかり確かめておきたいという気持はあった。

篤姫は、御台所にしては結婚以来ずっと死ぬまで、人に会うことを少しもおっくうがらなかったことで、それがこのひとのものの考えかたの基盤を形作っていたところがある。

一橋卿が将軍職にふさわしいと聞いていても、自分の目でじかに両者に会ってみるにしくはないが、その機会が得られないまま九月十八日、というその観菊の日を心待ちにするうち、十二日夜、家定のおわたりがあった。

この前日、水戸老公の参与罷免を知らされたばかりで、それに表からの知らせによるとハリスの将軍会見の要求は日々強くなり、幕府はついにそれを応諾《おうだく》したという報告をも聞いた

直後であった。

その夜の家定は、心なしか日頃に増して元気がなく、篤姫に、

「今宵はこちらへ」

と心細そうに自分の夜具を指した。

ひとりでのびのびとやすむことの好きな家定が、今夜ばかりは一緒に、というのは珍しいこと、と篤姫は家定の納戸《なんど》ちりめんの夜具のなかにそっと身を横たえた。

家定はその夜に限って目をかっきりと見ひらいており、天井を見つめながら、

「予はとうとう紅毛人と会わねばならぬことに成った。十月二十一日じゃ。ハルリスという男がこの江戸城へ入ってくる」

とひどく心細そうに呟《つぶや》いた。

篤姫は、その様子を見て、ふと思いつき、

「上、私によい考えがございます」

と起き上って、

「上がそのハルリスとやらの異人にお会い遊ばすのがお心細う思し召すならば、いかがでございましょう、当日一橋慶喜どのを介添えに頼むよう、一度ご召見遊ばしましては」

と極めてすらりと口にしたところ、家定は、しばらく篤姫を見つめていて、

「刑部卿《ぎょうぶ》か。たしか一橋家を相続したとき、予は一度引見したことがある。まだ幼いみぎりであったが」

と記憶をたぐり、思案しているふうだったが、やがて、

「御台のいうとおりにしよう。予は言葉も通じぬという紅毛人との会見は気が重い。刑部卿は賢明なる若者と聞く故、予の補佐としてはもっとも適任であろう」

と安心したようにいい、機嫌のよいときのくせで、咽喉《のど》の奥で声を立てて笑った。

篤姫は内心ほっとし、これで宿願の第一段階を経《へ》たと思うと気分がらくになり、自分も珍しく饒舌《じょうぜつ》になって、

「上はご記憶が確かでおいで遊ばします。なればその折の一橋殿はいかがでございました」

と聞くと、

「予が未だ西の丸住まいのときであった。亡き父君とともに大書院で引見いたしたが、元気で快活という噂どおり、はきはきと受け答えし、好ましい印象であった。たしかそのときまで国許育ちと聞いたが」

とよく覚えており、篤姫は、この上をひとびとが暗愚といい、昏弱《こんじゃく》とそしることに何やら義憤めいたものを感じながら、

「そのとき上はおいくつであられました」

とかさねて問うと、

「まだ二十代のはじめであったと思う」

といいつつ、ふと記憶が飛躍し、突然堰《せき》を切ったように、

「あれはまだ有君《ありぎみ》存命の頃であった。有君は鼓《つづみ》の名手でもあったが、声が鈴を振るようにうるわしかった。

予に京のわらべ唄《うた》を毎夜聞かせてくれ、また京の風俗をつぶさに語ってくれた。気立ても良く、父君にもやさしく仕え、あれほどのすぐれた女性を予は他に知らぬ」

と遠くに目を投げつつ、

「予はいまでもときどき有君の夢を見る。何故予を残し、一人早うにみまかったのか、思えば残念でならぬ」

あわれでならぬ、と繰返す声が次第にしめりがちとなり、見るとさめざめと涙を流して泣いているのであった。

亡き妻を恋う家定のこの姿は、篤姫にはやはり大きな驚きであるとともに、生れてはじめて自分にも嫉妬《しっと》の感情があることを知った。

おしがに対しては、不快感はあっても嫉妬はしたなきもの、というわきまえが働くが、鷹司《たかつかさ》家の息女と聞くその京の姫君の、亡きのちまでもなお夫に恋われるひとに対して、いま

自分は果してどれだけこの夫に愛されているだろうか、という疑問も湧いてくるのであった。

それにしても、篤姫の進言によって家定が慶喜を召見することに決まったのはめでたい話で、気の早い家定はおわたりの三日後、一橋家へ登営を促した。

当日は将軍引見後、大奥のご対面所で篤姫も会うことになっており、九月十五日のその日を心待ちする思いであった。

斉彬は予備知識として篤姫に慶喜の出生から生い立ちをくわしく書き送っており、それによると、慶喜は水戸《みと》斉昭《なりあき》の第七子で幼名松平七郎麿、昭致《あきむね》といい、生母は父の正室で有栖川《ありすがわの》宮織仁《みやおりひと》親王の王女、登美宮《とみのみや》吉子である。

斉昭は側室をあまた養ったから、慶喜の兄妹はすこぶる多く、総勢三十七名、詳しくいえば六人の兄と十五人の弟、七人の姉と八人の妹というわけになる。

七郎麿の慶喜は、天保八年江戸小石川藩邸に生れたが、翌年水戸に移され、以後十一歳で一橋家を相続するまでの十年間、この地できびしい教育を受けた。

父斉昭は、女色を好んだが一方子供の教育にも熱心で、歴代藩主のなかではいちばん封地に長く住んだひとだといわれ、我が子を評して、

「五郎は柔和でおとなしい故に養子向きかも知れぬが、七郎はゆくすえ天晴《あっぱ》れな名将となろ

う。しかし気をつけねば皆の手におえぬようになる恐れがある」

といったという話が伝わっている。

慶喜は小さいときから学問よりも乱暴な遊びを好んだといわれるが、自分の母が皇室との血筋の濃い有栖川家の娘であるのを生涯の誇りとしたところがある。

慶喜が一橋家を相続するにあたっては、老中阿部正弘らの尽力があり、それが実現して弱冠十一歳の慶喜が始めて登城したとき、大奥の女中がひやかして、

「母御のお名をご存知か」

とからかったところ、慶喜は大音声で、

「予は有栖川宮の孫なるぞ。有栖川宮の初祖は恐れ多くも後陽成天皇の第七皇子にましまし、我が曾祖父《そうそふ》は霊元天皇第十七皇子である」

といってのけ、女中たちは天皇の名を聞いて思わずひれ伏したという話は、篤姫は唐橋の口から聞いている。

斉彬の書には、将軍家の継嗣たるご三家ご三卿のうち、現在尾張家は当主斉荘《なりたか》が死去して後継者なく、田安家から慶臧《よしつぐ》が入ってようやく元服したばかり、紀州家は斉順《なりゆき》の死亡後、清水家から入っていた斉彊《なりかつ》も亡くなり、その養子慶福《よしとみ》はまだ幼年、ご三卿は、田安家の慶頼も幼く、清水家は斉彊を出してのちいまだ嗣子不在、というありさま、すると残るは一橋家の

慶喜しかなく、かつは水戸家の出であるとすれば、条件としてもまた本人の資質からしても、将軍家を継承するは慶喜以外には考えられず、とりあえずご引見のほどを、とこれは以前からくり返ししたためられてある。

家定が篤姫の進言をただちにいれたのは、この時局に対して、誰でもよい妙案を講じてくれるひとを一刻も早急に心から欲していたためではなかったろうか。

老中首座、蘭癖の堀田正睦は、ペリーが浦賀へやってきたときからずっと開港論者で、いまもハリスに一日も早く接見するよう、家定にたびたび進言する。

その意見が果して正しいかどうか、他の幕閣の考えにいちいちじっくりと耳を傾けるのには家定はあまりに病弱で、評定《ひょうじょう》をひらいても途中ですぐ根気がなくなってしまうのであった。

それだけにいま自分に代り、この時局を、快刀乱麻を断つごとくにさばいてくれるひとがあらわれたら、と願う気持は強く、それが即《すなわ》ち継嗣問題につながろうとつながるまいと、強く念願せずにはいられないらしかった。

約束の九月十五日、この日は恒例の神田明神の神輿《みこし》が田安御門から入り、将軍と御台所お揃いのご上覧所前を通るのだが、それは隔年ごとの行事で今年はお休み、そこで慶喜は午前中登営して将軍に会い、一旦休息ののち大奥へは午後来るのだという。

篤姫はこの日を楽しみにしていて、毎年九月九日から着用となる打掛けも新調をおろし、知らせを待ってご対面所へとおもむいた。

慶喜は熨斗目《のしめ》、長上下《ながかみしも》で平伏していて、篤姫が上座に着き、

「一橋刑部卿どのか。近う進まれよ」

と親しみを込めて声をかけると、

「御台所さまにはご機嫌うるわしゅう祝着に存じ上げます」

と型どおりの挨拶《あいさつ》をして膝行《しっこう》し、顔をあげた。

かねて美男の噂どおり、眉秀《まゆひい》で鼻すじとおり、好ましい印象だが、篤姫がよく見ると視線をずっと下のほうにつけている。

大体、長上との会見の場合は、相手の胸をみつめるのが礼儀で、そこから上を見上げるのも、下へ目をおとすのも作法にかなわないとされているのであった。

慶喜の目は篤姫の膝あたりにつけられており、それにひどく姿勢が悪く、生れつき猫背ではないかと思えるほど背を丸めていて、それは異常にへりくだった態度というよりも、一見ひどく投げやりな印象に受けとれる。言葉も、大きく口を開けるでなく、下唇を突出して呟くように述べるさまは、あたかも目下の者に判り切っていることを仕方なく教えてやっているような感じであった。

篤姫は身をのりだすようにして、

「刑部卿どのは将軍にお目通りなされて、如何《いか》なお言葉を賜わりましたか」

と話の緒《いとぐち》を切った。

慶喜は目を落したままで、

「はい。日米通商条約についてご下問がございました」

といい、篤姫の、

「して刑部卿どのはどのようにお答えなされしか」

の問いには、

「はい、幕閣内にはあまた諸賢お揃《そろ》いの折柄、私如き軽輩に格別の意見はこれ無く、と申上げ奉りました」

という慶喜の答えに篤姫はふと力の抜けるような感じを抱き、重ねて、

「上さまは幕僚の方々のお胸のうちはようご存知の上で、刑部卿ご自身のお考えをお聞きになりたかったと思われます。

この際、外敵押寄せるいまの我が国の有様にどのような意見をお持ちか、私にも聞かせて欲しい」

と乞うと、慶喜はしばらく考えてから、

「それは天下を司る将軍のご思案に任せられる事柄でございます。私は単に一橋家の当主でございます故、天下のことは詳しく見えませぬ。格別の意見とてございません」

といううすこぶる頼りない答えを聞き、慶喜の顔を篤姫はまじまじと見た。

これが世上に英邁《えいまい》の噂高いひとの言葉か、と思いつつ、一種はがゆい思いもあって、

「刑部卿どのは、我が父島津斉彬とはお会いなされしこともあろう。島津どのは刑部卿どのを人君の器、といいたく讃《ほ》めておいでなされるが」

と水を向けたが、これにも慶喜は、

「それは島津どのの思い違いでございましょう。私ご覧のとおりの未熟者にて、諸兄のご期待にそうような器にてはかまえてございませぬ」

という、これも取りようによってはその手には乗らぬ、とかまえている答えであった。

年齢からいってもさだめし少壮気鋭、軒昂《けんこう》たる意気を示した青年かと思っていた篤姫は、自分の胸の奥で何かがしぼんでゆくのが感じられた。今日の日を自分は楽しみに待ち、きっと相手も自分と同じほどの期待を抱いてあらわれ、邂逅《かいこう》のとたん、互いに手を取り合わんばかりの喜びを交わせるものと思っていた篤姫に取って、これは意外な結果であった。

何の感動もないその表情に向って篤姫はそれでも、かつて観桜の宴で顔を合わしたことの

ある水戸斉昭の消息などたずね、よもやまの話など交わして小半刻をすごし、慶喜は退出していった。

そのあと、同席の滝山、唐橋、幾島は誰も一言もなく、ただ篤姫の顔いろをうかがっているばかり、こういうとき、主たる篤姫の態度は影響力が大きいが、篤姫はあえて滝山に、

「そなた、刑部卿について何か聞いていやるか。知っていることがあれば話して欲しい」

と聞いた。

滝山はここぞとばかり膝をすすめて、

「御台さまに向って、一橋どのをとやかく申上げることは、我らこれまでさしひかえておりましたが、ただいまのご様子を見れば、世上の噂がまことであると私、つくづく感じられます」

といい、篤姫は不審に思い、

「世上の噂とは。稀に見る英明のひとと聞いておるが」

「いえ、稀に見る暗愚ではございますまいか」

と滝山がいうのは、彼の君は幼い頃よりの乱暴狼藉《ろうぜき》、書など読んだためしなく、兄五郎麿をいじめて泣かすばかり、それはよいとしても、かつて将軍職に、と擁立派がすすめたとき、慶喜が父に書き送った書というのを見て、さすがに斉昭も一考したという。

その手紙というのは、天下取りを拒否した内容で、

「将軍という地位ほど気骨《きぼね》の折れるものはないと思います。苦労を嫌がるわけではありませんが、この時局、誰が将軍となってもうまくやれるわけはないでしょう。仕損じるよりは最初から将軍職にならぬほうがよいと私は思います。私をかつぎ出そうという動きを、父君は止どめて下さるようお願い申上げます」

とあり、それを見て斉昭も一時、継嗣《けいし》問題から手を引くことを決心したそうであった。

滝山はそこを強調し、

「いまの世に生れあわせた殿がたならば、身を挺《てい》して国の危難を救おうという意気に燃えるのが当り前ではございますまいか。

折角上さまに召出されましたのに、ただいまのように、何の意見もございませぬ、と申上げては、上さまもさぞがっかり遊ばしたことでございましょう。

まことに一橋どのは、人君《じんくん》の器どころか、取るに足らぬ、いいえもっと、責任感の乏しい若君と申上げるより他ございますまい。いやこれは言葉が過ぎました。お許しくださいませ」

と頭を下げる滝山に、内心同感している自分を感じながら、しかしそれはさすがに口には出せなかった。

滝山は去りぎわ、さらに、

「父ご老公に似て、女色はご盛《さか》んなよし、ただいまの正室も他の女性のたたりに苦しめられているという、専《もっぱ》らの噂にございます」

と仄《ほの》めかしたが、篤姫にはそれも強く耳に残った。

それにしても、今日のあの慶喜の態度は、将軍職など気骨が折れるだけだから嫌だといういまの滝山の言葉を正しく裏付けるように、いかにもその気なく、投げやりだった、と篤姫はその夜、ずっとこだわり続けた。

いまこの国の救世主《きゅうせいしゅ》というのは、強い信念と意志を持ったひとでなくてはつとまらぬことは女でも判るだけに、国事にはいかにも興味なさそうな慶喜を、篤姫は心から残念に、また惜しく思われるのであった。

それにつけても、ああいう、一見信のおけないような人物に、父君《ちちぎみ》は何故肩入れなさるのであろうかという疑いは晴れず、幾島にはそれを率直に打明けて、

「父上は人物本位で刑部卿どのを推しておられるが、ご自身がよく確かめられた上でのことであろうか」

といい、幾島はそれに対して、

「尾張家のご当主と相成った慶恕《よしくみ》どのは、また聞きの話だけでは一橋どのを推輓《すいばん》はできぬ、

とお断わり遊ばしたところ、お殿さまは大そう熱心に、『お会いになってみられよ。どなたであれ一橋どのを推挙いたしたくなる』と自信満々である由、私は聞いております」

と答え、篤姫はじっと考えて、

「さすれば一橋どのは、人を見て態度を変えられる方か。

私は女の身故、その場かぎりの投げやりな返答でよいと判断されしか。これが大藩の諸侯などに質問されたとしたら、知恵のありったけを傾けてとうとうと意見を述べ立てるであろうに。

格別の意見なしとはいかにも残念至極な態度じゃ」

と話しているうち次第に不快の念が増して来て、篤姫はふっと口を噤《つぐ》んだ。

幾島は直ちに、

「このよしを、国許のお殿様に書き送るようにいたしましょう」

というが、篤姫はそれをも止どめ、しばらく様子を見ることにしようと思った。

翌朝、お位牌《いはい》所で家定と挨拶を交わしたとき、こちらからおたずねしようかどうかと迷っていたところ、家定のほうから、

「昨日の刑部卿は案外であった」

と一言ぽつんといい、篤姫が聞返そうとしたとき、家定はもうこちらに背を向けて立ち上

っていたのであった。

してみると、慶喜は篤姫のみならず家定にもあのような態度であったと推察され、これでは折角召見をすすめた自分の立場がない、と篤姫は思った。

それにしても何故、と考えれば考えるほど奇怪で、この三月、帰国前に会ったという斉彬の前ではどういう様子であったかと不審が湧いてくる。

斉彬には人君の器、と思わせる態度、将軍と御台所には格別の意見なしという熱意のない答え、とすれば、あの若さで二腹《ふたはら》持っているひと、というわけになり、一途《いちず》な気質の篤姫は事情はどうあれ、二言あるひとを決して快くは思えなくなってくるのであった。

その二日後の観菊の宴に、まだ菊千代《きくちよ》という幼名で呼びならわしている紀州家の慶福《よしとみ》は定刻よりも早々とあらわれ、篤姫とはじめて挨拶を交わした。

おん年いまだ十二歳なれど、宗家の血筋を濃く引いて生れながらの王公将の種でございます、と滝山の褒め言葉どおり、篤姫は一目見て、

「まあ可愛い公達《きんだち》」

と思った。

黒く澄んだ双の瞳がいかにも利発そうで、眦《まなじり》がすこし上っている眼もしっかりした気性をあらわしており、さすが四歳で紀州家の当主となっただけあって、幼くとも相手への気く

ばりがよくうかがわれ、それは言葉のはしばしに必ず、

「御台所さまは如何であらせられますか」

とはきはきとした口調でたずねる心づかいからしてよく判る。

篤姫は先に立って菊千代をいざない、咲き競う黄菊白菊、馥郁《ふくいく》たる香り漂う園内をあちこちと案内し、途中陶淵明《とうえんめい》の詩を口ずさむと、菊千代もよく知っていて、二人して朗唱する一幕もあった。

初対面なれども我が子のような、いや、年からすれば弟か、などとひどく親しく思われ、ついひきとめて早い夕飯をともにし、そのあとしばらくののち、菊花をかたどった落雁《らくがん》を出すと、菊千代はそれをも美味《おい》しそうに食べた。

菊千代がその落雁を食べたあと、どのくらい経ったころだったろうか。

突然うなり声を挙げて腹部をおさえ、その場に突っ伏して苦しみはじめた。見れば額には玉の脂汗《あぶらあせ》、よほど痛いらしく足は畳を掻《か》いており、そののたうっている顔はもはや血の気もない。

紀州家より随行の小姓や、わきに侍っている女中は、「お医師を、お医師を」、とただ騒ぐばかり。その様子をじっと見ていた篤姫は、自ら立って菊千代のそばに寄り、小姓たちが支えていた菊千代の体を両手で自分の膝の上に抱き上げた。

ぐったりとしている体を片手で支えながら、

「菊千代どの、気を確かにお持ちなされ。こなたは平素からこのような病いをお持ちか」

と耳に口をつけて聞くと、菊千代は苦しげに目をひらいて、

「これは日頃おぼえぬ苦しみにて」

と絶え絶えに答えつつ、手はしきりに胸を掻きむしっている。

篤姫は手早く自分の守り袋のなかから丸薬二粒を取出し、手ずから菊千代の唇に入れ、白湯《さゆ》を与えながら、わきの者にはお医師はまだか、早う早う、と促した。

薬が胃の腑に落着いたと思われる頃、突然菊千代はあーっ、と声を挙げるとともに、さっき食べた菓子を残らずそこへ吐いてしまった。

篤姫はその間も菊千代を抱いた手を少しもゆるめず、膝いちめんにかかった汚物を女中に拭《ふ》き取らせはしたものの、着替えはせず、そのうち大奥の老女たちとともに当直の医師津軽良春院があらわれた。

良春院が、菊千代の篤姫の膝に突っ伏しているさまを見てためらうのを、篤姫は声を励まして、

「苦しゅうない。このまま菊千代君のお体を伺い奉るように」

と命じた。

良春院は膝行、脈を取り胸を見て愕然《がくぜん》としたらしく、しかし眼中と血色はやや安堵《あんど》のおもむきで、引き下っての言上は、

「ただいまはおん落着かせられしご様子。これはお吐き遊ばしたのがよろしきよう私拝見仕りました。さりながらよほど激しいおん中毒と思われます故、きこし召された物をとくとご吟味《ぎんみ》あるようお願い申上げます」

という意見で、篤姫はそれを引き取ってただちに唐橋に、御膳番《おぜんばん》とお菓子方の者を残らず一間に押籠《おしこ》めよ、早く早く、とせき立てた。

こういう大事のとき、女中どもはただ右往左往するのみで、下知《げじ》はやはり篤姫がしなければならず、いわれて唐橋は打掛けの裾《すそ》を踏んでいく度もよろけながら下ってゆく。

菊千代の苦痛がようやく治まったのを見て篤姫はのべた床の上にその体を移し、自身も手早く着替えをすませて唐橋の沙汰と医師の調合する薬を待った。

やがて唐橋が立戻っていうことに、

「お膳番の申立てによりますれば、お夕飯を召上られてよりよほどの刻限も立ちおりますし、またその際は、お守役おん毒見のものがいちいち吟味してさし上げております故、こちらに不調法はあるまじく、それよりもお菓子を召上られてまもなくの事、と伺い奉ればお菓子方こそ疑わしく、とのことでございます。

これは至極の道理でございます故、ただいまより残りのお菓子を持参し、お菓子方にお毒見させ、しっかりと詮議いたしたく存じます」

との話、篤姫もたしかに不審はこの落雁にあると思い、唐橋をせき立てようとしたところ、さきほどからよほど気分回復、顔に血の気も戻って来た菊千代ががばと寝床の上に起き上り、篤姫に向い、

「先刻より百般のご介抱相成り、まことに以て有難きしあわせでございます」

ときちんと礼を述べてのち、今度は唐橋に向い、

「その方、毒見をさせんと残りの菓子を持ち参るよし、現在毒気のあるものと知りつつ誰がさし出そうか。これはさだめし調進したもののそこつかと考えられる。

万一毒見をさせてまた予のような苦しみをさせるのは不憫《ふびん》じゃ。免じてやるように」

としっかりした口調でとどめた。

唐橋は、ご幼少ながらこのご慈悲、と感嘆しつつ、

「お言葉を返すようでございますが、お毒見と申すはお役にて、その者の務めでございます故、お心づかい遊ばしますな」

と答えたところ、押返して菊千代は、

「それくらいのことは予も存じおるが、およそ人として、いかに務めのためとて一命を惜し

まぬ者があろうか。

殊更に現在、予が試みて毒気のあるを知りつつ、与えようというは上の者としての心得にあらず。その方も人の情あらばこの件は打捨てておいてやるように」

と述べた。

唐橋もそばの者も、この言葉をひれ伏して聞き、

「ただいまのお言葉を聞いて、お菓子方のみならずお膳番の者たちもどれほどにか喜びましょう。有難き思し召し、私よりも心からお礼申上げ奉ります」

と涙さえ浮べて礼を言上した。

この一部始終を眺めていた篤姫は、わずか十二歳ながら長として大人も及ばぬこの配慮に舌を巻いて驚く思いであった。

さき頃の慶喜とは何たる違い、と自然に比較する思いがあり、それはしぜん、滝山の持説《じせつ》の、宗家とはお血が最も濃い故に、生れながらに将軍の風格がおわす、という言葉が思い出されてくるのであった。

しかしそれにしても、落雁に毒を仕込んだ者はいったい何者であったか、と幾島はそれにこだわり続けている。

菓子を菊千代が食べることを知っていて毒を仕込んだのは、菊千代に対して敵意を抱く者

のしわざと考えられ、敵意とはすなわち、次期将軍候補者に害を与えようとする意図、と手《た》繰《ぐ》ってゆけば、犯人は一橋派の誰かであるはず、と幾島はいう。

大奥で一橋派と明らかなのは篤姫とそのまわりの者と見られているだけに、さきほど篤姫はきっと犯人を暴《あば》き立てよと命をくだしたが、それは菊千代の年少とも思えぬ大きな気持のために立ち消えになってしまった。

「それにしても不審なことがあればあるもの」

と幾島は考えあぐねたていで、どうすればよろしいか、としきりに篤姫に問いかけるのであった。

重野の調べを以てしても、この大奥の上級職に一橋派らしい新顔はなし、とすればお菓子方の職人に疑わしいものがあるとしても、毒入りのそれをすすめる役には菊千代か御台所側近の者でなくてはかなわず、いくら考えてもこの件の謎は解けそうもない。

唐橋のいうことに、

「上さまがまだご世子《せいし》の頃、こういう出来ごとはたびたびございましたそうな。いずれも大事に至らず、上さまご腹痛の程度で事が済みましたなれど、これもいまだに罪に服した者は一人も出てはおりませぬ。

上さまはお弱い体でおいで遊ばします故、果して毒が入っていたやらどうやら、そこのところも確かめられずに終ったそうでございます。

以来、上さまは西の丸へお成りのさいでも湯茶の一滴お口に入れないようになりました し、現在、おん自らお料理遊ばすのを何よりのお楽しみとされておりますのも、もとはといえばこの出来ごとがあったためかと私拝察いたしております。

上さまの件は、加州の犬千代君をお跡目にと企《たくら》んだ文恭院さまの側室、お美代の方のしわざという専らの噂ではございますが、これも噂のままで消えてしまいました」

と話し、毒を仕込んだ犯人を挙げるのが如何に難しいかを語るのであった。

大奥とはやはりおそろしいもの、というのが唐橋と幾島とのしみじみとした感想だったが、篤姫は、決して日々うかつには過せぬ、という感じを強く抱いた。

それにしても菊千代の態度の立派さよ、と感じ入るのはつい三日前、会ったばかりの慶喜の印象があるためで、そしてその思いはまた、何故に父上は一橋卿を推輓し給うかという疑問につながってゆくのであった。

観菊の宴がすむとまもなく、いよいよハリスが江戸城を訪《おとの》うべく、十月七日下田を出発したよし、表からの知らせで判った。

ふつう大奥へはいちいち政務の報告はないが、篤姫は滝山を通じて始終家定の様子をたずねるので、お側用人から大事なことは連絡がある。

幕府は、ハリスが江戸に入って将軍と会見することを、ご三家はじめ溜の間《たまりのま》の諸大名に知らせたが、これには皆、反対し、連名で反対上申書を出している。

篤姫は、具体的な内容はよく判らぬながらも、いま幕府は未曾有《みぞう》の危機に瀕《ひん》していて、この機に乗じて諸大名から、幕府が諸大名に貸しつけている金の返納を十五年間免除することとか、参勤交代制をゆるめることとか、また外交問題はひろく大名の意見を聞いてすすめることとか、他にもさまざまな要求を出していることを聞き、ただ案じるのは家定の身の上であった。

ただでさえ評定嫌いの家定なのに、この頃では毎日のように堀田正睦《まさよし》から外交内政についての伺いがあり、そのために頭痛激しくなって、夜のおわたりも途絶えていることを考えると、我が身でよければ将軍に替ってさし上げたいほどに思われてくるのであった。

ハリスは八日間の旅ののち十四日江戸到着、十月二十一日、いよいよ江戸城に入り謁見の間で家定と会見、短い挨拶とハリスの一方的な意見具申で終ったが、このあと家定は熱を発して臥床、篤姫は側用人を召して様子を聞いたところ、

「高く明瞭なお声にて挨拶され、ハルリスは感じ入ったていにございました」

という報告で、ほっと胸を撫でおろした。

この日のハリスの日記には、家定の異様な態度が書き記されてあったといわれるが、家定は張りつめた挨拶のあと、気がゆるんで例の発作《ほっさ》を起したらしい。

この数日後、ハリスは堀田正睦と会い、二時間以上にわたって世界情勢と通商貿易の必要性を説いたが、正睦自身は条約締結はやむを得ないと考えつつも、大勢はまだまだそこまで転換してはいなかった。何しろ幕臣の大半は、紅毛異人がこの江戸城へ入ったことを汚らわしきものと感じており、それは理非を越えた嫌悪感《けんおかん》なら、大奥の潔癖《けっぺき》な女たちは表に倍してこれを汚辱《おじょく》の大事件と受取っているのであった。

ハリスは矢の催促で、威嚇《いかく》したり、粘ったり、このあと安政五年六月の締結まで、じつに十三回にわたっての交渉が続けられてゆくのだが、幕府はハリスの催促を受け、十一月半ばから十二月半ばにかけての一ヵ月、三回にわたって日米条約を結ぶかどうかを諸大名に諮問《しもん》した。

堀田正睦は再三再四、

「上さまご自身の思し召しが重要な決定と相成りましょう。しっかりと遊ばされますよう」

と家定の尻《しり》を叩き、家定はいたしかたなく自ら立って十二月の二日間諸大名を集めて評定に入った。

その最後の日、松平春嶽、蜂須賀斉裕《なりひろ》の二侯が堀田正睦に会見を申入れ、

「かかる情勢下、現将軍家の下知にてははなはだ心もとなき故、我らここに建白書を以て、すみやかに一橋慶喜を将軍代理とするよう、具申する」
と、建白書を提出した。
斉彬からの手紙には、
「最後には御台所の意志が大きく影響するは必定にて」
とあったが、篤姫はいまのような状況のなかで、自分の意志などほんとうに生かされるかどうかという疑問がある。
ハリスとの会見後、長く絶えていた家定のおわたりをみたのは暮の二十五日、表で恒例の能楽の催しのあった夜で、この日は歳暮のご祝儀の献上品があり、
尾州家、干魚、鯛粕漬《かすづけ》、鮎《あゆ》、枝柿《えだがき》、鶴
紀州家、蜜柑《みかん》、鯛、御樽《たる》
水戸家、鯛、御樽
という目録を見て女中たちが、
「水戸さまもお子たち三十七人では、貧乏殿さまといわれるのも当り前でしょう」
とささやき合ったという話を篤姫は聞いた。
その夜あらわれた家定は、まず、

「奥御殿の妖怪《ようかい》はもはや退治いたしたか」

と聞いた。

はて何のことやら、と篤姫が問い返すと、

「夜な夜な怪しきもの出で、人に危害を加えるよしにて」

といい、それは多分年経《ふ》りし狐狸《こり》のたぐいであろうが、若侍に化けたり巨大な怪鳥になったり、近づく人間を取殺すと聞き、そばの者から当分大奥へはご遠慮遊ばすように、といさめられ、こんにちまで差控えていた、という話を聞いて篤姫は、

「それはどなたからお聞き遊ばしました」

とたずねたところ、出所《しゆつしよ》は判らぬが家定は側用人から伝えられたという。

とすれば、表と始終接触のあるのは滝山であって、このところ、篤姫の進言によって将軍と慶喜との会見が実現したのを用心して、おわたりを遠ざけるため、このような根も葉もない噂をお耳に入れたのだと篤姫は思った。

篤姫は気分おだやかならず、翌朝、滝山を呼んで詰問すると、

「そのような覚えは全くございませぬ。寝耳に水のお話でございます。私、身の証《あか》しを立てるために、ただいまよりきびしく詮議《せんぎ》いたします」

と退《さが》って行った。

滝山は一徹な気質で、嘘《うそ》のいえる人間でないのは篤姫もよく判っており、日頃から堂々と紀州派を表明しているだけに、何もこのような姑息《こそく》な手段をとらなくとも、とは考えられ、沙汰を待つうち、三日後、明るい顔付きで滝山は報告した。

女ばかりが大勢集っていれば、そこに嫉妬、怨念《おんねん》も渦をなしているだけに、昔から大奥には狐狸妖怪のたぐいのみならず、さまざまな怪談がある。

たとえば、格別の理由もないのに突然自分の居間で自害した女中があれば、そのあと、二人ほど自害が続いたりとか、また井戸へ身を投げる女中は昔から数えてもはや十二人にもなっているという。

江戸城本丸には掘井戸十七ヵ所、西の丸には十一ヵ所あり、いつも明六つに蓋《ふた》を明け、暮六つには閉める習慣だから、夜なかに飛び込みようもないが、どういうわけか身投げする井戸は決まっており、染井の井戸と呼ぶこのまわりではいまでも夜になるとすすり泣きの声が聞えてくるという。

こういう不慮の死を遂げたひとの霊がときどきあらわれるという話はずっと伝えられていて、夜、灯《あか》りをおとした部屋へ女中一人で使いになど行くことは皆恐れているのであった。

篤姫は結婚直後、梅野井からふしぎな話を聞かされ、それは気むずかしいことで有名な中﨟の部屋子が突然失踪し、まだ姉小路在職中のことで、大号令をかけて大奥中をさがしたが見当らなかった。

三ヵ月後、駕籠《かご》を保管してある駕籠部屋から異様な臭《にお》いがすると騒ぎ出し、天井へ吊ってあるその駕籠をおろしてみると、失踪《しつそう》した女中の死体があったという。

高い所へ吊るしてある駕籠のなかへ、誰が死体を入れたか、自ら入って自害するには脚立《きやたつ》も見えず、これはいまだに謎とされているという話を聞いて篤姫はすぐ、

「出来ごとには必ず原因があってのこと、今後そのようなことが起れば必ずや糾明《きゆうめい》してすべてを明らかにし、女中たちに知らしめるように」

とくれぐれも伝えた。

ものごとをうやむやで終らせることは嫌いなたちで、ましてこの大奥に起った事件なら、きちんと解明して働く者に安心感を与えなければならぬ、というのが篤姫の考えで、下々の女中たちは、

「御台さまがおいで遊ばしてから、こわいお話はよほど減りました」

と噂しあっている矢先、この妖怪の話であった。

滝山の報告では、将軍のおん種を宿した者は懐妊五ヵ月目から北のお部屋と呼ぶ場所に移ることになっているが、ここには古くから狸《たぬき》が住みついているといわれている。

とても性質のよい狸だといわれ、北のお部屋の方《かた》がいよいよ産気づくと腹鼓を打って勇気

づけ、安産に導くのだといういい伝えがある。

そのため、この部屋へ移った者は、いつも狸にふるまいを忘れず、それは赤めし三升、いわし五十、を桶に並べ、縁側へ出しておくと翌朝は飯一粒も残さず食べているそうであった。

人によっては、狸ではない、雀《すずめ》かからすが食べるのであろう、という説もあるが、お部屋入り後、このふるまいを怠った者は必ず難産になるといわれるだけに、出産を迎える者はこの狸を大事にする気持も一入《ひとしお》のものがあるのだろうか。

この話を思い出したのは、家定の生母、本寿院《ほんじゅいん》であった。

長いあいだ大奥に住んで、自分もかつては北の部屋に入り、家定を生んだことのある本寿院は、この狸を深く信仰していて、日頃から、

「御台さまにいまだご懐妊の兆《きざ》しが見えぬのは何ともさびしい」

と口ぐせのようにいい続けているのが、

「北のお部屋は、どなたももう久しくお使いにはなってはおらぬ。狸どのはそれがさびしいのではあるまいか。この際、ねんごろにお祀《まつ》りして御台さまにこの部屋にお入り頂くよう、祈願してみようではないか」

ということになり、恒例《こうれい》の赤飯といわしを誰もいない部屋の縁側に並べておいたところ、

その夜、この部屋の周辺では天地鳴動、轟音《ごうおん》に次ぐ轟音で、翌朝、お供えものはきれいになくなっていたという。

本寿院はこの夜半の騒ぎを、狸どのが我らの念願を叶《かな》えてくれるしるし、と受取り、目出度いと喜んだそうだが、それが伝わり伝わるうちに妖怪変化のはなしとなり、家定はそばの者からいさめられて奥泊りを控えていたそうであった。

こういうふうに解明されても幾島は容易に信じず、

「大奥というのはほんとうに恐ろしいところでございます。紀州派にとっては、たとえただいまからじゃとて、御台さまがご懐妊なされるのは慶福さまご継嗣決定の妨げになると思い、なるべく上さまのおわたりを少なくしようとこのような話を企んだことと思われます」

という考えだが、篤姫はもうひとつ違った感じを持った。

それはまだ江戸城へ入りたての頃、先代慎徳院の寵を争うお中﨟の話をあれこれと聞かされたが、そのなかでお袖の方とその姪《めい》に当るおちえの方のすさまじい争いがあった。最初は叔母のお袖の方が召し出され、これはすぐ懐妊し、出産したがほんの三日ほどで子供は亡くなり、代ってお伽《とぎ》を仰せつけられた姪のおちえの方のほうがすぐ子供を宿したところ、お袖の方は嫉妬に駆られ、姪を縁側から突き落したという。

ためにおちえの方は流産し、それが原因で早く亡くなったよしで、臨終のときお城へ呼ば

れた実母は口惜し涙を流しながら、

「この怨《うら》み決して忘れるでないぞ」

とことされる娘の耳に口をつけて叫び続けたそうであった。

たとえ叔母姪の血の繋《つな》がりではあっても、将軍のおん種を宿したものに凱歌が上るとすれば、お手つきの中﨟たちが血みどろの死闘を繰りひろげるのは当然のことで、その話を聞いた篤姫が感じたのは、ご生母本寿院は、この死闘のなかをくぐり抜けて今日、上通りの待遇を得ているひと、というこわさであった。

その上にもうひとつ、これは梅野井の部屋子から伝わった話で、入谷の東運寺に、ふしぎな厨子《ずし》を納めてあるという話がある。

それは本尊鉦冠薬師を納めた厨子だが、

「天保十二年丑年六月二十八日再興、御施主五十歳、西御丸大奥老女、八重島、四天王十二神将、御男子大願成就」

と記されてあるという。

これはのちに重野が確認にゆき、正しくそのとおりである報告を受けたが、天保十二年といえば家定は十八歳、有君をめとったばかりだが、老女八重島が御男子大願成就を何故祈願したか、不審はそこにある。

本寿院はもと八重島に仕えた部屋子で、慎徳院の目にとまってお手つき中﨟となったひとだが、我が腹をいためた家定が他の二十四人の所生ことごとく早世するなかで、一人だけ生き残り、首尾よく世子となって西の丸に住まっているこの時期でも、なおもとの上司、八重島を使って、将軍の子を、それも男子出生の大願を立てているということになるのであった。

篤姫は、この報告を聞いたとき、信じられない思いだったが、年からいえば当時本寿院はまだ三十歳なかばに達してはいなかったのではなかろうか。

家定が心身脆弱《ぜいじゃく》だとは早くから判っており、つぎなるご継嗣を、という話はもうこの頃からぼつぼつ出かかっていたが、母親本寿院は、一橋でもなく紀州でもなく、いま一度将軍のおん種を宿したいという大願を立てたことを、この厨子の文字は雄弁にもの語っている。

篤姫は心が冷える思いがし、おん母君といえども、ご継嗣への執着はまことにすさまじきもの、という感慨を深く抱いたことを決していまも忘れてはいない。

月一回、家定とともに本寿院のもとへご機嫌伺いにまかるのはいまも変らないが、そのせつにはいつも紋服を着てつつましく、控えめな挨拶をするこのひとでも、大奥に長年暮し馴れていれば、やはり望むのは自身の栄達であったか、といまは思われる。

そういうことから考え合わせると、本寿院が篤姫の懐妊を願って狸に供え物をしたという話は、果して本心なのかどうか疑わしいし、そのお付きの歌橋の局は有力な紀州派であるのを思えば、何か他に策略あってのことかとも考えられる。それに本寿院というひとは、篤姫が入輿してのち、家定に上通りのお手当てを、と言上したのを感泣して喜んだそうだが、その裏で、

「さし出がましき口をおきき遊ばした」

と怨んだという話も伝わっている。何故なら上通りの待遇ともなれば、御台所に次ぐ扱いなので、おちょうず所まで女中がついてくることになっており、小禄の旗本の出の本寿院はそれを聞いて気を失うばかりに驚き、

「どうぞそればかりはご容赦を」

と泣いて拒んだそうであった。

篤姫もいまだにお月事《げつじ》のときは誰も厠《かわや》のなかへは入れないが、これも代々の御台所でははじめての例だといわれ、女中たちがひそひそと、

「やはり薩摩のお育ちでおいで遊ばす故」

「公家の姫君とはお違い遊ばす」

とかげ口をきいているのを知らないわけではなかった。

妖怪の件についての滝山の報告はわり切っていて、

「本寿院さまは、御台さまのご懐妊をそれはそれはお待ち兼ねでいらせられます。必ずや狸の神通力で近く吉報が得られようと仰せられてございます」

という話であったが、篤姫は心のうちでひそかに、大奥の女中たちが大願をかけるのは日頃から信仰している寺社のご本尊であって、妖怪ともまがう狸に餌を与えて願を込めるという方法は誤解されてもいたしかたあるまい、と考えたが、それは口には出さなかった。

そして幕府はハリスからのひんぱんな催促と、松平、蜂須賀両侯からの慶喜継嗣建白書を抱えたまま、こうした紛糾《ふんきゅう》の年を越してしまうのである。

篤姫は、のちに我が生涯を振返って、徳川家の御台所のなかでも、自分ほど激動の歳月に揉《も》まれた者は他にいないと思われるが、とりわけこの安政五年は、衝撃的な変化が相ついで起きた忘れられない年であった。

暮から新年にかけて、大奥では毎日のように儀式があり、いかに内外多事であろうとこれだけは略さないのが大奥の女性たちの心意気であって、それはまたこの際、束《つか》の間《ま》の救いでもあった。

家定も、政務から解放され、大奥の女性たちと打《う》ち集《つど》って行なう六日年越の宴や七草の祝儀、十一日の鏡開き、また十八日から月末まで行なう年頭の祝いや二十日正月の催しなどにむしろ喜んで加わるのであった。

二十二日の年頭の祝儀余興《よきょう》の日、検校勾当《けんぎょうこうとう》を召して三曲合奏を例年のように「葵《あおい》」から「老松《おいまつ》」まで聞いたあと、家定はとくに篤姫を御座《ござ》の間《ま》にいざない、

「昨年暮、島津どのよりまた新しく建白書が差し出された。内容は通商の調印はやむを得まい、というものと、一橋卿を早急に継嗣に立てることが政局安定の基であると記されてある」

と明かした。

それは篤姫にとってはよく判っている斉彬の行動故に、さして驚くことではないが、女の身が政務に口出しするのを好まぬ家定にして、わざわざこの話をしに御座の間へ篤姫を誘ったことが珍しく思われ、

「して上はどう思し召されます？」

と踏み込んだところ、家定は暗い顔をして、

「予はもう疲れ果ててておる。通商条約はこの正月の月が明けたならハルリスがまた矢の催促をいたすはずだという。

その上に攘夷《じょうい》論者の筆頭、水戸の老公は一橋を一刻も早う将軍職に就かせるために、予を押込めようと企んでいるという。

御台よ。そなたが一橋を推輓したい気持はよう判るが、予はもうこれ以上、争いには巻き

込まれとうはない。どうぞ予を押込めたりなどせずにいてくれよ」

という言葉尻がふるえてきたのを聞いて篤姫は思わず顔を挙げたところ、家定は膝をくずし、脇息《きょうそく》にもたれてまたもや泣いているのであった。

篤姫は、これまでいく度か家定の涙を流す姿を見て来たが、今日、このありさまは一入《ひとしお》強く胸の奥底へ響く感じを受けた。

いそいでにじり寄り、

「上、どうぞしっかり遊ばしませ。上を私が押込めるなど、根も葉もない流言《りゅうげん》でございます。なんで大切な上を押込めたりなどいたしましょうか」

と顔をのぞき込むようにしていうと、その篤姫の膝に家定はすがりついて、

「それはまことか。御台は予を押込めはせぬか」

といいつつ泣きやまず、そしてしゃくりあげながらいった。

「予はもう誰にでもよい。将軍職を早うゆずりたい。外交問題も、余が思いは攘夷でも開港にてもいずれでもよい。やれる者が政務を引き受けてくれれば、予は静かに過せよう。毒殺の危険も、押込められる恐れも一切ない場所へ逃《のが》れられよう」

といいつつなお泣きやまぬ家定の背を撫でながら、篤姫も次第に胸が迫ってきてつい目頭

を押さえた。

何というおいたわしさ、いままでにも事あるごとにそれは痛感してきたけれど、継嗣と政局の問題ますます混迷のこんにちに至って、このお方は泣くより他ないのだと思うと、篤姫は悔いに胸を噛まれる思いであった。

このお方にとっては、ハリスと会見したり連日の幕僚との会議はどれだけの苦しさであるか、また一橋派と紀州派のはざまで日々どれだけ身の危険を感じることか、といま改めて思い、自分がひたすら慶喜との接見をすすめてきたことを、妻としていたわりのない態度であったと思い返される。

それにしても、このおつらいお気持、よくぞ私にお打明け下された、と篤姫は思い、

「上、それではこれから大奥でずっとおすごしなされませ。表へは上がご病気と触れておきますほどに」

とすすめると、家定はがばとはね起き、

「いや、それもならぬ。御台は一橋派じゃ。奥へ押込められたとして紀州派が騒ぎ出すに違いない。予には居るところがない。この江戸城のどこにおればよいのじゃ」

といいつつ立ち上り、廊下へ出ようとするのを家定付きの梅野井が取りすがって、

「上さま、どちらへおいで遊ばします」

とたずねると、

「判らぬ。安全な場所はどこじゃ」

と足はやはり表の方角へ帰ってゆくのであった。

このあと家定は奥に来てもほとんど意志のないような人間となってしまう。体力もいたく弱り、おわたりの夜もほとんど口をきくことなく、すぐいびきをかいて眠り続けるのであった。いまは、夫婦の交わりは叶わずとも、大奥へのおわたりだけは間遠ながらも勤めてくれる夫家定に感謝しなければならぬ、と篤姫は思った。

家定が取乱して表へ帰って行った夜、篤姫も夜半、ひとりで泣いた。

身心ともに弱い父親と兄を持って生れた運命なら、夫にもまた、さらに弱いひとにめぐりあうというえにしはあきらめもしようけれど、その夫に、継嗣の男子決定をすすめねばならぬという任務を持った自分がいまはいかにも呪《のろ》わしかった。

ふと、自分たちがいつの日か将軍夫妻でなく、小名ほどの家格で仲むつまじい夫婦として暮せたら、どんなにか気も安まることであろうと思い、そんなことを考えている自分に気がついて愕然《がくぜん》とする。

家定がおびえ切っているとおり、ハリスの日米通商条約の交渉は一月二十五日から再開され、その矢面に立つ堀田正睦は苦慮し、諸大名に意見を聞くことしきりであった。

なかでも頑強な攘夷を説く水戸斉昭に対しては、幕政参与の役を罷免《ひめん》したものの、慰撫《いぶ》する必要もあり、年明け早々川路聖謨《かわじとしあきら》らを派遣し、大勢は条約締結に至るもやむを得ない事情を説明した。

斉昭は最初面会謝絶をしたが、川路側のたっての懇願でしぶしぶ引見し、

「堀田正睦には腹を切らせ、ハルリスは首をはねてしまえ」

と怒りをぶっつけたという。

この頃になると諸大名の意見のなかに、

「朝廷に奏上し、勅許を受けたほうがよい」

という意見が多数擡頭《たいとう》し、堀田正睦もいまは朝廷の権威を借りることもやむを得ず、と判断して一月末、みずから京都へと出向いた。

ときの孝明天皇は外国人を嫌ったし、公卿のほとんども攘夷論者で、長いあいだ滞在して勅許を待った堀田正睦に三月二十日与えられた回答は、

「三家以下の諸大名の意見を聞いてあらためて願い出るように」

という毒にも薬にもならぬ答えであった。

続いて翌々二十二日には、

「国事多端の折柄、すみやかに将軍後継者を定めるように」

との沙汰書が下り、堀田正睦の京都工作は悉《ことごと》く失敗し、ようやく四月二十日江戸に帰りついたのであった。

朝廷の回答は、通商条約について何の示唆《しさ》もしてはおらず、ことが振出しに戻っただけで、なおその上、幕府は継嗣問題にまで朝廷から催促される羽目になってしまったことになる。

実は、一橋派は福井の松平《まつだいら》春嶽《しゅんがく》の臣、橋本左内を中心に現地京都で策を練り、西郷吉兵衛《さいごうきちべえ》や堀田正睦の随員川路聖謨などとともに、公卿やその家臣に工作して、朝廷から将軍跡目には、

「年長、英明で衆望のある者」

を選ぶようにとの沙汰書をくだしてもらうよう暗躍していたが、これに対しては紀州派も手を束ねてはおらず、井伊《いい》直弼《なおすけ》の家臣、長野義言《よしこと》が関白九条尚忠《ひさただ》の家臣、島田左近と結んで猛烈な対抗運動を行なったといわれている。

朝廷は結局、年長英明の、云々《うんぬん》の言葉は用いず、すみやかに養子を、という催促で逃げたのだったが、それは一徳川家内部の問題と観じていることでもあったろう。

堀田正睦《まさよし》が江戸帰着するという前日、篤姫は滝山から、

「折入ってお願いの儀ございますれば、幾島どのともども、お聞き願わしゅう存じ上げま

す」

の連絡を受け、篤姫はお庭支配人にお締りの命を出し、滝の茶屋で滝山を待った。

お締りとは庭々のしおり戸柴門《さいもん》を悉く閉じることをいう。

四月も終りの庭は、桜こそ散ったものの、藤に牡丹《ぼたん》、かきつばたなどとりどりに咲いて美しさこの上なく、滝の茶屋の赤い毛氈《もうせん》の上に坐った篤姫は、心浮き立つ思いで滝山を待った。


しきたりからいえば、滝山がさきに着座して主を迎えるのがほんとうだが、篤姫は早くから庭におりていてあちこち散策をもしたく、お締りの命も出してあることで、さきに到着していたのであった。

滝山は部屋子一人を供に急ぎ足でやって来て座敷の入口で深く遅参の詫《わ》びをいったが、その額にいちめんの汗が浮いている。その顔をつくづくと眺めると、この一年ほどのあいだにめっきりと白いものが増えたと思われ、それは大奥女中のたしなみとして、たとえ簾《みす》ほど薄くはなっても髪はいつも黒く染めていなければならぬといわれるとおり、このひともかつて黒く染めたところ、全身がかぶれ発熱して寝込んだことから、以来白いままで通して来ている。

篤姫はその頭へ目を当て、ときは花ざかり、何か軽い口でもきこうと考えたが滝山は思い

つめた表情であった。さっそく、

「折入っての話とは何じゃ」

と篤姫は近くへ招き寄せると、滝山は少しいいよどんだあとで、

「はい、まことに申上げ難きことなれど、老中堀田正睦どのこの際更迭《こうてつ》して頂いては如何かと存じ、それについて御台さまのお力をお借りいたしたく、お願い申上げます」

と述べた。

堀田正睦は、いまは有力な一橋派で、このひとの蘭癖《らんぺき》については篤姫は好ましくないと思っているが、阿部《あべ》正弘《まさひろ》亡きあと、老中筆頭の座から除くということは大きな不安がある。

「してそれは如何なる理由にて」

と聞くと、

「堀田どのは近頃、表のご執務に追われ、大奥のことは一切かえりみられませぬ。この頃は諸物値上り、出入りの商人も市価どおりに大奥の入費も請求して参ります。しかるに、はばかりながら私どものおん手当ては、上﨟年寄の私でお切米五十石、お合力金六十両十人扶持でございます。

これは確かではございませぬが、寛政年間に定められた高にて、それ以後は増額なしと伺っております。私ご奉公に上りましてより、一般に改訂されたというお話はいまだ聞いてお

りませぬ。

それでも阿部どのご老中のときには、お手当てのほかに、多少なりともお涙金のかたちで配分されましたし、また薪炭《しんたん》、湯之木、油等につきましてはお情を以て潤沢《じゅんたく》に廻して下さいました。

御台さまもご存知のように、私など年寄は、表に比較いたしますれば十万石大名の格式でございます。

この格式を維持してゆくためには、ただいまのお手当てではいささか苦しゅうございます。この際、堀田どのは老中首座をお退き頂き、大奥に対して深きご理解を持つ方に交替《こうたい》して頂きたいと存じます」

と懐紙を出して額の汗を拭《ぬぐ》いつつ述べる言葉を聞きながら篤姫は、まだ芝の藩邸にいた頃読んだ海保青陵《かいほせいりよう》の「稽古談《けいこだん》」の一冊を思い出した。

それは御台所教育として幾島から渡されたものだったが、寛政の改革で老中松平定信《さだのぶ》が大奥を弾圧し、老女大崎を罷免したいきさつが詳しく書かれてある。

それによると、大崎は松平定信を「ご同役」と呼び、激しい口論になったという。

大崎は大へんな政治力を持った女性で、内々の役柄として当時の幕閣の意向をご三家に伝達する使命を担《にな》っていたらしい。

将軍側近の人事に関与しており、それ故、大奥を弾圧した松平定信に徹底反抗してご同役呼ばわりしたことについて定信が激怒し、

「大崎は不届なり、老中に向い同役とは何ごとぞ」

と大声で叱責《しっせき》すると、

「以前より表の同役と申し、相勤め来れるものなり。左様におあしらいありてはこののち相勤め難し」

と怒り返し、定信はその言葉尻をとらえて、

「相勤め難くばその方勝手たるべし」

と申しつけたという。

定信は大奥予算をできるだけ縮小しようという目的だけでなく、風紀も取締り、かつ表の人事に口出しするのを封じるために、将軍心得、老中心得の条項のなかに、

「大奥からの願いごとに、一切耳をかさぬこと」

という一条を規定したが、数年後には大奥総女中の反撃に遭って解任されてしまうのである。

篤姫はこれを読んだとき、女の身で表の人事に口出しするのははしたないこと、という感じを抱いたが、自分が江戸城へ入ってのちはいささか受取りかたが違ってきている。

予算はいつもたっぷりあるわけではなく、幾島が叱咤《しった》して、

「御台さまのご入費には、金に糸目をつけず」

と景気づけるのも、裏返せば萎靡《いび》縮小する大奥女中の意気を昂揚《こうよう》させようとする目論見もあることはほぼ察しがついている。

篤姫は、徳川家訓としての質素節倹は心がけとして忘れはしないが、三千人を数えるこの大奥で、女たちの人心収攬《しゅうらん》術としては、ときにお手当てをたっぷり与えることであるぐらいは判っているのであった。

篤姫はうなずきながら聞いていて、

「して、更迭といえば後任の目途《もくと》あってのことか」

と聞くと、滝山は俄《にわか》にうろたえ、

「いえ、それはまだ」

と口ごもるのへ、

「話してみるがよい。ここは滝の茶屋でまわりには誰もおらぬ」

と催促すると、滝山は決心したように、

「はい、堀田どのの跡には井伊《いい》掃部頭《かもんのかみ》直弼《なおすけ》どのを、と考えております」

と答えたのを聞いて、篤姫は内心あっと思った。

井伊と水戸老公が犬猿の仲、以上に憎み合っているのはかねて聞いており、それは明らかに継嗣問題への布石《ふせき》であることが知れるだけに、篤姫はこういうことを正面から堂々と話し込みに来た滝山の度胸に驚く思いであった。

篤姫はかねてから、この滝山という人物を、大奥総取締役としてふさわしい、人格識見兼ね備えたひとと見ている。

幾島とは始終小ぜりあいがあるが、それは幾島が、いつも堂々と旗色を明らかにする滝山の態度を憎む故であって、また一方考えれば大奥にありがちな陰湿《いんしつ》な戦いをせず、はっきりとものをいう滝山は立派だということができると篤姫は考えている。

いまも、井伊直弼を推輓に来た滝山に、篤姫は内心舌を巻く思いがあり、こちらも隠さず、

「滝山、私に堀田どの排斥、井伊どの推輓の相談に来たのは、将軍継嗣が深く関わってのことであろう。よい。今日はそなたの心底、とっくりと聞きましょう。包まず話してみるがよい」

というと、滝山はなお汗を拭いながら、

「これは有難き仰せ、滝山心よりお礼申上げます。

打明けますれば、滝山はこうして御台さまに我が胸の内お聞き頂く日をひそかに心待ちい

たしておりました。

先ず水戸ご老公が何故にこの大奥で忌《い》み嫌《きら》われるように相成ったかと申上げますと、ご承知の如く、ご老公養母に当らせられる峰姫こと峰寿院さまは十一代文恭院さまのご息女でいらせられます。

この峰寿院さまが水戸家へご入輿のとき、京より高松三位卿の娘、綾羽と申す者が年寄につきました。将軍ご息女のご守殿制度には、おつきの上﨟年寄に京都堂上方《どうじょうかた》の息女を迎えるという掟《おきて》がございますが、この年寄は、生涯奉公、終身不犯《ふぼん》、というのが決まりでございます。

こう申上げては憚《はばか》りがございましょうが、亡き文恭院さまはご側室あまた養われた方にて、女色についてご盛《さか》んであらせられました。

京から江戸へ到着いたしました綾羽どのを一目見て文恭院さまは大そうご執心になり、峰寿院さまに乞うてもらい受けたいと仰せになりましたが、この制度のため如何ともなし難く、綾羽どのは峰寿院さまについて水戸家の小石川藩邸に入られました。

私、ご奉公に上りました直後のことで、廊下をお通りの綾羽どのを一度お見かけいたしましたが、まことなかなかにお美しく、そしてお人柄もよろしきよう聞いております。

この江戸城にはわずかな月日の滞在ではございましたが、大奥女中たちにも人望厚く、ご入輿のときは峰寿院さまよりも皆綾羽どのとの別れを惜しんだそうでございます。この綾羽どのに、ご老公が無体《むたい》にも迫り、何と懐妊させてしまいましたもので、峰寿院さまは大そうお怒り遊ばされ、父君大御所に言上いたしました。

文恭院さまはそれを聞いて、ただ療養せしめよ、と仰せられただけであったそうでございますが、峰寿院さまはその意を体して堕胎《だたい》せしめたそうでございます」

と滝山は息を継いで、

「御台さま、かような話をお耳に入れるは如何かと存じますが、この水戸ご老公の行為を我ら許すことはできませぬ。

噂によりますれば、ご老公は毎度綾羽どのに匕首《あいくち》を以て迫ったそうでございまして、これを聞いて、この大奥の者どもまで動揺いたしたものでございます。

我らは生涯奉公、終身不犯という誓紙をこそしたためてはおりませぬが、それに近い暮しを覚悟いたしてこのお城に上った者ばかりでございます。

お主筋の将軍家が子孫代々栄えますようにと、我らはこの男子禁制の大奥にあって、将軍家お子種の多きを願うてはおりますが、やはり女ざかりともなりますと女中といえども生身《なまみ》の体、ねずの番のお伽《とぎ》は辛うございます。

いいえ、これはお許し遊ばして下さいませ。

この大奥で、殿がたと夜のお交わりの叶うのは御台さまだけ、という納得がありますならば、話は易《やす》うございますが、殿がたが掟を破ってまでも美しい女中を懐妊させるという行ないは、たとえご三家のうちのことであれ、女中どもの覚悟のほどを揺るがせ、なかなかに影響力は大きゅうございます。

綾羽どのは峰寿院さまのお指図で子をおろし、恢復《かいふく》を待ってお暇を頂き、京へ差戻したと申しますが、ご老公はなおあきらめ切れず、ひそかに黄金、諸品を送って綾羽どのの翻心《ほんしん》を促し、そして江戸に呼び戻しました。

しかしこれは人目を憚ることとて、在所茨城へ送って囲い置き、自分はやれ調練、やれ海防と名づけて国ごもりばかりなさいましたそうな。

こういうご老公を、ときの水野越前守は放置なさいました。

と申しますのは、先代慎徳院さまの御台所は楽宮喬子《さざのみやたかこ》さまと申上げ、ご老公のご簾中《れんちゅう》、登美宮吉子さまとはご姉妹であらせられます。

慎徳院さまはおん妹の峰寿院さまよりご譴責《けんせき》のご要望あって、ご老公をご召見遊ばされましたが、ご対面のおもむきはお叱《しか》りになるでもなく、お宥《なだ》め遊ばすでもなく、ただずるずるべったりでお別れになったと聞いております。

このあと、阿部正弘どのが決然と立ってご老公に禁錮《きんこ》の刑罰を申渡したのでございます。

御台さま、これで我らが阿部どのを如何に頼みといたしおりましたか、お判り頂けたことでございましょう。

もっとも殿がたの駈け引きは女の考えの及ぶところに非ず、阿部どのは、一旦自ら刑を申渡しておきながら、またそれを解いてやったのも阿部どのであります故に、ご老公はこれを多とし、以後は人呼んで『阿部の提灯持《ちょうちん》ち』などとも申しました。

かように、ご老公は私行の上でも、許すべからざるお方でございます。

ご気性激しく頑固一徹、頭から女というものを見くびっておいで遊ばすお方、これが明君《めいくん》と呼ばれる方なら、明君という言葉が泣きましょう。

あわれな綾羽どのは、先年みまかられたよし、これもかような争いなくば峰寿院さまに仕えて天寿を全うされたかも知れませぬ」

とここまで語って滝山はほっと一息ついた。

この話は、篤姫ははじめて耳にすることだったが、滝山に念を押すまでもなく、かの水戸どのならばさもありなん、という気がする。駁論《ばくろん》する確たるものがなくとも、この大奥に住んで男女の話を聞いていれば、感覚としてしぜんにそれが判ってくるのであった。

滝山はさらに一膝すすめて、

「一橋刑部卿は、このご老公のお子でございます。

十九歳の折、二十一歳の夫人美賀《みか》どのをめとられましたが、これにもいきさつがございます。刑部卿は最初、摂家の一条左大臣忠香《ただか》の養女、千代どのと婚約を交わされましたが、入輿の準備万端調ったあとで千代どのは痘瘡《とうそう》を患われ、見るもむざんなアバタ面になってしまわれたと申します。

このため、一条家のほうから申出て、千代どのの身代りとして現在の美賀どのを養女に迎え、婚儀の式を挙げましたが、千代どのはこれを深く怨み、『このままでは置かぬ。美賀に世継ぎの子を産ましはせぬ』という書置きを残して、自害して果てられました。

ただいま、美賀どのはご懐妊遊ばしておいでとのことでございますが、お具合あしく、ほとんど床に就ききりだと伺っております。

それのみか、一橋家の奥御殿には夜な夜な妖《あや》しい火が燃えますそうで、これは千代どのの祟《たた》りかとさき頃、京より霊牌《れいはい》を取りよせ、供養したという話を聞きました。

この宗家に仕えます水戸出身の女中たちは、それについて、怪火は単に千代女のものばかりでなく、綾羽どのをはじめ、ご老公の悪行《あくぎょう》のかげに泣いた女どもの怨みが結集したものではないかなどと申しております。まことに故なきことではございますまい。

ご継嗣につきましては、溜の間詰筆頭の井伊どのは早くから、現将軍に最も近い者を立てるのが我が国の風儀だと主張いたしております。

私、学問のことはよく判りませぬが、かの本居宣長《もとおりのりなが》がその著書にも、『皇国は神代より君臣の分早く定まりて、君は本より真に貴《とうと》し、その貴きは徳にあらず、種によれるなり』と書かれてあるそうにございます。

当節、ものの筋目が崩れがちとなる折柄、井伊どののお言葉には、宗家ご譜代の大名がたのおおかたがご賛同にございます。

これに対し、水戸派は『年長、才器、人望』を備えた者を次期将軍に、と運動いたしおる様子にて、しかしながら刑部卿どのは紀州家の慶福公よりはたしかに年長ではありますが、その差はわずか九つ、これはあと四、五年も経ちますれば、器量の上からいってものの数ではなくなります。

それに才器、と申しますのは、昨年御台さまもご引見遊ばされたとおり、いまごろになってようやく『資治通鑑《しじつがん》』と『孫子《そんし》』にお目を通されておりますよしにて、幼きころより武辺《ぶへん》一途、とても将軍としてこの国を統《す》べてゆかれる器とは思えません。

それにひきかえ、慶福公は、先ごろの毒入り菓子の出来ごとでも、幼くともおん慈悲の深きご様子に、お菓子方の者は皆、感泣いたしました。

いま我らのいちばん恐れているのは、刑部卿どのを将軍職に就かせ、その実はご老公が政務の実権を握られることでございます。

さすればこの大奥も、日々戦々兢々《せんせんきょうきょう》、心やすからぬ按配《あんばい》と相成ることは目に見えております。御台さまにおかせられましては、どうぞ、徳川家の大奥を取り締まる女主として、この件、十分にお考え下さいますように、滝山、心からお願い申上げます」

と深く頭を下げ、やがて面をあげたその目には光るものがにじんでいるのを篤姫は見た。

座にはしばらくの沈黙があり、やがて幾島が口をひらいて、

「そうすると滝山どのには、この大奥に水戸ご老公の干渉が入ると困る、とのごいい分でございますな」

「煎《せん》じ詰めれば左様なことと相成りましょう」

「それでは」

と幾島もひらきなおって、

「いまさらもうお互いに歯に衣《きぬ》着せてもいたしかたございますまいが、御台さまのお立場をどうお考えになられるか、それを聞かせて頂きたい」

というのは、ここに来て島津斉彬が有力な一橋派であるのを滝山は十分承知の上という見込みがあるためで、それに対し滝山は、

「そのお言葉を、滝山実はお待ちいたしておりました。

身の上話を申上げるも憚りありますながら、私十四歳のときから当江戸城に上り、お末か

ら順に勤め上げてただいまは最高の地位を賜わっております。

この大奥を大切に思う気持は誰にもひけを取らないと自負《じふ》いたしておりますが、大奥を愛すれば、そこを統べる主の御台さまをも心から敬い奉っております。

それはこの徳川宗家を裏側から支える大きなおん方として、私のみならずここに住む三千人女中みなの考えかと思われます。

このたびのご継嗣問題について、ご生家のおん父君が刑部卿をご推輓遊ばされおる事実は私どもよく存じ上げておりますが、御台さまに翻ってお考え頂きたいのは、ご婚儀が相済みましたからには、御台さまはもはや、この徳川宗家のおん方でございます。

お考えはもちろん、お言葉のはしばしにまで、徳川のおん為にならぬことを仰せられては、大奥の者どものご奉公が成り立ちませぬ。

御台さまには、是が非でもこの大奥の秩序と安全をお守り頂きたく、それには、ご老公とは申せ、未だ還暦を迎えられたばかり、なお矍鑠《かくしやく》として水戸の獅子《しし》、などと自称遊ばされるご老公がこれから大奥に対して伸ばすであろう故ない干渉と毒牙《どくが》を、未然にくいとめて頂かねばなりますまい。

これは滝山一個人のお願いでなく、大奥女中一同の切なる思いでございます。

私、このお願いを御台さまにお聞届け頂きたさに、実はこんにちまで、幾島どのに申上げたき儀も控えて参りました。お覚えがございましょう。袖口布の件、御台さまのおぐし上げの件、その他こまごま、大奥のしきたりに従って頂きたいと思いつつ、悉く私のほうで引きました。つきましては、このこと十分ご考慮の上、私どもの表にさし出します堀田どの罷免おん願いの連判状にお名をつらねて頂きとうございます」

と滝山が話し終えたとき、篤姫は胸の奥から敗北感に似た思いが、水のにじみ出るように拡《ひろ》がってくるのを覚えた。

滝山の話は決して不快でなく、それというのも、この剛気《ごうき》なひとの目に露の浮ぶのを見たからであって、いまの説明はおそらくすべて真実と受取ってもよいであろう、と篤姫は内心思った。

しかし上に立つ者、うかつな言葉を出せず、ずっと沈黙を続けているのへ、幾島が助け舟を出して、

「お話のおもむき、よう判りました。が、ことは重大故、ここで御台さまも直ちには返答いたしかねると思われます。

いましばらくのご猶予を」

というと、滝山は強い口調で、

「堀田どのはただいま品川泊り、明朝にはここに帰城遊ばされる。長びけば堀田どのの工作を助長させるばかり、罷免嘆願書は、帰着される以前に表へ出さねばなりませぬ」

と有無をいわさぬ態度で、幾島は篤姫の沈黙の様子を見て気力を張り、

「されば明早朝までお待ち下され。我ら十分考えてのちご返答申上げるほどに」

と返すと、滝山は辺りを見廻しながら、

「長き春日ももはや暮れました。幾島どののがたってと仰せなら、滝山これにて下らせて頂きましょう」

と退り、篤姫に向って丁寧に礼を述べてから、幾島に向い、

「ただいま申上げたように、滝山、幾島どのには多くの貸しがあることをくれぐれもお忘れあるな」

といいのこし、打掛けをさばいて滝の茶屋から去って行った。

あとの篤姫はまだ黙って考え続けていて、幾島も思案なく、襖《ふすま》の外に侍っている唐橋だけが、

「そろそろご本丸へお帰りを」

と気を揉んでいる。

唐橋に促され、篤姫は前後を守られながら薄暗くなった庭園を歩いて本丸の居間に戻って

来たが、やがて運ばれて来た夕餉《ゆうげ》にも箸《はし》がつけられなかった。

入城以来、今日ほど部下の諫言《かんげん》に衝撃を受けたことはなく、それは、聞かされたもろもろの驚くべき事実よりも滝山の、

「御台さまはもはや徳川家のお方、何につけお家のためになることを第一にお考え賜わりたく」

の言葉であった。

滝山のこの言葉はまことに筋道が立っており、それは生家と密書で連絡を取合っているうしろめたさをずばり指されたことに関わって、いまの自分の行為は、幼少の頃よりものの本を読んでよくわきまえて来たはずの、日本の婦道にもとるものではないかという疑いへつながってくる。

女は一旦嫁せば身も心も婚家先のもの、夫と家との繁栄を願うのが当然ならば、滝山のいうように、斉彬の指示どおり慶喜を推輓するのが果して徳川家のためになるかどうかと、信じていたものが土台から揺らいでくる気持であった。

それには去る秋、召見した慶喜の印象の悪さも大いに作用しており、そう思うかたわら、幼年ながら態度が立派であった慶福が思われてくる。

ほとんど手をつけぬ夕餉の膳が下げられたあと、人払いして幾島がいうことには、

「滝山はまことおそろしいひとでございますなあ。私への意趣返しにこのような大事な一件と取引きいたそうとしております。

御台さま、我らたぶらかされてはなりませぬ。あくまで初志貫徹、ここで紀州派の井伊どのなどに政権を渡さぬよう、今宵は御台さまより逆に滝山を説得願わしゅう存じます」

と述べるさまは、さきほどの意気消沈の様子とは打ってかわり、気持を強く立てなおしたかに見える。

黙している篤姫に向い、さらに、

「御台さまはもはや徳川家のおん方であるのは確かなれど、一方大恩ある島津のお殿さまからの使命をお忘れ遊ばしては人倫の道にもとります。

いまの日本を救うは、ご幼少の紀州家では心もとないこと、すでに御台さまにはお判りでございましょう。

何卒《なにとぞ》、堀田どのを引きとどめ、一橋卿を無事将軍職に就かせられますように、ここで御台さまが奮起遊ばさねば、おん父上がどれほどかご落胆なさいましょう」

という幾島の声を聞きながら、篤姫の胸にふっと悲しいものが通りすぎていった。

もし斉彬いなくば、篤姫は島津分家のひとつとして国許で結婚もし、おそらく薩摩をいでずして一生を終えるであろう、という気持が幾島の言外にあふれており、それはまた、いいかえれば、こんにちのこの最高の地位、この栄耀《えいよう》はいったい誰のせいで与えられたものかと叱責されているようにも受取れる。

その夜更け、篤姫の居間のご休息の間にあらわれた滝山は、さきほどにも増して身なりをととのえ、一筋の髪の乱れもみせず、化粧をなおして凜然《りんぜん》たる様子であった。

それに対し、幾島も覚悟のほどを見せて唇許を一文字に結び、扇子を膝もとに立てて迎え打つ態勢を見せる。

「昼間おん願い申上げました件につき、再びお伺いにまかり出ました。何卒、事情お察しの上、これなる連判状に御台さまはじめ、お付きの方々のご署名賜わりたく、滝山それを頂きましたなればただちに表に参りたく存じます」

というのへ、幾島は膝を向けて、

「滝山どの、さきほどはそなたさまよりの事情説明を伺うばかりにて我らの意見は申上げてはおりませなんだ。

ただいまよりこの幾島も披瀝《ひれき》仕る。

先ず滝山どのは水戸ご老公を忌避《きひ》なされ、井伊どののご推輓なれど、井伊どののお人柄をどれほどにご存知か。

かつてペリーが江戸湾深く乗り入れて来たとき、阿部どのはご老公と溜の間詰の大名に登城を命じ、討論なさいましたな。

そのとき、ご老公は我が神国を護《まも》らんとして打払いを主張いたしましたのに対し、井伊どのは溜の間詰の大名方を誘導して和平論に持ってゆき、ご老公は憤然として席を蹴《け》って下城なされたと聞いております。

噂によれば、この頃から井伊どのは自分が大老におさまるべく野心を抱き、目の上のこぶたるご老公を排除せんとして先ず幕政参与の地位からご老公を追うたと申します。

それればかりかご老公の醜聞《しゆうぶん》について、あることないこと流布《るふ》し、この大奥を我が味方につけんとする画策あらわとか。滝山どのも、井伊どのに懐柔《かいじゆう》されて、故なく水戸嫌いになられたのではございませぬか」

「これは異《い》な仰せ」

と滝山は気色ばんで、

「さきほど私が御台さまに言上いたしましたことを、根も葉もなき話といわれるか。ならばお尋ね申す。幾島どのが御台さま付きで、当家に入城なされしは安政三年十一月のはず。ペリーが江戸湾深く入って城内で連日評議の行なわれしはこれより以前、嘉永七年正月のこと。

何故に城内評議のことをご存知でいられるか。いや、ご存知は道理であろう。定めし島津家からのご教育もあろうほどに、これは申しますまい。ただし、それが真実や否やということをどこで判別なされるか。

我らはその折、当江戸城大奥に住居いたし、つぶさに事情を聞いております。これを以てしても、根も葉もなき噂という仰せは、お言葉が過ぎはいたしませぬか」

「それでは、いまひとつ」

と幾島はひるまず立てなおし、

「滝山どのは、ご老公の女色がご盛んなるを指して、大奥の恐慌を挙げておられるが、これは井伊どのとて同じではありませぬか。

井伊どのは長いあいだ埋木舎《うもれぎのや》に部屋住みの身を過された方故、お慰みに女色を漁《あさ》ろうと我らは何をいえる筋合もございませぬ。

三十六歳でようやく彦根藩主となられてのちも、江戸への道中に側室お里和の方、お勝の方の二名を始終伴いましたそうな。

大名の参勤交替にはふつう女子は供も叶いませぬもの。旅をするのにも女子を離さぬという豪の者は、これまで尾張侯と姫路侯のお二方のみ、と聞えており申したが、実はひそかに彦根侯もそれに倣っておりましたことを、世間では誰知らぬと思うは大きなまちがい。

なれども、これは申しますまい。二妾《しょう》を伴ったとて道にもとるというほどのことではないかもしれぬ。

しかし藩主となりてのち、井伊どのが兄玄蕃頭《げんばのかみ》直元亡きあと、その後家の兄嫁俊操院に迫って懐妊させた件を、滝山どのは如何いい逃れなされるか。

しかも俊操院どのはこの事実が広まるのを恐れ、去る三月三日、ご生害《しょうがい》遊ばされたと聞いております。

滝山どのが綾羽どの懐妊の件を、大奥に引き移して忌避《きひ》の理由とされるならば、この幾島も、井伊どのの悪行を大奥中にお広め申そう。かかる不倫の大名を老中などにお用いならば、大奥の女中どもは日々安からぬ思いをいたさねばならぬ。

井伊どのご推輓に就ては幾島は反対いたす」

と決めつけたのへ滝山はすぐさま反撃し、

「幾島どのはご老公と井伊どのとのご身分を混同しておられるようじゃ。

水戸公は宗家に次ぐご三家で、徳川家全般の風紀取締について責任あるお立場でありながら、大奥ご守殿《しゅでん》制度の一生奉公、終身不犯の掟を自ら破ってしまわれた。この罪はなかなかに軽からず。

井伊どのの場合は、たとえそのような事実があったとしても、ご一家内部のできごとじゃ。極言すれば、ご家中の騒動にならぬ限り、殿がたはお子を増やされるのがご繁栄というべきであろう。

ご老公は綾羽どの以前、姉小路どの在職中にも、慶篤《よしあつ》卿のご簾中に懸想《けそう》し、懐妊されてこれもご生害に及んでおられる。一度ならず二度までもかようなご内行とは、井伊どのとは比較にはならぬ」

「いや待たれよ。井伊どのは三家三卿にはあらずとも、溜の間筆頭、親藩大名の雄にございます。倫理の道は三家三卿に次ぐものと心得るし、ゆきさきそういう老中を頂いた場合、滝山どのは果して大奥をことなく治めてゆかれる自信がござろうか」

「これはまた我らの職務について、筋違いの難癖。

幾島どのは御台さま付きのお年寄、順位からいえばこの滝山の下につくご身分をお忘れか」

「それでは滝山どのは、我らは御台さまのお身の廻りのみの用にて、大奥取締については容《よう》喙《かい》いたす権利なきものと申されるか」

幾島は昂《たか》ぶり、にじり寄ってこれも顔を紅潮させている滝山と膝をつきあわさんばかりに声高となるのへ、篤姫は口をひらいて、

「二人とも控えよ」

と命じた。

双方とも主張には理がとおっており、黒白つけるのは二人の仲を疎遠にするもと、という分別はあったが、いまは即断を下すより他なく、

「滝山申越しの連判状については、少々考えるところある故に、そなた独自の行動とするように。

古来、徳川家の御台所で、幕政人事について連判状に名をつらねたという例《ためし》はきかぬほどに、滝山のこのたびの件について、私は何も聞かなかったことにする。

滝山は下っていま一度よく考え、それがあくまでも正しいと信ずるならば、己が心に従って行動するように」

と静かな声音で命令した。

それを聞いて滝山はぱっと喜色をあらわし、

「これはまことに有難き仰せ、滝山御台さまのご恩は一生忘れませぬ」

と畳に額をつけて深々と礼をする一方で、幾島は猛《たけ》り、

「御台さま、何という仰せられようでございましょう。

何故に、滝山どのをおとどめなさいませぬ。

何故にならぬ、と固くおいいつけ遊ばしませぬ。

たとえ大奥中の女中が連判状に名を連ねていようとも、御台さまの一言で取りやめられる

はずにございます。

何卒お考え直しのほどを」

と膝にとりすがらんばかりにしてかきくどく幾島に、篤姫はおだやかな声で、

「そなたの立場も判るが、滝山も深く考えた上でのことであろう。

ここは我らは傍観し、滝山の判断に任せよう」

と宥《なだ》めるのであった。

お叱りか、でなくば猛反対を覚悟してきた滝山は平伏してうれし涙にくれ、いく度も礼を述べて下っていったが、幾島はなお無念さをあらわにして、

「滝山がああは申しましても、表が果して大奥の口出しは許しますまい。もし成功いたしませなんだら、御台さまも含めて大奥への締めつけはきっときびしゅうなります」

と口惜しまぎれにいい、そして気にかかるのはやはり、

「滝山のいうとおり、井伊どのが老中となった暁には、紀州家がお世継ぎとなるは必定《ひつじょう》、さすれば我らの立場もありませぬ。国許のお殿さまに、どのように申開きをいたしますればよろしいやら」

と口調は次第にしめっぽくなる。

それは、明らさまに口にせずとも、十八歳の春から手塩にかけて教育してきた篤姫が、こ

れまでずっと思い通りに育った満足があったのに、今日ばかりは意外な態度であったのを、もっともっとなじりたいという思いがこもっているのを、篤姫は察しているのであった。

篤姫はさきほどからの二人のやりとりをいく度となく自分の胸になぞりながら、何ともいえぬ淋《さび》しさを感じずにはいられなかった。

事態は焦眉《しょうび》の急とはいいながら、二人ともまっすぐ己れの体面のための継嗣問題に就ていい争っており、それはもはや現将軍もその御台所もとり残された場でのやりとりであった。

嫁いだからには夫の子を産みたいのは女の念願であって、ことにいまの場合、将軍夫妻の地位にあるものなら、どんなにか懐妊を待ち焦れているか、それは本人たる自分がいちばんよく判っている。

婚儀が終ってすでに一年と四ヵ月、健康な若い夫婦ならもう子供が生れていてもおかしくはなく、いまもし、そのみどり子を篤姫が抱いていたとしたら、事態はどうなっていたろうと思いはしぜんにそこへ行きつく。

徳川家の将軍はふつう中奥で寝起きし、身の廻りすべて小姓たちが取りしきるのが慣わしだが、もしみどり子がここにいたとしたら或いは自分がその子を補佐することを理由に、ひょっとして表の政務を執る可能性も無きにしもあらずではないか、などとふっと頭の隅を通りすぎる。

国史上、天皇に女帝はあっても、将軍に女性の例がないのはよく知ってはいるが、これほど紛糾《ふんきゅう》する天下の情勢のなかでは、血筋をいえば現将軍直系の子が誰にも増して万民を慴伏《しょうふく》せしめる人間ではないかと、篤姫はひそかに考えるのであった。

それは、江戸城入城の前夜、こんこんとさとされた斉彬《なりあきら》の言葉のなかにもあったもので、

「第一にはそなたがお世継ぎを挙げること、第二には一橋卿を推すこと」

というのは即ち、子を挙げてのち、それを補佐するのはそなた自身、という意味を言外に含んでいたように、そのときの篤姫はとらえたことを思った。

そして一年半を経たいま、その第一の使命の実現がほとんど絶望に近いことが判って来たとき、篤姫の胸に芽生えた小さな疑いはほんのわずかながら大きくなりつつある。

お父上は、将軍がお子をなす能力がおありにならないのを、十分ご存知の上でこの婚儀をすすめたのではあるまいか、という思いであって、それはまず間違いない事実のように思われてくるのであった。

また、召見の際、腹に据えかねるほど態度のよくなかった一橋慶喜を、名君とうたわれる斉彬がなぜに強力に推輓しようとするのかも、篤姫は以来さまざま推察してきている。

それは、いかに雄藩といえども外様《とざま》である以上、三家三卿との絆《きずな》を強く結んでおかなければ、ゆくすえ立場が弱くなることの他に、篤姫には鮮明に記憶している言葉があった。

それは去る年、朝廷より下しおかれたご宸翰《しんかん》を、篤姫にだけ拝ませてくれたときのこと。斉彬はそのとき、

「かくの如きご宸翰を一大名に賜わるのは未曾有のことである。これは他日、そなたに話したき儀あるため、とくに拝させたことを忘れぬように」

といい、篤姫はつつしんで拝見させてもらったのだが、そのなかに不審に堪えぬ文言があったのをいま思い出したが、それは幾島の前では決して口にはできなかった。

いずれにしてもいまの篤姫には斉彬の言動には納得し難いふしがいくつかあるように思えるけれど、幾島のいう大恩ある父に対してかりにも異る考えを抱いてはならないと自制しているのであった。

篤姫は、憤然たる面持の幾島に向い、

「滝山がたとえ連判状を持参して大奥の意向を伝えたとて、幕僚人事が必ずしもそのようになるとは請け合えぬ。

それに滝山は滝山なりに、お家の大事と考えて行動を起したことであろう故、まんざら筋ちがいとは思えぬふしもある。何がしんじつであるか、いまの私には判らぬことが多すぎる」

と呟くようにいう篤姫に、なおも幾島は、

「御台さまが滝山をおとどめ遊ばされなんだばかりに、我らはもはや負けるやもしれませぬ。

国許のお殿さまには如何申開きをばいたしましょうや。この幾島、本日のことは文にしためるべき手を持ちませぬ」

といい募る幾島の顔を、篤姫は燭台《しょくだい》の灯りでつくづくと眺め、このひとも年を取ったな、という感慨を持った。

斉彬への忠節一途はよく判るが、しかし当事者の篤姫のせつない思いとはやはり少々喰《く》いちがうところがある、と篤姫は思った。

こちらは将軍の妻で、臥床をともにし、世の継嗣問題とは関わりなく、我が子を産みたい望みを抱いている。それが第一の使命、といった斉彬が、果して将軍の体調を知悉《ちしつ》した上でそしらぬ顔のまま篤姫の入輿を取計らったとしたら、篤姫は自分が全くの政略の犠牲になったのだと思わないわけにはいかなかった。

もとよりそういうことは問い糺《ただ》すべくもないけれど、さきほどの滝山の「徳川家のおんため」という言葉が深くつきささった胸の奥では、幾島のように、いまだいささかの疑いもなく斉彬の指令どおり動くことには迷いがあった。

翌日、堀田正睦は京都行の何の成果もないまま帰城し、そして長い評定が続いたあと、四

月二十四日朝、表からの連絡係の側用人から、

「昨日、彦根藩主井伊直弼《いいなおすけ》さまが大老にご就任遊ばされました。大老はただちにご用部屋にこもり、ご執務遊ばされておいでてございます。

御台所さまへはいずれ日を選んでご挨拶に参上のおもむきのよしと承りました」

という報告を受けた。

井伊直弼が大老に就任したことは即ち、将軍継嗣ももはや紀州家に決定したも同然であって、その夜、幾島は篤姫の前で涙を拭いながら、

「御台さま、この大奥の女どもに私はみごとに打負かされました。

滝山の連判状には、ことの外本寿院さまが肩入れなさいましたそうで、一橋卿が万一ご継嗣に決定となれば自害する、と上さまに決死の嘆願を遊ばしたと聞きました。

本寿院さまは一橋卿には格別の宿怨《しゅくえん》もなきよう承っておりますが、滝山の工作どおり、水戸ご老公が上さまを押込めて、みずから将軍の実権を握るという風評を信じたが故でございましょう。

幾島は口惜しゅうございます」

といいつつ声を挙げて泣き伏す姿を見て、篤姫はいうべき言葉がなかった。

もはや六年、幾島と二人、はるばると薩摩から参府し、同じ目的に向って力を合わせてき

たかに見えるものの、いまこういう事態になってみれば、幾島の思いはまっすぐ篤姫に向けられているのが判る。

ご生母の本寿院でさえ、懐剣をふところに、将軍にぜひ紀州家を、と決死の嘆願をしたほどなのに、何故御台所にそれ以上の勧請《かんじょう》ができなかったか、やれば必ず成功したであろうに、という口惜しさが言外にあふれており、それはまた、父上さまのご命令を果し得ない不孝、とひたすら責めているように聞える。

しかし篤姫は、幾島に対しもはや申しわけは一言も口にしないでいようと、いまは覚悟も定まっている。

胸のうちにはさまざまな思いが渦巻いており、それを一言でいえば、幾島と違っていまは御台所の地位にあれば、ひろく大奥全体の利益を考えなければならないということでもあった。

黙して語らぬ篤姫の前を幾島は涙ながらに退っていったが、その去りぎわ、

「しかしまだ紀州家と決定したわけではございませぬ故、一縷《いちる》の望みを捨ててはなりませぬ」

と繰返し口にした。

井伊の大老就任発表の翌日、突然夕刻に将軍のおわたりがあるよし連絡を受け、篤姫はふ

だんにも増して胸のとどろくのを覚えた。

家定は、愚鈍だと人はそしるけれど、ある面非常に鋭い嗅覚《きゆうかく》を持っているひとで、篤姫が慶喜を推挙していることはよく呑《の》み込んでいると思っていただけに、大奥お成りはきっとそのことに違いないと思った。

その夜、燭台の灯りで久しぶりに見る家定の顔はいつにも増して蒼白く、そして心なしかむくんでいるように感じられた。

「お加減はいかがでございますか」

と伺うと、うなずいて、

「この頃、体中が重い。歩くのに鉛の錘《おも》りをぶらさげているようじゃ」

という吐息さえもの憂《う》そうで、

「表より奥までは遠すぎる」

と低い声で呟くようにいうのへ、篤姫はわざと明るく、

「遠ければお乗り物もございます。お駕籠を召してくださいませ」

と気を引き立てたが、

「いやいや」

と家定は沈んだ面持で、

「奥へ足を踏み入れるのも、これが最後かも知れぬ」

と力ない声でいった。

篤姫はおどろいてにじり寄り、家定の膝を揺すぶりながら、

「上、何とお弱いことを仰せられます。

しっかり遊ばしてくださらねば、私が心細いではございませぬか」

といっているうち、胸がいっぱいになり思わず家定の膝に泣き伏してしまった。

ほんとうは、私にお子を授けてくださいませ、といいたい気持だったのに、それは恥しくてさすがに口にはできず、言葉の代りに熱い涙があふれ、子供のようにしゃくりあげた。

弱い夫を持つかなしさ、おわたりも間遠で、しとねを共にしても兄妹のように並んでやすむだけで触れもせず、それは自分に女としての何かが欠けているせいなのかも知れぬ、と常に我が身を責めて来た篤姫にとって、今日のこの一段と弱った姿はたとえようもなく心細くつらい。

人前で涙を見せるは恥、と気を張って来たのに、今宵ばかりはこらえ切れず、日頃の慎しみも忘れて泣き沈む篤姫を、家定は最初珍しそうに眺めていたが、自身も悲しくなったものか、篤姫の背の上に打伏して泣きはじめた。

やがて篤姫のほうがさきに顔をあげて家定を助け起し、

「上はこの頃の騒がしいご政情にいたくご疲労遊ばしておいでになります。さあ今宵はごゆっくりとおやすみ遊ばしてくださいませ」

と寝床にいざない、自分もそのわきに身を横たえた。

家定は涙を拭ってくれる篤姫のしぐさがよほど嬉《うれ》しかったのか、

「予が体が弱いため、御台にはいたく心配をかけて相すまぬ」

とやさしくいい、篤姫の手を握ったままで、

「将軍の継嗣問題も、もはや予が決断する時期に来たようじゃ。

ここ二、三日のうちには幕閣たちに予自らその名を告げねばならぬ」

といい、篤姫が息を詰めて見守っていると、家定は静かな声で、

「考えた末のことじゃ、若年なれど紀州家に譲ろうと思う」

と告げた。

それを聞いたとき、篤姫の胸のうちに深い安堵と、喜びに似た思いが走り抜けていったのは何故だったろうか。

家定は続けて、

「紀州家に決めたについては、いろいろ理由があるが、そのいちばん大きなものは、慶福《よしとみ》どのが未だ若年であることじゃ」

と篤姫には意外なことを打明けて、

「予はこれまで、女性が表に口を出すことについて好ましくは思えなかったが、御台を見ているうち、その考えは少しずつ変った。

御台は、予が知れる限りの女性のなかで識見兼ね備えたまことに立派な人となりであると思われる。

かのいにしえの源《みなもとのよりとも》頼朝公の妻、政子《まさこ》どのの再来かとばかりに感じられるほどじゃ。政子どのは尼将軍と呼ばれ、女ながらも政務にたずさわったといわれるが、我が徳川家もそのひそみにならい、幼き慶福どのの後見として御台が表の執務をも見てとらせば、この政局は乗り切れよう。

御台はそれが立派に果せる力を持っておられると予は見ておる。さすればこの宗家も、余人にくちばしを挟ませず、神君よりの血筋を保ち、のちのち繁栄を続けられることであろう。

頼む。御台よ。これより以後は紀州家を補佐して表の執務にも力をいたしてくれるように」

とここまで述べると、家定はさも疲れたようにその薄い胸を喘《あえ》がせながら息をついた。

篤姫は思いもかけぬ言葉に驚愕するとともに、その内容が遺言のおもむきであるのに不吉

な感じを抱き、

「上、有難き仰せなれど、将軍いまだましますのに、何故女の身で政務にたずさわることができましょう。上はお世継ぎ決定のあとでも、紀州家がご成長なされる日まではお気を確かにお持ち遊ばさねばなりませぬ」

ひょっとご退隠を考えているのではあるまいかという危惧《きぐ》を感じて篤姫がそういうと、家定はめったに見せたことのない笑顔を見せて、

「将軍職というものは、身体強健でなくてはつとまらぬものじゃ」

といいつつ、

「燭台を」

と篤姫に灯りを近々と持ってこさせ、寝床の上に起き上って両足を見せた。

青白いその足は、肉眼で見ても確かにむくんでいる、と思えるほどふくらんでおり、家定は脛《はぎ》の下を指先で押して、凹《へこ》んだ部分を示しながら、

「もう長くはないのかも知れぬ」

と、それを平静な声で呟いた。

篤姫は動顚《どうてん》しつつも、

「お医師はどのように申しておりますか。お薬はいつも召しておいでになりますか」

とせき込んでたずねると、家定はただ微笑しているばかりであった。

今宵は笑顔をお見せになる、とうれしく感じつつ、しかしそれも上機嫌の笑顔でなく、仰せの言葉とともにどこかさびしく凶々《まがまが》しい、と思うと篤姫の胸は不安におののいてくる。

家定はふだんから極めて言葉少なく、その思うところが何であるか、篤姫はいつも心を砕くのだったが、今日、このように大切な継嗣《けいし》の決定をまず自分に打明けてくれたことは何より嬉しかった。

その上、自分を尼将軍の政子になぞらえ、今後の徳川宗家をよろしく頼むといったことで、これまでの夫婦の交わりも叶わなかったさびしさも一挙に忘れるほどに感じられたが、しかしそれにしても、今宵は何故、こんなご遺言めいたことを、とそこに心は掛り、家定を元気づけるためにもはじめて甘えを見せて、

「上、いますこしおそばにお寄りしてもよろしゅうございますか」

といいつつ身を寄せた。

家定もこれまでになくやさしさを見せ、そういう篤姫の背を、手をのばしてかき抱いたが、すぐ動悸《どうき》がするらしく胸が波打ち、

「御台にはまことに相すまぬ」

とやがてその手を引いてしまった。

目を閉じ、じっと息をととのえている家定を見ると篤姫は、今日もまた何事もなく朝を迎える残念よりも、いたましさがさきに立って、こちらも身じろぎもせず考え込んでしまう。

自分は若く健康で病い知らずだけれど、幼少より生命を脅かされ続けている病弱の家定の気持はどんなであろう、ましてや将軍の職責たるものとみに重いいまの世にあれば、いかに病弱が口惜しいか、その思いは自分の想像以上のものがあろうと考えられるのであった。

家定はその夜はもう口をひらかず、しかし眠りに就いたかといえばそうでもないらしい様子で朝を迎えたが、起き上ったときもひどく憂鬱《ゆううつ》そうで、重い足をひきずりながら帰って行った。

その数日後の五月一日、家定は大老、老中を呼び、表書院で、

「いまだ内々なれど、将軍継嗣は徳川慶福を以《もっ》てす」

と告げたことの報告を、篤姫は受けた。

幾島は歯ぎしりのていで、

「このよし、ただちに藩邸にお知らせいたします」

と自室にこもって手紙をしたためていたが、篤姫のいまの気持は、「藩邸」という言葉がもはや自分にはひどく遠いもののように感じられるのであった。

継嗣問題の一般発表は六月十八日の予定だが、早くも洩《も》れ聞いた一橋派は巻き返しを計るべく騒がしい様相を呈しており、翌五月二日に井伊直弼が松平春嶽に対し、

「徳川慶福どのに公式決定した場合、これまでどおり徳川家に対し忠誠を尽して欲しい」

と要請したが、春嶽はぴしゃりと、

「我らかくまで努力したことに就いて、幕府がそれをくつがえすからには、このさきどんな事態が起きるか、自分ながら判らぬ」

と不穏な答えをしたということも篤姫は聞き、幾島は春嶽に呼応して大奥からもぜひ巻き返しを、とすすめたが、篤姫は答えなかった。

宮尾登美子

１９２６年高知市生まれ。高知市高坂高等女学校卒業。１９６２年第５回女流新人賞を『連』で受賞。１９７３年『櫂』で第９回太宰治賞受賞。１９７９年『一絃の琴』により第80回直木賞受賞。主な作品に『陽暉楼』『寒椿』（第16回女流文学賞）『岩伍覚え書』『影絵』『鬼龍院花子の生涯』『伽羅の香』『序の舞』（第17回吉川英治文学賞）『春燈』『朱夏』『東福門院和子の涙』『天涯の花』『仁淀川』『宮尾本　平家物語』『宮尾登美子全集』（全15巻）等がある。

新装版《しんそうばん》 天璋院篤姫《てんしょういんあつひめ》（上）

二〇〇七年　九　月七日　第一刷発行
二〇〇七年一二月三日　第三刷発行

著者——宮尾《みやお》登美《とみ》子《こ》

発行者——野間佐和子
発行所——株式会社講談社
東京都文京区音羽二—一二—二一
郵便番号一一二—八〇〇一
電話　出版部　〇三—五三九五—三五〇四
販売部　〇三—五三九五—三六二二
業務部　〇三—五三九五—三六一五

印刷所——大日本印刷株式会社
製本所——黒柳製本株式会社
本文データ制作——講談社プリプレス制作部

定価はカバーに表示してあります。

ISBN978-4-06-214217-5